国家出版基金项目
NATIONAL PUBLICATION FOUNDATION

“十四五”国家重点图书出版规划项目
国家出版基金资助项目

中国德育研究大系

学生品德发展研究

总 主 编 | 檀传宝

本册著者 | 刘春琼

长江出版传媒 | 湖北教育出版社

图书在版编目（CIP）数据

学生品德发展研究 / 刘春琼著. -- 武汉 : 湖北教育出版社, 2023.12
（中国德育研究大系）
ISBN 978-7-5564-5977-3

Ⅰ. ①学… Ⅱ. ①刘… Ⅲ. ①品德教育—研究—中国 Ⅳ. ①D648

中国国家版本馆CIP数据核字(2023)第192039号

ZHONGGUO DEYU YANJIU DAXI · XUESHENG PINDE FAZHAN YANJIU

中国德育研究大系 · 学生品德发展研究

出品人 方 平
责任编辑 万 婵　　责任校对 李庆华　　封面设计 荆棘设计
版式设计 刘静文　　责任督印 刘牧原

出版发行 长江出版传媒 430070 武汉市雄楚大道 268 号
湖北教育出版社 430070 武汉市雄楚大道 268 号
经　销 新华书店
网　址 http://www.hbedup.com
印　刷 湖北新华印务有限公司
地　址 武汉市硚口区长风路 31 号
开　本 710mm×1000mm 1/16
印　张 22.5
字　数 311 千字
版　次 2023 年 12 月第 1 版
印　次 2023 年 12 月第 1 次印刷
书　号 ISBN 978-7-5564-5977-3
定　价 120.00 元

总　序

重视道德教化、以伦理组织社会，是中国传统文化的显著特点。① 新中国成立后，中国共产党继承并发扬了这一优良传统，先后提出了“德育为首”②“德育为先”③等命题，并从“落实立德树人根本任务”④的战略高度来定位德育的崇高地位和神圣使命。这既为中国当代德育研究提供了良好的政治条件和社会氛围，也对德育研究提出了迫切的期望和最高的要求。

不同于古代的经验型教育，包括德育在内的现代教育早已是一种以科学研究为基础的专业性实践活动。而德育研究作为一种严肃的学术活动，其目的正在于揭示德育问题、探寻德育规律、建构德育理论，从而引领德育实践。中华人民共和国成立以来，我国德育研究直面社会现实需要，关怀学校德育实践，取得了许多重要成就。70余年的当代中国德育研究大致经历了批判化改造、灾难性停滞、科学化探索、人性化追求和本土化建构五个不同历史阶段。总体上看，中国德育研究不断拓展研究领域，不断深

---

① 梁漱溟．中国文化要义［M］．上海：上海人民出版社，2005：20－21.

② 江泽民．在庆祝中华人民共和国成立四十周年大会上的讲话［J］．党建研究，1989(8)：2－12.

③ 教育部关于整体规划大中小学德育体系的意见［J］．中华人民共和国教育部公报，2005(6)：25－29.

④ 习近平．决胜全面建成小康社会 夺取新时代中国特色社会主义伟大胜利［M］．北京：人民出版社，2017：45.

化研究主题，已经初步建立了富有中国特色和时代精神的德育理论体系。

一、新中国德育研究不断发展的历史脉络

中国很早就有礼仪之邦的美名。在传统中国社会，道德、政治、教育三位一体，相互为用。几千年的中华文明史，伦理道德、道德教育或道德教化占据了相当重要的位置。

辛亥革命推翻清朝专制统治建立中华民国之后，国人开始了建立新道德的伦理努力和教育尝试。共和国的主体是公民，而公民需要相应的公民道德,公民教育因而是民主政治制度建立的基石。五四运动在呼唤“德先生”（DEMOCRACY）、“赛先生”（SCIENCE）的同时，也没有忘记还有一位“莫先生”（MORALITY）。中国共产党的创始人之一陈独秀先生就曾指出，只有伦理的觉悟才是最后的觉悟。在此背景下，民国时期的德育研究有一定程度的开展，出版了不少著作。① 同一时期高校的教育系，也开设了德育原理（训导原理）等课程。有论者据此认为，现代德育论开始在中国建立起来。②

随着 1949 年中华人民共和国成立，中国政治、教育、教育研究都进入了新的时代。③ 社会主义制度的建立，在根本性质与根本方向上提出了告别传统道德、传统德育的新要求，理所当然地要求建立自己的德育理论与德育体系。迄今为止，新中国德育研究历经风风雨雨 70 多年，大体以 1978 年改革开放为界，分为“前三十年”和“改革开放四十年”两个大的

① 主要有：蒋拙诚．道德教育论［M］．上海：商务印书馆，1920; 吴俊升．德育原理［M］．上海：商务印书馆，1935; 姜琦．德育原理［M］．重庆：柏庵书屋，1944.

② 檀传宝．学校道德教育原理［M］．北京：教育科学出版社，2000：16; 郑金洲，瞿葆奎．中国教育学百年［M］．北京：教育科学出版社，2002：288.

③ 陈元晖．中国教育学七十年［J］．北京师范大学学报，1991 (5)：52 − 94.

历史时期。若进一步细分，则有五个重要历史阶段：批判化改造（1949—1966 年）、灾难性停滞（1966—1976 年）、科学化探索（20 世纪 70 年代末至 80 年代）、人性化追求（20 世纪 90 年代）和本土化建构（2000 年至今）。

（一）德育研究的批判化改造（1949—1966 年）

1949 年，新中国成立。中华人民共和国，这个新生的人民政权、社会主义国家，在根本性质上与封建专制社会、资本主义社会存在本质差别。这从根本上决定了必须对那个半殖民地半封建的旧中国进行脱胎换骨的改造。新生的人民政权、新中国的领导人也从不避讳这一点。毛泽东在《论人民民主专政》中明确指出要对反动阶级实行专政，即强制性改造；对人民则用民主的方法，进行教育和改造。① 在这样的历史背景下，新中国要建立自己的德育理论与德育体系，首要任务就是改造旧的教育体系，特别是改造旧思想。1949 年 12 月，教育部召开了第一次全国教育工作会议，讨论新中国的教育方针和对旧教育进行改造的问题，强调“把改造思想作为理论学习的直接目的”②。

那么，用什么来改造？改造的底气从何而来？

当然是用社会主义思想来改造，用马列主义毛泽东思想来改造。教育的目的是“以社会主义思想教育学生，培养他们成为社会主义社会全面发展的成员”③。改造的底气来自共产党领导的中国革命的巨大成功。在大革命时期、土地革命时期、抗日战争时期、解放战争时期，只要是建立了新的革命政权的时期，就有新的道德标准产生，就把整个旧的风俗习惯基本上改变过来。正如徐特立所说：“中国在帝国主义和封建统治下的社会状

---

① 毛泽东选集：第四卷［M］. 北京：人民出版社，1991：1468 – 1482.

② 冯刚，沈壮海. 中华人民共和国学校德育编年史［M］. 北京：中国人民大学出版社，2010：5.

③ 中央人民政府政务院关于改进和发展中学教育的指示［J］. 人民教育，1954 (7)：16 – 17.

况总是土豪劣绅、土匪盗贼、流氓地痞等，横行乡里，民生不安，国家衰败……大革命，土地革命，到抗日的民族革命，凡是改变了社会关系的地区，即实行了减租减息平分土地以及发扬起广大人民民主的地区，于是社会习惯和个人道德也就来了历史上空前的大转变：犯法作乱的人，很少看见；烟赌盗贼，不禁自绝；以至夜不闭户，一切坏分子都变成劳动者。”①这种新旧社会的巨变，新旧社会关系的巨变，带来了社会风气的根本好转，带来了个人脱胎换骨的改造。徐特立还对此进行了理论总结，即社会决定人的好坏、善恶。他强调，这种社会决定人性论是符合马克思主义的，因为马克思说“人的本质不是单个人所固有的抽象物”，而是“一切社会关系的总和”。②

德育改造的目的是弘扬共产主义道德，培养共产主义新人，根本方针就是学习苏联的共产主义道德教育。“学习苏联的教育理论和教育经验也是必要的和正确的，……是我们刚开始在全国建设社会主义的时期的必要步骤和有效的方法。”③当时被介绍到中国的苏联的道德教育是这样的：一是对劳动采取共产主义的态度，即“劳动是一种荣誉的物事，是一种光荣的物事，是一种勇敢和英雄主义的物事”，而剥削阶级认为劳动是辛苦的、耻辱的；二是培养苏维埃爱国主义精神，即“爱祖国、爱人民、爱光荣的共产党及其领袖——列宁、斯大林，养成随时为祖国的幸福牺牲一切的精神”；三是集体主义的教育，“所谓集体，并不是许多同样的儿童一种简单的机械结合，而是儿童的各种活动建立在同志爱和友爱的基础上”。④在“一边倒”的学习苏联的方针下，克鲁普斯卡娅、加里宁、凯洛夫等人的理论被介绍到中国，并风靡一时。

---

① 徐特立．论国民公德：上［J］．人民教育，1950 (3)：17 － 19.

② 马克思恩格斯选集：第一卷［M］．北京：人民出版社，2012：135.

③ 陈元晖．中国教育学七十年［J］．北京师范大学学报，1991 (5)：52 － 94.

④ 王雁冰．介绍“苏联的新道德教育”［J］．人民教育，1950 (4)：67 － 70.

在这一历史阶段，德育理论批判改造的对象主要有两个方面：一是彻底批判中国封建社会的传统道德。因为“无产阶级忠于祖国、忠于人民、忠于党、忠于社会主义事业的道德原则是‘从无产阶级斗争的利益中引伸出来的’”[①]。二是彻底批判以杜威为代表的西方资产阶级的德育思想。因为“杜威关于道德的理论，是帝国主义时期资产阶级用以确立善恶标准和规范人类行为的罪恶工具,是资产阶级统治人民思想意识的理论武器”[②]。“杜威关于道德教育的理论是荒谬而反动的。……是一些资本主义国家进行道德教育的指针；而且就我国而论，由于过去教育深受杜威的影响，……存在着杜威理论的残余毒素；所以对于杜威的道德教育论给以彻底的批判……”[③]

比德育理论、学术上的批判更为猛烈的是舆论上对思想界的批判浪潮。1951 年批判电影《武训传》,1954 年批判胡适,1955 年批判胡风反革命集团，1957 年反右派斗争,1963 年批判母爱教育。在一浪高过一浪的批判浪潮中，德育改造逐渐演变成德育领域的阶级斗争，从而为十年“文革”期间德育及其研究的灾难性停滞埋下了伏笔。

在批判旧世界的同时，也有许多建立共产主义、社会主义道德教育理论的努力。在对社会主义新道德以及中国特色教育路径的探究中，徐特立、王焕勋、黄济、胡守棻等一批教育研究者投入了道德教育的研究。1957 年出版的胡守棻编著的《中小学共产主义道德教育的内容和方法》，可以视为这种努力的突出代表。该书共分四章：第一章说明什么是道德（承认道德是人们共同生活及其行为的标准和规则，特别强调道德是社会意识形态之一），什么是共产主义道德（其阶级本质是工人阶级的道德，是从无产阶级斗争利益中引申出来的，同时也代表着全体劳动人民的利益，“它是

① 阎长贵 . 必须坚决摒弃封建道德：从忠孝谈起［J］. 哲学研究，1963 (6)：16 － 25 + 15.
② 滕大春 . 批判杜威的道德论［J］. 哲学研究，1957 (4)：60 － 72.
③ 滕大春 . 批判杜威关于道德教育的理论［J］. 河北天津师范学院学报，1957 (1)：1 － 11.

人类历史上最高类型的道德”“它是未来全人类的道德”[①]），共产主义道德教育的意义和任务是什么。第二章介绍中小学共产主义道德教育的内容（爱国主义、国际主义、爱劳动和公共财物、自觉纪律、集体主义精神、坚强意志与性格）。第三章讲共产主义道德教育的方法。第四章说明各种道德教育的相互联系，以及如何创造性地运用道德教育方法。

（二）德育研究的灾难性停滞（1966—1976年）

1981年党的十一届六中全会通过的《关于建国以来党的若干历史问题的决议》明确指出，“实践证明，‘文化大革命’不是也不可能是任何意义上的革命或社会进步”，而是一场“给党、国家和各族人民带来严重灾难的内乱”。2021年《中共中央关于党的百年奋斗重大成就和历史经验的决议》也明确指出，十年内乱“使党、国家、人民遭到新中国成立以来最严重的挫折和损失，教训极其惨痛”。

由于德育所具有的突出的特殊性，“文化大革命”对新中国的德育事业来说当然更是灾难，学校教育饱受摧残，德育完全沦为“阶级斗争”的简单工具。正如有研究者指出的那样：无情批判、战斗的“革命道德”取代了讲究温良恭俭让的传统道德；人与人之间关爱、诚信、友善等千古流传的道德准则被推翻，团结友爱、助人为乐和勤勤恳恳为人民服务的美德，被斥为缺少阶级观念；公正无私、实事求是、诚实正直的德行，被诬为缺乏革命斗争精神；学校德育对学生提出的那些道德要求，诸如礼貌谦虚、尊长爱幼、遵纪守法及文明行为等，不仅被认为是无关痛痒的“小德”，而且被指为“资产阶级之德”“修正主义之德”。[②]

这一时期德育的一个突出特点是否定个性、否定独立思考，反对个人

① 胡守棻．中小学共产主义道德教育的内容和方法［M］．上海：新知识出版社，1957：7.

② 蒋制心，张嘉馥．德育概念运用上的混乱应该结束［J］．兰州学刊，1980（3）：89－91＋96.

奋斗，倡导禁欲主义。青少年在思想汇报或介绍学习“毛选”的心得体会时，都以自己个人的情感、需要和利益为鞭挞的内容，主张“灵魂深处爆发革命”“狠斗私字一闪念”，把“无欲”“无我”奉为至高的道德大加宣传。[①]奉行没有“小我”的禁欲主义道德原则被认为是无产阶级道德的本质特点。由于个人的合理利益被完全否定，极端的国家第一、集体至上的观点泯灭了青年一代的主体意识，个人的独立思考被全然否定。

憎恨教育、斗争教育、禁欲教育造成了教育的非人性化。德育事业也因此遭到了严重的破坏。这表现在：其一，师生关系严重扭曲。中国师道尊严的教育传统被推翻，学生在肉体上毒打老师、在精神上羞辱老师的案例层出不穷。有研究指出，中学教师受到的冲击比小学教师大，大部分批斗教师的事件发生在中学。[②]其二，阶级观点在学生群体之间制造了对立。家庭出身不同的学生、注重学习成绩的学生和追求政治积极的学生之间形成矛盾与对立。其三，在这样一种教育氛围中，学生们是非混淆。在教育与生活中，同情心不再被肯定，善良不再被肯定；无情被误认为革命的坚定性，野蛮被错看作革命者应有的勇敢。一种畸形的情感和道德观形成。

这一时期德育如果说有什么“理论成果”，那就是“阶级斗争德育论”的形成。其主要内容是：

第一，强调道德是阶级的道德，阶级性是道德的本质属性。在阶级对立的社会，“道德始终是阶级的道德”[③]。

第二，教育是为阶级斗争服务的，是阶级斗争的工具。“教育从来就是阶级斗争的工具，我们从不讳言我们的教育是无产阶级斗争的工具，必

---

① 孙少平．十年“文革”时期学校德育的实践特征及其异化[J]．现代教育论丛，1998 (6)：17－20＋16.

② 于珍．“文革”时期农村基础教育的面相：一项口述史的研究[J]．中国校外教育，2014 (21)：56＋87.

③ 畅广元．“知、仁、勇”是为“复礼”服务的反动道德［J］．陕西师范大学学报（哲学社会科学版），1974 (1)：39－43.

须为无产阶级的政治服务。为了在与资产阶级争夺下一代的斗争中取得胜利，把儿童培养成为共产主义事业的接班人，我们就必须对他们加强无产阶级的阶级教育，抵制剥削阶级思想对他们的侵蚀。”①

第三，学校德育的根本任务是培养无产阶级道德，提高学生的社会主义觉悟。“学生社会主义觉悟的提高，共产主义道德的养成，无产阶级世界观的树立，主要是德育的任务。德育主要是以社会主义、共产主义思想来武装学生的头脑，培养学生的无产阶级的道德品质。”②

第四,学校德育的内容尽管有多个方面,但核心是阶级观点的教育。“归结起来，就是对学生进行马克思列宁主义、毛泽东思想的教育，使学生具有无产阶级的阶级观点、革命观点、群众观点、集体观点和劳动观点……核心就是阶级和阶级斗争的观点。”③

第五，阶级教育的具体内容：其一，使学生具有阶级和阶级斗争的基本认识；其二，让学生了解阶级斗争的历史；其三，使学生了解社会主义时期阶级斗争的实际，增加不断革命的思想；其四，让学生认识国际工人运动和民族解放斗争的情况；其五，教育学生学习、继承和发扬无产阶级的革命精神，培养革命的品质和作风；其六，帮助学生学习运用阶级观点和阶级分析的方法来观察问题，提高阶级觉悟。④

第六，阶级斗争一抓就灵，阶级斗争也是学校德育工作的好方法。由于现实生活中普遍存在着阶级斗争，一小撮阶级敌人企图腐蚀青少年，所以，“发现一条规律，就是学生的思想反复，总是同南京路上阶级斗争的风浪息息相关”⑤。总之，阶级斗争是一门主课，忆比教育（回忆旧社会的

---

① 曾尚友. 掌握儿童特点，加强阶级教育［J］. 江苏教育，1965 (2)：10 − 12.

② 何辛. 学生阶级教育在德育中的地位和内容［J］. 学术研究，1964 (1)：48 − 52.

③ 同②.

④ 同②.

⑤ 上海市培光中学党支部. 毛主席哲学思想指导我们做好学生思想工作［N］. 文汇报，1972 − 12 − 01.

苦难，对比新社会的成就与人民的幸福生活）是一种基本方法，参加现实的阶级斗争是基本途径，学习马列和毛主席著作是学校主导性的课程安排（低年级学习语录，中年级学习马列和毛主席的部分著作和章节，高年级通读《毛泽东选集》和马列部分著作），最终目的是把学生培养成为反修防修的战士。[①]

（三）德育研究的科学化探索（20世纪70年代末至80年代）

1976年，“文化大革命”结束。在经历了短暂的徘徊之后，党的十一届三中全会决定冲破长期的“左”的错误的严重束缚，把全党的工作重点和全国人民的注意力转移到社会主义现代化建设上来，由此导致了德育价值观的转折，即由德育“为阶级斗争服务”转变为德育“为社会主义现代化建设服务”[②]。

从教育学界来看，人们最初是通过否定“文革”、反思“文革”来寻找教育发展的方向的。潘懋元先生曾经谈到，“文革”结束后，我国教育界在反思时，提出要研究、探索教育规律，因为“文革”的教训就是不尊重教育规律。[③]理所当然地，要做好德育工作，就必须尊重德育规律，按德育规律办事。这就是当时理解的德育科学化的内涵。因此在德育理论界，对德育过程规律的探寻成为研究的热点。几乎所有的德育理论研究学者，

① 大寨大队党支部．加强党的领导，把学校办成无产阶级专政的工具［M］//瞿葆奎．教育学文集·德育．北京：人民教育出版社，1989：352－359.

② 鲁洁，班华．德育理论在科学化轨道上前进［J］．教育研究，1988（12）：6.

③ 潘懋元．对高等教育若干问题的思考［J］．西北工业大学学报（社会科学版），2018（2）：26－30.

如鲁洁[①]、班华[②]、郭文安[③]、李道仁[④]、涂光辉[⑤]等都先后参与了德育过程规律的研究，仅《教育研究》就先后发表了30余篇相关论文。由此，德育过程规律研究成为改革开放之后我国德育理论研究的第一个高峰，研究内容涵盖德育过程的概念、本质、特点、结构、要素、基本矛盾，中国古代的德育过程思想，苏联的德育过程理论等，特别是把德育过程与人的思想品德形成过程区分开来，把有目的的德育影响与自发的社会影响区别开来。

从目前已有的总结反思改革开放初期德育研究的著述来看，改革开放初期对德育过程理论研究的意义与价值被大大低估了。总体上看，这一研究表达了尊重德育规律、追求德育科学的雄心；表达了不甘心智育第一、德育第二的现实窘境；与当时的学科制度化活动相互促进，促使德育原理成为一门独立的学科（以1989年胡守棻主编的高等院校教材《德育原理》出版为标志）。当时所研究的问题，事实上奠定了德育学科的理论基础，引发了对德育本质、德育功能、德育人性化的研究，具有建构独立的德育学科的建设性价值，并具有德育原理的奠基性价值。

当然，这一阶段德育研究的主题还包括德育与个性发展、德育目标的依据与层次性、德育内容序列化、德育方法科学化等。

---

① 鲁洁．德育过程初探［J］．教育研究，1981 (2)：56－60；鲁洁．试评我国古代教育家有关德育过程的论述［J］．南京师大学报（社会科学版），1980 (3)：21－25.

② 班华．思想品德教育过程［J］．教育研究，1980 (3)：78－83.

③ 郭文安．试论青少年学生的德育过程［C］//北京师范大学教育系资料室．德育过程论文选编，1983：23－40.

④ 李道仁．试析德育过程的基本规律［J］．教育研究与实验，1984 (1)：32－38.

⑤ 涂光辉．试论德育过程的基本规律［J］．湖南师院学报（哲学社会科学版），1984 (3)：8－12.

（四）德育研究的人性化追求（20 世纪 90 年代）

以人为本是教育的基本逻辑。鲁洁曾经指出："总结……近 10 年来（1988—1998 年——作者注）德育理论的发展，便会发现一个明显的趋势，那就是一方面德育理论继续在科学化的轨道上前进，另一方面表现出人性化倾向，而且二者正在逐渐走向整合。"① 班华也曾撰文论述了新世纪德育的人性化走向。②

20 世纪 90 年代，德育研究在科学化探索之后，之所以出现人性化的追求，原因是多方面的。

第一，源于从计划经济向市场经济或者商品经济转型所带来的冲击，中国人的人格要求由计划经济下的单位人、被动人、集体人，转向主体人、自由人等。③ 这是现实生活的需要，是最根本的需要。学术研究的转向是对这种社会现实和社会实践的表达和回应。

第二，源于德育理论界对道德、道德教育本质与功能的创新性认识。鲁洁提出，"道德教育是一种超越"，"道德教育不是对现实的行为与关系的复制与重现，而是按照某种超越于现实的道德理想去塑造与培养人，促使人去追求一种理想的精神境界与行为方式"。④ 道德不全部是、不纯粹是规定、限制人自己的力量，也是人探索、认识、肯定、发展和创造自己的力量。

第三，源于思想界和学术界关于人道主义的论争，使人和人的主体性成为哲学的主题。人性化是对教育的本质、人的本质认识的提升，是对把

---

① 王啸，鲁洁．德育理论：走向科学化和人性化的整合［J］．中国教育学刊，1999 (3)：17－21.

② 班华．德育理念与德育改革：新世纪德育人性化走向［J］．南京师大学报（社会科学版），2002 (4)：73－80.

③ 同①.

④ 鲁洁．道德教育：一种超越［J］．中国教育学刊，1994 (6)：2－8.

人的本质完全归结于阶级性，把个人完全看作社会的工具、集体的工具的阶级人性论的反对。

因而，在这个时期，“人是主体”的教育思想得以确立，主体性德育思想应运而生。主体性德育认为道德教育应以培养学生主体性道德人格为目标，以人的内在需要为动力，把价值引导与自主建构相结合，在活动与交往中生成主体性道德人格。①

这个时期，不仅追求德育的人性化，同时也追求德育的现代化，二者相互交织。教育要现代化，德育也要现代化。②学者们批判指出了当时学校德育的低效及无效问题，试图在借鉴西方德育理论与德育实践的基础上勾画出现代德育的理想特征。鲁洁、王逢贤主编的《德育新论》（1994 年）、班华主编的《现代德育论》（1996 年）以及戚万学、杜时忠编著的《现代德育论》（1997 年）等著作或教材，均试图围绕现代德育构建、促进德育现代化的中心议题发力突围。而活动德育论③、情感德育论④、德育美学观⑤等当代中国德育理论的创新与建构也使中国德育研究开始呈现出百花齐放的局面。与此同时，在德育现代化话语的召唤下，西方道德教育的理论与

① 肖川．主体性道德人格教育［M］．北京：北京师范大学出版社，2002：152－183.

② 班华．近十年来德育思想现代化的进展［J］．教育研究，1999（2）：18－22.

③ 戚万学．活动道德教育论［M］．南京：南京师范大学出版社，1994；戚万学．活动道德教育模式的理论构想［J］．教育研究，1999（6）：69－76.

④ 朱小蔓．情感教育论纲［M］．南京：南京师范大学出版社，1993；刘慧，朱小蔓．多元社会中学校道德教育：关注学生个体的生命世界［J］．教育研究，2001（9）：8－12；朱小蔓．情感德育论［M］．北京：人民教育出版社，2005.

⑤ 檀传宝．德育美学观［M］．太原：山西教育出版社，1996；檀传宝．让德育成为美丽的风景：欣赏型德育模式的理念与操作［M］．合肥：安徽教育出版社，2006；檀传宝．美学是未来的教育学：德育世界的探寻［M］．上海：华东师范大学出版社，2015.

实践，如道德认知发展理论[①]、价值澄清理论[②]、建构主义德育理论[③]等也被大量引介到中国，成为中国德育人性化、现代化理论与实践探究的思想资源与历史镜鉴。

（五）德育研究的本土化建构（2000 年至今）

经过 20 多年的改革开放，当历史的车轮跨入 21 世纪时，我国的经济、社会、教育、文化都发生了巨大的变化，德育理论也进入了一个多元化发展的新时期。这是因为：第一，德育理论经过科学化与人性化两个阶段的积累，已经有了比较深厚的基础。第二，世纪之交的基础教育改革为德育理论研究提供了难得的机遇与广阔的舞台（生活德育论大有用武之地）。第三，随着大量的、多样性的西方德育思想、德育理论的引进，我国德育理论研究也在不知不觉中融入了多元化的趋势。第四，社会转型的文化冲突、文化危机导致各种文化思潮的兴起，“这也直接影响了德育理论流派的产生与交替”[④]。

在这一时期，中国德育研究不断回应本土性需要，走上了本土化建构的道路。典型表现有三个方面：

第一，推进中华优秀传统文化研究。经过 20 世纪 80 年代、90 年代的理论储备，复兴中华优秀传统文化已经势不可挡，并从底层走向政策、从理论走向实践，成为主导学校德育的一股重要力量。研究者多认同中华优

---

① 郭本禹．道德认知发展与道德教育：科尔伯格的理论与实践［M］．福州：福建教育出版社，1999; 岑国桢．吉利根对道德认知发展理论的修正［J］．心理科学，1992 (4) : 33 − 37 + 66.

② 冯增俊．价值澄清德育理论述评［J］．海南师院学报，1992 (3) : 28 − 33 + 43.

③ 肖川．建构主义学习观与学校德育［J］．教育导刊，1998 (Z2) : 36 − 37; 肖川．建构主义与道德教育中的灌输［J］．河北师范大学学报（教育科学版），1999 (4) : 10 − 15.

④ 叶飞，檀传宝．改革开放 30 年德育理论发展脉络探析［J］．教育研究，2009 (1) : 19 − 24 + 85.

秀传统文化是中国人的精神家园，在西方强势文化风靡世界的时候，必须要坚持走文化自主路线。① 有论者认为，2014 年教育部颁布《完善中华优秀传统文化教育指导纲要》，意味着中国的德育指导思想实现了结构性变革，即由 2010 年之前受马克思主义和社会主义道德一元指导的局面，调整为一种复合型建构性的德育指导方针。② 一些研究者致力于从传统文化中发掘现代道德教育的资源，探讨全球化进程中具有中国本土特色的道德教育。如认为传统道德可贵之处在于其强调精神，道德教育的中国形态应该是精神形态，而非西方的理性形态；强调伦理与天理良知相通，而非理智狡黠的算计。③ 或认为传统"天人合一""仁民爱物"道德观可生发出现代生态道德教育思想。或认为传统道德蕴含丰富的生命教育意识、德性教育传统可资利用，可以将传统美德中的感恩教育、孝道教育、自强教育、责任教育作为突破口，开拓新德育。④ 或主张在教育理论研究中，应以整体的、多视角的范式来实现对中国传统道德文化的多层次、立体式开发与利用，而非简单的、分割的碎片式继承。⑤

第二，加强社会主义核心价值观教育。社会主义核心价值观凝聚着社会价值共识，吸纳了世界先进思想，中华优秀传统文化是社会主义核心价值体系建构的前提与基础。社会主义核心价值观明确而完整地回答

① 鲁洁．应对全球化：提升文化自觉［J］．北京大学教育评论，2003 (1)：27 − 30.

② 张亚月．德育的历史性变革：从政治认同走向社会认同［J］．中国青年研究，2016 (8)：35 − 40.

③ 樊浩．道德教育的"'精神'形态"与"中国形态"［J］．教育研究，2013，34 (2)：44 − 53.

④ 沈建华．传统文化视角下青少年道德教育的活化和链接［J］．教育研究，2015，36 (11)：25 − 29 + 48.

⑤ 易连云．传统道德教育研究的范式转换［J］．教育研究，2010，31 (4)：30 − 33.

了“教育之道”，表达了中国学校教育的价值立场。[①]对于教育来说就是要解决好学生的人生价值取向问题。培育和践行社会主义核心价值观需要从理论引领、舆论宣传、文化熏陶、实践养成和制度保障五个维度入手。[②]社会主义核心价值观应通过具体化、日常化、形象化和生动化的形式引导学生自觉认同。[③]社会主义核心价值观融入学校教育，应立足于优秀德育教材的开发、高水平师资队伍的建设、德育话语体系的合理转换及德育方式的多元创新。有论者指出，把社会主义核心价值观融入教材，要掌握三种逻辑，即知识逻辑、生活逻辑和教育逻辑，打通三个世界，即符号世界、意义世界和生活世界。[④]

第三，立足于中国学校德育实践场域的多种德育理论应运产生。20世纪80年代以来，中国经济高速增长，取得了举世瞩目的经济奇迹。然而，也产生了环境污染、道德滑坡、贫富悬殊、官员腐败诸多问题。德育研究者们冷静审思伴随着现代化进程而泛滥的经济主义、唯科学主义、极端个人主义、工具理性至上及人类中心主义等谬误[⑤]，凸显生活、情感、生态、制度等过去被忽视、压抑或被边缘化的主题，由此形成了多种德育理论“百花齐放”的可喜局面。除了上一时期出现的活动德育论、情感德育论、德

① 杜时忠，曹树真.社会主义核心价值观“进教材”的教育学探索［J］.教育研究，2015，36(9):34－39.

② 王琰.将社会主义核心价值观融入高校立德树人全过程的五个维度［J］.思想理论教育导刊，2015(1):124－127.

③ 靳玉军.论社会主义核心价值观教育的实践要求［J］.教育研究，2014，35(11):4－7＋15.

④ 同①.

⑤ 鲁洁.教育的返本归真：德育之根基所在［J］.华东师范大学学报(教育科学版)，2001(4):1－6＋65.

育美学观继续活跃之外，这一时期新产生的主要德育理论有生活德育论①、公民教育论②、制度德育论③等。

综上所述，新中国成立以来，“前三十年”的德育研究伴随新民主主义革命胜利之后的喜悦与自信，力图改造旧道德、旧德育。它以革命者的姿态，否定中国传统道德文化与德育思想，否定西方近现代德育理论与德育模式，“一边倒”地学习苏联思想、政治与道德体系、教育经验与教育理论，也尝试在德育理论建构上追求中国特色。“文化大革命”期间，由于错误地估计了国内外形势，错误地坚持无产阶级专政条件下“继续革命”的理论，强调“阶级斗争”，最终导致学校德育沦为阶级斗争的工具，德育理论的发展也处于完全停滞的状态。

以改革开放为始的“后四十年”的学校德育研究，则在解放思想的旗帜下，乘改革开放的东风取得了重要进步。其重要原因，一是彻底反思、批判并否定错误的教育理论，二是大胆学习借鉴外国德育研究成果。反思与批判中，最根本的教训就是两条：一是不尊重教育规律；二是不尊重人，

---

① 鲁洁．德育课程的生活论转向：小学德育课程在观念上的变革［J］．华东师范大学学报（教育科学版），2005 (3)：9 － 16 + 37; 鲁洁．生活·道德·道德教育［J］．教育研究，2006 (10)：3 － 7; 高德胜．生活德育论［M］．北京：人民出版社，2005; 高德胜．生活德育简论［J］．教育研究与实验，2002 (3)：1 － 5 + 72.

② 檀传宝，等．公民教育引论：国际经验、历史变迁与中国公民教育的选择［M］．人民出版社，2011; 李萍，钟明华．公民教育：传统德育的历史转型［J］．教育研究，2002 (10)：66 － 69; 万明钢．论公民教育［J］．教育研究，2003 (9)：37 － 43.

③ 杜时忠．制度德性与制度德育［J］．教育研究与实验，2002 (1)：38 － 43; 刘超良．制度德育论［M］．武汉：湖北教育出版社，2007; 杜时忠．制度何以育德？［J］．华中师范大学学报（人文社会科学版），2012，51 (4)：126 － 131 + 4; 杜时忠．人文教育与制度德育［M］．合肥：安徽教育出版社，2013; 杜时忠，张敏．国家道德即德育［J］．教育研究与实验，2013 (1)：7 － 10; 张添翼，杜时忠．再论制度何以育德［J］．教育研究与实验，2018 (5)：12 － 15 + 25; 杜时忠．德育十讲：制度何以育德［M］．武汉：华中师范大学出版社，2019; 杜时忠，张添翼．三论制度何以育德［J］．教育学报，2020，16 (4)：20 － 29.

否定教育主体性。对前者的反思，产生了探索教育规律、德育规律，追求德育科学化的思潮，典型表现就是对德育过程规律的研究；对后者的反思，引燃了主体性教育、主体性德育思潮。大胆学习借鉴外国德育研究成果，则给德育研究带来了最新研究信息、理论想象力和世界眼光。当然，当代中国德育研究并不满足于反思过去，更期待未来，不仅借鉴，更追求创新。它既客观理性地批判，更热情洋溢地建设，那就是追求并建构现代化、科学化、人性化的德育理论，并在本土德育理论建构方面收获了累累硕果。毫无疑问，这四十来年是中国德育研究突飞猛进、全面进步的时期，是中国德育学术发展历史上最好的时期。

二、新中国德育研究的重要成就、局限与发展逻辑

新中国德育研究走过了 70 多年不平凡的历程，在思想产出、学科建设、人才培养、实践引领等方面都取得了显著成绩。德育研究获得了独立的学科地位，初步建立起具有明确研究对象、体现时代精神的德育理论体系。与此同时，德育研究也面临着十分严峻的时代挑战，存在着知识体系比较陈旧、研究方法比较单一、原创性成果十分稀少等亟待解决的问题。

（一）德育研究的重要成就

1. 德育研究获得了丰硕的理论成果

新中国成立以来，在 70 多年的理论探索中，不同思想的交锋让中国德育理论研究不断取得进步。在德育研究中实际上存在两种学术争鸣：一种表现为历史性的反思，另外一种表现为同一时期不同理论观点的竞争、交流，最终促成了百花齐放的繁荣局面。特别是 20 世纪 90 年代以来，中国德育研究在不长的时间内，围绕德育本质、德育功能，以及德育与个体、

德育与社会生活的关系等主题开展了有影响力的学术争鸣，彰显了德育研究的学术魅力，提升了德育研究的科学品质，提高了德育研究的学术声誉。

与学术争鸣相伴而生的，是我国德育研究在科学化、人性化论述上的新进展，先后出现了主体德育论、活动德育论、情感德育论、德育美学观、生活德育论、公民教育论、制度德育论等多种德育理论主张。它们从不同的视角出发，运用多种方法，对学校德育乃至社会道德现象和问题进行了深入的研究，各成一家之言，并以各自的方式力图影响和变革学校德育实践。它们深化了我们对德育的认识，丰富了德育理论体系，促进了德育研究的繁荣。

2. 德育研究取得了独立的学科地位

德育逐渐从教育学的一个研究领域，分化发展成为一个独立的二级学科。人们一般在两种意义上使用“学科”一词：一是依学问性质而划分的知识门类，如物理、化学等；二是学校教学的科目，如语文、数学等。无论在哪一意义上，德育科学研究，尤其是“德育原理”，都已经成为教育学体系中一门相对独立的重要分支学科。其主要理由有三：

首先，德育学科是关于德育的学术知识体系，既有明确的研究对象（德育现象或德育问题）[①]，也具备了相应的研究方法（虽无特有的研究方法，但社会科学常见、通用的方法或移植于其他学科的特色方法似乎足以支持德育学科的研究需要），还形成了自己的理论体系。

其次，德育学科是教育学科中的一类教学内容。在高等院校，特别是师范院校或者教育学院中，“德育原理”“德育论”或“德育学”是作为一门课程广泛开设的，德育学科作为一个教学科目是普遍的社会事实。

---

① 班华．略论德育论学科对象与任务的几个问题［J］．教育科学研究，2007 (4)：5 − 9；班建武．“十一五”期间德育学科发展的回顾与总结［J］．教育科学研究，2011 (7)：67 − 75.

最后，德育原理内部，也正在形成一个可观的分支学科群，包含德育主体论[①]、德育过程论[②]、德育课程论[③]等，以及与其他学科交叉而产生的德育心理学[④]、德育社会学[⑤]等。这样，德育原理不仅从教育学母体中分化独立出来，而且成为一个拥有众多分支学科的独立学科群，其学科地位和学科特色日益彰显。

德育研究成为独立的学科体系的突出标志，是德育原理形成了相对完整的理论体系：一是思想观念体系，如道德是可教的，品德发展及道德教育是有规律可循的，德育的本质是一种超越，以道德的制度培养道德的人等；二是概念范畴体系，如道德、品德、德育，直接德育、间接德育、隐性课程意义上的德育，以及品德形成、德育过程、德育实效等；三是教材结构体系，目前已经相对稳定，大体分为"学科总论""理论基础""实践应用"等几大部分，具体展开为德育学科论、德育本质论、品德发展论、德育目的论、德育过程论、德育课程论、德育方法论、德育环境论、德育管理论、德育评价论、德育比较论等。

经过 70 多年的努力，我国建立了自己的德育理论体系。值得一提的是，这不是通过全盘否定中国传统德育文化和接受西方德育理论而实现的，而是更加理性地对待中国传统德育文化和世界先进德育理论。许多学者都主张要实现传统德育的创造性转化，包容、自信地借鉴国外德育理论，从单向度地盲从外国德育理论，到提出教育研究、德育研究的中国化，建立具有中国风格、中国气派的德育理论。

---

① 肖川．主体性道德人格教育［M］．北京：北京师范大学出版社，2002；于光．德育主体论［M］．北京：中国社会科学出版社，2010．

② 范树成．德育过程论［M］．北京：中国社会科学出版社，2004．

③ 佘双好．现代德育课程论［M］．北京：中国社会科学出版社，2003．

④ 韩进之，王宪清．德育心理学概论［M］．上海：上海人民出版社，1986．

⑤ 鲁洁．德育社会学［M］．福州：福建教育出版社，1998．

3. 德育学科的社会建制逐渐完备

综合经典和现代学科分类理论，可以认为：一门学科的独立或成熟，两个方面标准或条件最为重要：一是专业化的知识建构，如明确的研究对象、行之有效的研究方法和严谨的理论体系；二是制度化的社会建制，如专门的研究机构、专业性的研究共同体、专业研究期刊，以及专门人才培养等。德育学科在制度化建设上从无到有、从弱到强，显示出德育研究得到了越来越多的社会支持和越来越高的社会认可。

70 多年来，中国德育研究共同体日益壮大（2017 年全国专业德育研究者有 70 人左右，关注德育研究的专业研究者约有 500 人[①]），不仅成立了全国性的德育论专业委员会（现为“全国德育学术委员会”）等专业学术团体，而且一些大学还建立了多个专门德育研究机构，如教育部人文社科重点研究基地南京师范大学道德教育研究所、北京师范大学公民与道德教育研究中心、华中师范大学道德教育研究所等，还出现了多种专业期刊，如《中国德育》《中小学德育》《班主任之友》《班主任研究》等。此外，在全国众多的教育学术刊物中，也有为数不少的德育栏目，发表大量的德育研究论文。在德育研究专业人才培养方面，我国从 20 世纪 80 年代开始招收硕士生、博士生，目前已经形成了一个由学士、硕士、博士和博士后构成的完整德育人才培养体系，目前在校研究生约为 1500 人。这既是德育学科兴旺发达的标志，更是德育学科持续发展的根本支撑。

4. 德育研究提升了对于德育实践的影响力

我国德育研究有强烈的实践取向，并体现出鲜明的时代特征。“直面社会现实、关怀德育实践，是 40 年来中国德育学科发展最重要的理论品格。

---

① 刘峻杉，平和光．知识生产视角下我国德育研究的特征与展望［J］．全球教育展望，2017，46 (9)：61 － 72 + 85.

从 20 世纪 80 年代对于基础道德重建的呼吁、世纪之交对于新世纪挑战的思考，到近年对于社会主义核心价值观教育、国际理解教育等议题的集中关注，中国德育理论工作者均及时回应了当代社会对于德育实践变革的迫切需要……”①

德育研究者积极参与国家德育决策，指导中小学德育改革。如主持修订义务教育阶段国家德育新课程标准、主编德育教材、开展学校德育诊断、推动教师德育专业化、通过大学与中小学合作（U–S 协同）推进学校德育深度变革等。在德育理论研究的推动之下，我国学校德育正在发生可喜的变化：由过度政治化的强制灌输式的德育逐步走向科学化、人性化、生活化的德育，由追求不食人间烟火的圣贤道德转变为追求社会正义和社会关怀的现代伦理，从封闭式德育走向开放性德育，从学校德育的教育孤岛走向学校、家庭、社会相互支持的合力德育。

（二）德育研究的现存局限

新中国德育 70 多年的发展，在取得长足进步的同时，也存在一些亟待突破的局限。这集中表现在：

1. 德育研究的学科视野相对封闭

道德现象与道德行为是复杂的，是多学科的研究对象。道德理论研究者往往强调道德是社会行为，忽略道德行为的多学科基础，导致对于哲学、伦理学的研究关注较多，而对生物学、心理学、人类学、社会学、经济学、政治学等相近学科关注较少，对于语言学、美学、艺术等跨学科领域对人类道德行为研究成果则更为陌生。一个明显的证据是，尽管对于哲学、伦理学的新进展相对敏感，但德育研究者也仍然未能敏锐地把握当前人文社

① 檀传宝，陈国清．改革开放 40 年我国德育学科建设的探索与进步［J］．中国教育学刊，2018（10）：28 － 34.

会科学研究范式的转换，对于道德哲学和伦理学、政治学研究中的权力批判和语言转向等还比较漠视。

权力批判的目的是要揭示道德与权力之间的联系，将道德从压制性的意识形态中剥离出来，以防权力借助道德之名畅通无阻。许多研究者批判道德专制与道德灌输，然而其批判的语言依然是大而化之的宏大叙事，未能深入地揭示与批判微观领域中权力运行规则，诸如借用道德之名所实施的隐蔽的性别偏见、歧视、压制以及不平等。哲学和伦理学研究的语言转向,强调思维必须通过语言符号体现,思想的内容受制于说话的方式。同样，研究道德教育问题必须依凭语言来进行，研究所用的概念不清会带来理论混乱。如有人支持道德的相对性，有人反对道德相对主义，有人赞扬消费文化的好处，有人批判消费主义的害处，但道德的相对性与道德相对主义、消费文化与消费主义之间的本质区别是什么，其界限该如何准确划分，则缺乏必要的语言学澄清。对语言缺乏审视，限制了理论研究者之间的对话与交流，使得许多德育理论研究无奈地成了研究者们的“自说自话”。

2. 德育研究的方法论基础相对薄弱

许多德育理论研究者仍然坚守着哲学思辨范式，尤其是受规范伦理学的影响，以直线性演绎逻辑为主，缺乏复杂性、动态性及整体性思维方式，德育研究的方法论基础相对薄弱。表现在：第一，大量研究直接套用哲学、伦理学、政治学的术语与理论来诠释德育问题，对于理论的教育适切性缺乏反思；第二，德育研究注重对道德规范进行合理性论证，轻视批判性思维的培育，也轻视个体道德内化的生成过程；第三，道德哲学—主体维度的研究偏重于道德认知，对于道德情感的研究则相对薄弱。①

此外，许多德育研究者往往忽视也窄化了实证研究，习惯于运用问卷

---

① 孙学功. 道德情感研究综述［J］. 哲学动态, 1998 (1) : 17 － 19.

调查去“处理”复杂的德育问题，而对于批判主义与诠释主义视角下的质性研究则相当陌生。与之相对，一些研究者已经用高质量的研究成果证明，质性研究的两种方法——人种志研究和扎根理论，都是可以较好地从经验中通过归纳来建构理论的方法，它们既保留了理论的系统性，又不阉割教育事实的丰富性。

3. 对重大现实问题缺乏道德审视

“道德教育是整个共同体的事业……进而，它对我们有双重意义。它指教育在某种程度上是道德的，所有计划和实施着的教育都努力将所有与道德相关的内容包括在内；它指这样一种教育，旨在提升受教育者的伦理理想，使得他们能够持续地与他人道德地相遇。”[①] 因此学校教育的伦理基础理应包括自由、公正、民主、关怀、幸福等基本道德价值。这些基本价值不仅是教育哲学、政治哲学的研究领域，更应是道德教育研究者思考的重大问题。德育理论研究有义务追问什么样的教育是道德的，如何以道德的方式培养道德的人，依循这个思路，道德教育研究者对现实的反思和批判力度是不够的。

在教育制度领域，道德教育研究者需要思考如何突破教育制度科层化、等级化、工具理性化的桎梏，将学校建设成为道德共同体以及民主生活共同体[②]；在教育政策领域，道德教育研究者应审视教育政策的正当性，审视政策制定的程序正义与实质正义[③]；在教育改革方面，道德教育研究者应批判反教

① 诺丁斯．关心：伦理和道德教育的女性路径［M］．武云斐，译．北京：北京大学出版社，2014.

② 金生鈜．为什么要塑造学校的道德文化：学校作为一个道德共同体的再道德化思考［J］．西北师大学报（社会科学版），2005 (4)：71 － 75.

③ 杜时忠，张添翼．教育制度和教育政策的伦理属性及其实现［J］．中国教育科学（中英文），2017 (4)：91 － 105.

育行为的伪改革，将教育的道德标准作为重要的维度纳入评价指标之中①。

此外，我国德育研究还存在一些“痼疾”。比如，不少研究者习惯于做当下教育政策的简单诠释，而损害了德育研究应有的科学品质，其结果是德育概念的大而不当、名实不符等问题至今悬而未决。依据我国学校教育的制度安排，德育的外延远远超出道德教育，不仅包含了政治、思想、道德、心理、法治五大内容，而且教育政策上强调的所有不属于智育、体育、美育的教育任务都会归于“德育”名下。为了迁就这一现实，德育原理教科书只好宣称我国的德育是“大德育”。然而在实际的德育研究中，无论是德育理论的建构、德育规律的阐述，还是德育过程的展开，以及学生品德发展规律的论述等，实质内容仍然主要是道德教育而没有包括政治教育、思想教育、心理教育和法治教育。②德育概念理解“守一而望多”③的原则落实，仍然任重道远。

（三）德育研究发展的学术逻辑

上述成绩与不足同时存在，其中原因值得深思。人文社会科学与研究物质世界、强调事实与规律的自然科学不同，有其自身的学术逻辑，即以人文世界、社会世界为研究对象，关注价值与意义，注重呼应时代精神、回应时代挑战，强调研究活动的社会历史和人文精神属性。德育研究本质上属于人文社会科学研究，有其内在的学术逻辑，有其内部独特的矛盾和困惑要去面对和解决。在学科信念上，是学科独立与学科依附之间的拉锯；在价值取向上，是集体主义与个人主义的博弈；在发展路径上，是西方化与本土化的此消彼长；在研究方法论上，是人文主义与科学主义的融合。

---

① 吴康宁．教育改革成功的基础［J］．教育研究，2012，33 (1)：24 － 31.

② 张忠华．论中国特色的德育概念之研究［J］．现代大学教育，2008 (3)：86 － 92 + 113.

③ 檀传宝．学校道德教育原理［M］．北京：教育科学出版社，2000：4 － 5; 檀传宝．德育原理［M］．北京：北京师范大学出版社，2017：4 － 5.

1. 德育研究的学科信念：学科独立与学科依附之间的拉锯

在教育学的众多二级学科之中，德育研究的政治从属性特别明显。这一特征可能与其研究对象的政治属性有着重要的关联。德育最突出的特点之一是深受政治影响，因为道德与政治之间具有千丝万缕、密不可分的亲缘关系，有的道德要求本身就是意识形态的要求。从理论上讲，道德教化、道德教育是政治实施的基石。[①] 在我国传统政治思想中，“修身”一直是“治国”与“平天下”的逻辑起点。今天，“培养什么样的人”依然是教育的核心问题，它决定道德教育的走向。因此，道德教育不应也不可能摆脱政治的影响。

然而，德育研究作为揭示德育问题、探索德育规律的科学活动，毕竟不能直接混同于政治上意识形态的宣传工作，不能满足于对现行政策的简单解释和论证。故如何保持学科的相对独立性，这成为道德教育学者们努力的一个重要方向。鲁洁曾经指出：“……基础性的工作，就是努力把德育作为一门学问来研究它，既不是对党和政府的政策的诠释，也不是直观经验的描述。”[②]

改革开放以来，道德教育研究经历了三次重大的主题转换，其中对人的关切一直是不变的价值诉求与研究基点。[③] 德育研究者以其对人的关切、对人性的呼唤来建构学科的独立性，来促进学科的原创性。主体性德育、欣赏型德育、生活德育、情感德育、制度德育、公民教育等理论都是围绕着德育的现代化与人性化而进行理论建构的，它们响应了时代精神，试图将德育从政治的附庸变成为人的德育、属人的德育。尽管各自使用的术语

---

① 任剑涛．道德与中国传统政治的合法性［J］．华中师范大学学报（人文社会科学版），2005 (1)：27 － 34.

② 鲁洁．回望八十年：鲁洁教育口述史［M］．北京：教育科学出版社，2014：233.

③ 胡金木．改革开放以来道德教育研究主题的回顾分析［J］．江苏教育研究，2009 (4)：16 － 18.

不同，但它们的追求完全一致。第一，反对道德教育的专制化、唯知识化、唯理性化，希冀道德教育促进人的完整发展、促进人的美好生活；第二，德育理论研究更多地关注儿童，特别是儿童的解放，更多地借鉴现代道德心理学的研究成果，更多地关注儿童的道德发展与道德学习；第三，追求道德理性、道德自主和道德宽容，而反对道德强制、道德绑架和道德高压。

2. 德育研究的价值主线：集体主义与个人主义的博弈

中国德育研究面临的一个理论难题是在社会日趋多元的环境下，如何重构道德价值，并形成道德共识。新中国成立以后，共产主义、集体主义道德观实际上延续了中国传统伦理观中的整体主义（由家族血缘伦理转到集体组织伦理），如重义轻利、重群轻己的道德价值观。之后，集体主义教育在学校教育实践中产生了异化，否定了个人合理欲望及追求个人幸福之行为存在的价值。[①] 改革开放后，随着市场经济对个人利益的肯定、保障及刺激，义利关系发生了重大的变化与重组，即大众意识形态推崇义利并举，甚至重利轻义。这一过程持续了数十年，使得学校德育面临一个复杂的社会道德环境。社会主义核心价值观的提出，在某种意义上可以看作义利关系重组过程的阶段性完成，自此义利并重、群己和谐应该成为主导的价值观。

在义利关系和群己关系的转型中，道德价值观逐渐突破了传统价值观，走向多元。诺丁斯的关怀伦理的引入[②]，不仅符合中国重视人际关系的传统，而且其充满人性关怀的笔触也填补了康德、涂尔干、杜威理论中忽视个人情感的缺陷，成为教育理论的润滑剂。并且，诺丁斯所代表的女性主义伦理学，对过于注重理性与公正伦理的男性主义伦理学提出了挑战，引入了

---

① 杨建朝．从虚假到真实：集体主义教育反思［J］．教育学报，2011，7 (5)：41 － 47.

② 侯晶晶，朱小蔓．诺丁斯以关怀为核心的道德教育理论及其启示［J］．教育研究，2004 (3)：36 － 43；孙彩平．在道德关系建构中生成德性：析诺丁斯道德教育的新理念［J］．比较教育研究，2003 (9)：6 － 10.

道德教育的性别视角，进一步推进了道德教育理论的多元化。21 世纪以来，随着社会发展不平衡矛盾的凸显，大众对社会公平的呼声渐高。在这种背景下，罗尔斯的社会正义理论产生了广泛的影响。① 至此，德育理论界基本达成了价值共识，即推崇康德式的道德自由与罗尔斯式的社会正义、涂尔干式的理性权威、杜威式的教育民主与诺丁斯式的教育关怀。自由、正义、理性、民主、关怀已经成为德育学者共同的价值追求，这与整个中国社会转型中的时代精神是相符合的。

3. 德育研究的路径选择：西方化与本土化的此消彼长

中国现代化进程包括现代教育发展中始终有一组基本的矛盾，即如何处理传统文化与现代文化之间的冲突，如何在东方文化与西方文化之间进行取舍。

自五四新文化运动直至整个 20 世纪 90 年代，传统文化都被视为落后文化、黑暗文化而被攻击、被批判。于是，教育现代化的目标一度是科学化与民主化，其过程是不断舍弃传统文化，不断学习、引进和复制西方文化教育。②21 世纪以来，随着经济全球化过程中民族主义的复兴、后现代哲学思想对西方中心主义和后殖民主义的挑战，世界各国的文化自觉与本土化需求变得越来越强烈和深刻，传统文化复兴成为必然的趋势。现代化不是西方化、一元化，而是本土化、多元化。这一趋势同样表现在德育理论研究中。德育理论研究者开始自觉地反思全球经济和信息一体化带来的价值多元与文化多元对道德教育的冲击③，批判现代化对人精神需求的漠

---

① 罗尔斯．正义论［M］．何怀宏，何包钢，廖申白，译．北京：社会科学出版社，1988；赵敦华，江立成．罗尔斯的正义说［J］．求索，1994 (2)：66 − 68；姚大志．罗尔斯正义理论的道德基础［J］．江海学刊，2002 (2)：37 − 42.

② 杨东平．艰难的日出：中国现代教育的 20 世纪［M］．上海：文汇出版社，2003：4.

③ 黄书光．全球化时代的学校德育思考［J］．思想·理论·教育，2002 (2)：3 − 7.

视，自觉地肩负起道德教育研究应承担的社会责任与文化使命。德育研究者业已形成的共识是：德育现代化必然立足于中国大地，必然包含传统文化教育的现代转型，也必然包含德育理论本土化的探索。[①] 当前对传统德育资源的挖掘，对优秀传统道德文化的重新阐述，对中国特色的德育理论的探索，均属于德育理论本土化的自觉尝试。

4. 德育研究的方法转换：人文主义与科学主义的融合

纵观中国德育研究的主题，经历了从学科本位、主义本位到问题本位的发展历程。20 世纪 80 年代，德育理论研究的重点是探索德育规律，推动学科独立。20 世纪 90 年代，德育理论大量借鉴西方哲学流派和社会思潮，同时，德育各分支学科也开始萌芽，如德育社会学、德育文化学等。及至 21 世纪，聚焦于德育问题的研究更多了，特别是关于德育实效、德育课程、德育改革等实践命题的研究，问题导向得到了前所未有的强调。

从学科本位、主义本位到问题本位，这一过程背后也体现了德育研究方法论的转换。学科本位、主义本位侧重于哲学思辨，主要的研究方法是逻辑演绎，即用某一哲学理论的视角来看德育问题，将其基本原理推至德育研究，其思维方式是整体的、人文的，关涉很多问题，并不聚焦于特别具体的教育实践问题。而以问题为本位的研究，则聚焦于一个个具体的德育问题的解决，常常不拘泥于教育学科，而是用多学科的视野来研究，从而凸显了德育研究的跨学科性质[②]；或者运用实证研究的方法对问题存在的频率、后果进行揭示，用定量研究方法尤其是以问卷法为主、访谈法为辅来揭示德育问题成为一种普遍的做法；或者用行动

---

① 易连云 . 全球共同利益视阈下的中小学德育课程改革思考［J］. 教育学报，2018，14 (1) : 45 − 50.

② 戚万学，唐爱民，韩笑 . 改革开放 40 年德育理论研究的主题及进展［J］. 教育研究，2018，39 (10) : 20 − 31.

研究来验证德育理论的效用，用质性研究方法对教育现象的精神意味做更深入、立体的揭示。总体看来，目前中国德育研究在方法论上正在努力超越简单的“主义”与“问题”的二元对峙，逐步走向人文主义与科学主义的深度融合。

以上，我们在回望70多年中国德育的发展历程的基础上，努力总结了中国德育研究的历史、成就与不足以及德育学术发展的基本逻辑。“缺什么，补什么。”这一历史的全面总结，尤其是现存局限的分析，其实已经构成了对未来中国德育研究发展应有趋势的严肃探讨。

当然，任何理论研究从来都不可能没有实体性研究对象或者研究的“质料”。对中国德育研究未来发展方向更为准确的把握，当然还需要从对于新时代中国社会的发展方向以及由这一方向所决定的中国德育发展的逻辑中去获得进一步的深入理解。也就是说，只有清晰了解新时代中国需要有什么样的德育，我们才能更为明晰也更为脚踏实地回答新时代中国德育研究应有的努力方向。

三、时代逻辑的转换与中国德育事业及德育研究应努力的方向

2017年，党的十九大宣布“中国特色社会主义进入新时代”，我国社会主要矛盾已经转化为“人民日益增长的美好生活需要和不平衡不充分的发展之间的矛盾”。[①] 与此相应，新时代的中国德育如何为切实解决“人民日益增长的美好生活需要和不平衡不充分的发展之间的矛盾”作出应有贡献？进一步说，依据新时代的发展逻辑，我们需要什么样的德育实践、德育研究？对于这些时代之问题作出全面、认真的回答，实乃新时代中国德

① 习近平．决胜全面建成小康社会　夺取新时代中国特色社会主义伟大胜利［M］．北京：人民出版社，2017：11.

育理论工作者必须承担的重要历史使命。

（一）新时代教育发展逻辑的重要转换

由于改革开放以来中国社会经济的长足发展,我们已经进入了一个“物质丰裕的时代”，而这无疑是新时代教育发展逻辑转换的物质基础。

我们可以 2019 年的经济发展指标为例。这一年，中国有两项发展指标特别具有划时代意义：一是人均 GDP 首次超过 1 万美元（国家统计局的数据显示，2019 年中国人均 GDP 达到 10276 美元①）；二是城乡居民平均恩格尔系数（居民食物支出占家庭生活总支出的比重）首次降到 30% 以下（国家统计局的数据显示，2019 年全国城乡居民平均恩格尔系数为 28.2%②）。

人均 GDP 首次超过 1 万美元、恩格尔系数首次降到 30% 以下，都是了不起的成就，但对于人民的幸福生活而言，平均恩格尔系数显然更为重要。这是因为国家、社会发展的终极目标都是人民生活的改善，而恩格尔系数所直接反映的，正是人民生活水平的高低。虽然横向比较，我们与发达国家尚有不小差距，现实发展的挑战甚多（如基尼系数居高不下），未来发展也未必会一直一帆风顺，但若纵向比较或做大历史的总体考察，我们仍然要承认一个基本的事实——中国已经进入了一个全新的历史发展阶段：几乎所有国民都摆脱了极端贫困、解决了温饱问题、实现了全面小康，国家在整体上已经进入了一个国民物质生活普遍较为富足的新时代——而这一点具有特别重要的历史意义。因为支持各项事业发展的经济基础日益雄厚，所以我们才有可能、有底气达成许多过去可能难以企及的成就。即便还存在教育质量有待提升等诸多挑战，我国教育事业已有长足的发展就

---

① 据《每日经济新闻》2020 年 1 月 17 日发表的文章，2019 年，中国人均 GDP 首破 1 万美元，GDP 总量与日、德、英、法四国之和大体相当。国家统计局 2022 年 2 月 28 日公布的《2021 年国民经济和社会发展统计公报》显示，2021 年中国人均 GDP 已经达到 80976 元，按当时的年均汇率折算为 12551 美元，已经超过世界平均线。

② 2019 年全国居民恩格尔系数 28.2%　连续 8 年下降[N]. 中国青年报，2020－01－22.

是不争的事实。我们再以 2019 年的数据为例。据有关部门的统计：2019 年，我国九年义务教育巩固率为 94.8%，义务教育普及程度达到世界高收入国家的平均水平；2019 年，我国高等教育毛入学率从 2000 年的 12.5% 提高到 51.6%[①]，高等教育在校学生总规模超过 4000 万人，实现了从大众化向普及化的历史性跨越，中国已建成世界上最大规模的高等教育体系[②]……这些成就，无疑都以改革开放以来国家综合国力大幅度提升从而能够有力支持教育事业的发展为基本前提。以国家对教育的投入为例，2012 年以来，国家财政性教育经费支出连年超越 GDP 的 4%，总规模以数万亿元计[③]。因此，我们完全可以预期，只要国家保持目前的发展势头，不断提升的经济实力、综合国力也必定会在未来支撑中国教育事业的进一步腾飞。

不过，“物质丰裕”的社会对人类发展，尤其是对教育事业的发展的挑战也是空前巨大的。中国教育事业发展从现在开始必须直面的挑战至少来自两个方面：一是教育需求类型的升级；二是社会人口结构的变化。

所谓教育需求类型的升级，指的就是无论受教育者（学生）还是教育者（教师），大家接受和从事教育的动机类型都已经悄然发生范型上的变化。受教育者，以后当然还会继续考虑教育的工具性价值（如获得文凭、找一份好工作），但越来越多的人会从过去接受教育的“饥饿逻辑”（如“跳农门”、找工作等）的控制中逐步摆脱出来，更多地关注通过教育去追求修身养性、实现人生梦想等教育的本体性价值。2020 年，湖南省一位贫困家

---

① 根据美国学者马丁·特罗的研究，以高等教育毛入学率为指标，可以将高等教育发展历程分为精英 (15% 以下)、大众 (15% 至 50%) 和普及 (50% 以上) 三个阶段，当高等教育毛入学率超过 50%，高等教育就进入了普及化阶段。

② 据《2019 年国民经济和社会发展统计公报》，2019 年我国九年义务教育巩固率达到 94.8%。据 2021 年全国教育事业统计主要结果，2021 年我国九年义务教育巩固率达到 95.4%，各种形式的高等教育在学总规模 4430 万人，高等教育毛入学率达到 57.8%。以上数据均不包括我国港澳台地区。

③ 国家统计局数据：2020 年教育经费总投入达 53014 亿元。

庭出生的高分考生不顾网上许多人的劝阻，没有选择更赚钱的金融专业而毅然报考了自己所心仪的考古系，就是一个典型案例。贫困子弟的这一抉择，虽然未必已是普遍现象，但在过去物质匮乏的时代却一定是更难想象的。类似心理需求的变化，在教育工作者身上也呈现出了同样的变化趋势。2015 年河南省一位重点中学教师辞职的理由居然是“世界那么大，我想去看看”，这封“史上最具情怀的辞职信”，当然不是说明教师们以后都不在意薪酬、待遇了，而是意味着在新的历史时期，除了物质上的回报，将会有越来越多的人更倾向于在教育工作、日常生活中寻求生命的安顿、意义的获得。

以上接受、从事教育的动机范型的变化，其实是可以理解的。因为“仓廪实则知礼节，衣食足则知荣辱”（《管子・牧民》）。依据心理学家马斯洛的需要层级理论，当一个人的基础需要获得满足之后，其“优势需要”就一定会转移到对真善美、自我实现等高级需要、超越性需要上去。接受教育、从事教育的心理需求类型变化，或者学习与工作动机类型的变化，正是悄然发生的时代巨变的典型表征之一。就德育而言，获得良好生活所需的道德教养、建构安身立命的价值观念、追求人生的终极意义，同时在社会生活中成为拥有公共参与能力的有尊严的社会主体，对于新时代学习者的重要性将越来越大。

所谓社会人口结构的变化，指的是由于社会经济以及教育事业的迅速发展，我国人口的社会阶层、文化素养等正在悄然发生的结构性变化。首先是中等收入群体（或者中产阶层）的不断壮大。目前中等收入群体有多大，学术界尚有争议，但是改革开放以来中等收入群体迅速发展壮大的趋势，则是大家普遍认可的。而且，只要中国经济、社会继续向前发展，中等收入群体就会不断壮大。中等收入群体，并不只是一个合乎某些财富指标的人群，其突出特征之一就是基本生活问题已经解决，与之相应，心理需要的类型也会随之变革——与获得个体尊严、寻求社会正义等精神需要相关的自由、平等、公正、民主、法治的意识、诉求都会普遍提高。

除了社会阶层结构的变化，还有一项与教育发展直接相关的结构性变化，就是人口文化素养结构的变化——中国受教育人口的比重已经达到前所未有的高度。与新中国成立初期 80% 以上国民是文盲相比较，九年制义务教育已经全面实现、高等教育进入普及化阶段的中国，其人口文化素养结构——其实就是受教育人口占比已经发生翻天覆地的变化。越来越多的国民接受了良好的基础教育、高等教育，固然是我们时代最伟大的成就，也更有利于国家治理现代化的实现，同时，由于“民智已开”，包括教育治理在内的全部社会治理将面临全新的挑战，也是不言而喻的。我们可以肯定地讲，许多不讲公平正义或“不讲道理”的社会治理与教育治理的旧模式必将越来越不合时宜，而社会主义核心价值观所蕴含的自由、平等、公正、民主、法治等精神，将成为我国公民普遍而真实的现实诉求。近年来一些人们过去习以为常的社会“小问题”常常能在一夜之间就迅速形成重大网络“舆情”，重要原因之一，也在于此。

总之，“中国特色社会主义进入新时代”，或者中国进入“物质丰裕的时代”，都已经让国家教育需求的类型、社会大众的结构发生了重要变化。中国教育只能顺应历史大势，努力做出与时俱进的改革。换言之，新时代教育发展逻辑即将发生重要转换——中国教育实践与理论建设一定要有回应“2019 年以后”时代要求的范型之变①——以提供优质、公平的教育供给为教育事业发展的基本逻辑。而在德育领域，顺应“物质丰裕的时代”来临的历史大势，我们应该努力做出与时俱进的变革，形成优质、公平的教育供给，至少包括完成在德育主题（内容）、德育形态（形式）两个方面的继往开来与品质提升。

再换言之，依据新时代教育发展的大逻辑，中国德育研究如何为推进德育实践在教育主题（内容）、教育形态（形式）两大转型提供全面、专

---

① 檀传宝.发展范式转型的意味：论“2019 年以后”的中国与中国教育应有的变革[J].中国教育学刊，2022(8)：64－69.

业的理论支持，也就势必成为新时代中国德育理论建构责无旁贷的使命。

（二）新时代必须坚守的德育主题

1. 加强基础道德教育——讲求基本人伦与道德教养

人类生活有一个重要且普遍的常识：若日常社会生活不讲基本人伦和道德修养，社会成员行为粗鄙，人际以及家庭、社会关系普遍紧张，何谈美好生活？所以，加强基础道德教育，既是教育领域一个千古不变的旧主题，又是“物质丰裕的时代”亟待应对的新课题。

中国是一个伦理型的文明古国，一直有强调基础道德的传统。孟子有云：“恻隐之心，人皆有之；羞恶之心，人皆有之；恭敬之心，人皆有之；是非之心，人皆有之。恻隐之心，仁也；羞恶之心，义也；恭敬之心，礼也；是非之心，智也。仁义礼智，非由外铄我也，我固有之也，弗思耳矣。”（《孟子・告子上》）“四端”说固然重点讲的是仁义礼智的发端，但也同时强调了基础道德发乎自然的“天理”属性。“父子有亲，君臣有义，夫妇有别，长幼有序，朋友有信”（《孟子・滕文公上》）等“五伦”与天理的自觉结合，强化了基础道德教育的重要性。故古代设立学校，“夏曰校，殷曰序，周曰庠，学则三代共之，皆所以明人伦也”（《孟子・滕文公上》）。“明人伦”等道德教育无疑是学校德育的基础或者根本。

“道德教育是学校德育的根本”[①]其实也是许多西方教育学家的共识。杜威曾经明确指出：“民主政治热心教育，这是众所周知的事实。”“民主主义不仅是一种政府的形式；它首先是一种联合生活的方式，是一种共同交流经验的方式。人们参与有共同利益的事，每个人必须使自己的行动参照别人的行动，必须考虑别人的行动，使自己的行动有意义和方向，这样

① 檀传宝．道德教育是学校德育的根本［J］．全球教育展望，2001（6）：9－14.

的人在空间上大量地扩大范围，就等于打破阶级、种族和国家之间的屏障，这些屏障过去使人们看不到他们活动的全部意义。”[①]美国著名的品德教育倡导者里克纳也曾经明确指出：“我们民主的奠基人认为，道德教育是我们民主社会得以存在的关键。”“他们的理由是：民主的政府是由人民当家做主，人民自己对社会的自由与公正承担责任。这意味着人民至少在某种意义上说必须是善良的，他们必须理解民主的道德基础，并为之尽责……”[②]因此他们的一个共同点就在于他们看到了政治教育虽然重要，但必须建立在最基本和最有效的道德教育基础之上。

对于当代中国社会而言，基础道德教育不仅具有永恒的、理论的意义，而且还具有十分迫切的现实意义。这是因为，物质生活的相对富裕会凸显人们对于精神生活的强烈需求。2014 年，人民论坛问卷调查中心曾经进行过一项有关中国“社会肌体健康”的调查（调查对象 8015 人）。据此形成的分析报告显示，超过八成的受访者认为当前中国社会正处于“亚健康状态”（“若请您为当今中国社会的健康程度打分，从 0 到 10，分值越高越健康，您的打分是？”选择 5 分及 4 分以下的各为 24.4% 和 57.7%），网民们认为最大的“社会病”包括：信仰缺失（55.3%，百分比越高意味着越多人认为这是最大的“社会病”）、看客心态（48.7%）、社会焦虑症（44.5%）、习惯性怀疑（40.4%）、炫富心态（38.9%）、审丑心理（36.5%）、娱乐至死（34.3%）……传统中国是一个乡土社会，特别强调以道德和信仰形成社会规范来规约各种利益主体。但这一调查发现，当今社会有高达 88.0% 的人认同（完全认同、比较认同者分别占 60.2% 和 27.8%）“信仰缺失、道德滑坡”是中国当代社会一种普遍的“社会病”。[③]基础道德本身及其信仰基础的缺失，恰好与先秦儒家、宋明理学建立的基础道德的“天理”“伦常”的论证逻辑

---

① 杜威．民主主义与教育［M］．王承绪，译．北京：人民教育出版社，1990：92.

② 里克纳．美式课堂　品质教育学校方略［M］．刘冰，等译．海口：海南出版社，2001：5.

③ 数据来自人民论坛问卷调查中心 2014 年 9 月发布的《当前社会病态调查分析报告》。

以及杜威和里克纳的共识走向了完全相反的方向，同时也反映出了日渐富裕的中国社会在精神层面的饥渴状态以及人民群众心理需求的时代转向。

为了因应新时代社会发展趋势和人民群众的精神需要，2019 年 10 月 27 日，中共中央、国务院印发了《新时代公民道德建设实施纲要》。该纲要开宗明义指出："中国特色社会主义进入新时代，加强公民道德建设、提高全社会道德水平，是全面建成小康社会、全面建设社会主义现代化强国的战略任务，是适应社会主要矛盾变化、满足人民对美好生活向往的迫切需要，是促进社会全面进步、人的全面发展的必然要求"，"要把社会公德、职业道德、家庭美德、个人品德建设作为着力点。推动践行以文明礼貌、助人为乐、爱护公物、保护环境、遵纪守法为主要内容的社会公德，鼓励人们在社会上做一个好公民；推动践行以爱岗敬业、诚实守信、办事公道、热情服务、奉献社会为主要内容的职业道德，鼓励人们在工作中做一个好建设者；推动践行以尊老爱幼、男女平等、夫妻和睦、勤俭持家、邻里互助为主要内容的家庭美德，鼓励人们在家庭里做一个好成员；推动践行以爱国奉献、明礼遵规、勤劳善良、宽厚正直、自强自律为主要内容的个人品德，鼓励人们在日常生活中养成好品行。"对于教育工作者来说，这不仅是对社会发展中道德建设的强调，更是对于基础道德教育最为明确的强调。

基础道德教育既是对儿童道德发展逻辑的尊重，也是完整人格建设逻辑的必然要求。因为儿童总是在与身边人友好相处的日常生活中发展其道德的；而没有基本道德人格建设，任何宏大的社会政治理想、价值观念都会失去其有效生长的起码逻辑基础。强调基础道德教育，既是一个超越时空的永恒、普遍的教育命题，也是当代中国德育直面当代中国社会现实精神需要必须作出的理性回答。

2. 开展民主法治教育——协力政治文明建设

"美好生活"一定是共和国每一个公民都拥有人格尊严，合法权利都得到充分保障的生活。因此"不断满足人民对美好生活的向往"，一方面要求大力加强民主与法治建设，建设社会主义政治文明，另一方面则需要扎实开展民主、法治教育，确保公民成为负责任的权利主体、共和国真正的主人翁与建设者。因此，民主与法治教育、社会主义民主政治教育，或者中国特色社会主义的公民教育的开展就是这一美好生活建构的应然之义。

关于人的现代化，美国社会学家阿历克斯·英格尔斯曾经有过精彩的论述。在深入研究西方发达国家现代化进程并考察了第三世界国家现代化发展出现的诸多问题之后，英格尔斯发现：一个国家或企业即使有先进的制度，但如果缺乏能赋予这些制度以真实生命力的广泛的现代心理基础，如果执行和运用这些现代制度的人自身还未从心理、思想、态度和行为上都经历一个现代化的转变，那么就会导致制度的畸形发展甚至失败。再完善的现代制度和管理方式、再先进的技术工艺，也会在一群“传统人”的手中变为废纸一堆。这就是著名的“英格尔斯效应”。因此，英格尔斯断言：“人的现代化是国家现代化必不可少的因素。它并不是现代化过程结束后的副产品，而是现代化制度与经济赖以长期发展并取得成功的先决条件。”①

中共中央、国务院于2019年2月颁布的《中国教育现代化2035》明确指出，要“大力推进教育理念、体系、制度、内容、方法、治理现代化，着力提高教育质量，促进教育公平，优化教育结构，为决胜全面建成小康社会、实现新时代中国特色社会主义发展的奋斗目标提供有力支撑”。而与之配套的由中共中央办公厅、国务院办公厅印发的《加快推进教育现代化实施方案（2018—2022年）》所制定的5年教育现代化总体目标则是：“经过5年努力，全面实现各级各类教育普及目标，全面构建现代化教育制度体系，教育总体实力和国际影响力大幅提升。实现更高水平、更有质量的普及，教育改革发展成果更公平地惠及全体人民，教育服务经济社会发展的能力显著提高，社会关注的教育热点难点问题得到有效缓解，多样化可

---

① 英格尔斯．人的现代化［M］．殷陆君，编译．成都：四川人民出版社，1985：8.

选择的优质教育资源更加丰富，人民群众受教育机会进一步扩大，学习大国建设取得重要进展。”在以上两个文件中，无论是“推进教育理念、体系、制度、内容、方法、治理现代化，着力提高教育质量，促进教育公平，优化教育结构”，还是“教育改革发展成果更公平地惠及全体人民，教育服务经济社会发展的能力显著提高，社会关注的教育热点难点问题得到有效缓解，多样化可选择的优质教育资源更加丰富，人民群众受教育机会进一步扩大”，都说明教育现代化在制度、观念层面均得到了前所未有的强化。这是因为，无论我们的教育现代化在器物层面的进步指标如何亮眼，若教育制度民主与法治水平还不够高，若我们培育的社会主义建设者和接班人还不完全具备独立人格和创造精神、不能积极和理性参与社会治理，若我们不能在制度、精神层面实现彻底的现代化，我们就不可能真正意义上全面实现教育现代化。

若是做国际比较，社会主义民主法治教育、社会主义民主政治教育、社会主义核心价值观教育，其实就是世界各国所说的公民教育。我们与他人的区别，只在于我们的公民教育是中国特色社会主义的公民教育。公民教育所要培育的“公民”，既与“臣民”相对，也与“私民”相对。前者要求社会成员告别等级社会和人身依附，成为民主社会的权利和责任主体，因此公民教育的核心内容就必然包括自由、平等、公平、正义、民主、法治等；后者要求受教育者告别自给自足、不问政治的小农人格，成为有责任感、有能力参与社会治理的社会成员，因此公民教育的内容就必然包括道德责任、法治精神、爱国、敬业、诚信、友善等。无论中外，公民教育的目的，都在于促进受教育者健全的公民身份（Citizenship）的建构，从而在人格上告别人身依附和小农人格，实现人的现代化。正是在这个意义上，公民教育是现代教育性质的体现，是现代教育的目的性要求，因而公民教育意味着“全部教育的转型”[①]。当然，中国公民教育是中国特色社会主义公民教育。

---

① 檀传宝．论公民教育是全部教育的转型：公民教育意义的现代化视角分析［J］．安徽师范大学学报（人文社会科学版），2010，38 (5)：497－503.

教育即生活。要实现人的现代化、培养现代公民，不仅需要设置如“道德与法治”“思想政治”等专门的德育课程，还需要系统“重构学校制度生活”。因此加强学校制度建设以及开展与之相应的制度德育，就成为加强民主与法治教育的必然选择。依据制度德育论的理论主张，第一，“制度是教育资源”，应当彰显学校制度正向的多方面的育德功能；第二，“制度是教育过程”，应当确立优良学校制度的品质，对现行学校制度进行批判性审视，建构公平正义、民主平等、自由发展的学校教育制度，把制度建构活动变成教育过程；第三，“制度是生活方式”，应当把成文的制度规定与有组织的制度活动，通过内化与外化双向机制，变成稳定的制度化行为模式，化为学校制度生活，通过学校制度生活来培养学生品德。① 从本质上看，制度德育论是从学校制度重建、优化的角度主张加强教育生活意义上的民主与法治教育。

3. 推进“人类命运共同体”教育——促进全球公民责任和团结

当代社会，人类生活已经是一个相互依存的整体。一国人民的“美好生活”，一定与其他国家有直接和间接的关联。所以近年中国一直大力倡导构建“人类命运共同体”(a Community of Shared Future for Mankind)。“人类命运共同体”这一理念的提出，既是为了维护中国人民的尊严，维护国家的核心利益、主权、安全及发展，也是为了更好地承担国际义务，反对单极化霸权，推动建立更加公平正义的全球治理新秩序。“人类命运共同体”，是一种政策宣示、一种社会理想，更是一种客观现实。②

“人类命运共同体”理念之所以成立，首先是因为世界经济的“全球化”

---

① 杜时忠．制度何以育德？［J］．华中师范大学学报(人文社会科学版)，2012，51(4)：126－131＋4.

② 据中国外文局当代中国与世界研究院2020年9月15日发布的《中国国家形象全球调查报告2019》，已有六成以上海外受访者认可“人类命运共同体”这一理念对个人、国家、全球治理的积极意义。

已经是一个具有突出现实性、普遍性的客观事实与发展趋势。市场经济的发展已经使得全球化市场成为当代各国经济面临的客观现实，产业、市场、资本的全球化分工会使得资源配置更好地实现优势互补，世界经济的发展也更有效率与活力。所以尽管在理论上一直存在对于全球化进一步加剧了国家间的贫富差距，加重资本对于普罗大众的经济剥削、政治压迫，导致政治、文化、生态危机日益严重等广泛的批评，尽管近年一些发达国家出于一己之私也采取了许多“逆全球化”的政策干预，经济全球化仍然是一个不可阻挡的历史潮流。

经济全球化除了使得世界变小、成为“地球村”，还加快了科技、文化、教育的交流，互联网的产生与发展，新媒体尤其是智能化的社交媒体的涌现和全球化覆盖，也使得整个世界在信息交流方面实现了前所未有的相互开放，而更加开放的世界反过来又使得全球化的范围和程度不断加深，“人类命运共同体”建构的现实性也因此得到进一步强化。

此外，当代世界还面临着许多亟待解决的现实问题，如战争与冲突、环境和气候问题、发达国家与发展中国家的贫富差距等。这些问题也都具有全球性，非一个国家或者某一国家集团可以单独解决。因此，各国如何和平相处、各国国民如何作为“全球公民”参与国际秩序的重建，迫切需要我们努力在德育上开展“人类命运共同体”意识的教育或者“全球公民”身份的培育。

联合国教科文组织 2015 年发布的《反思教育：向“全球共同利益”的理念转变》（*Rethinking Education: Towards a global common good*, 2015）[①] 明确指出，虽然“目前关于公民的定义仍以民族国家为核心，但在全球化

① 中文版已经由教育科学出版社于 2017 年出版。原文“common good”应译作“公共善”而非“共同利益”(common interest)。公共善着眼于社会正义，共同利益强调利害关系。联合国教科文组织的这一报告强调应该重新思考教育的使命，将教育视作在全球范围内促进公平正义、培育全球公民身份的事业。

的影响下，这种概念和相关做法正在改变”[①]。跨国社会和政治共同体，民间社会和行动主义都是新型“后国家”公民的表现形式。全球化创造出了超越民族国家的新型经济、社会和文化空间，正在促成超越民族国家界限的新的身份认同和动员模式。而“国家教育”面临挑战，人类社会要“重新思考多元互联世界中的公民教育”。[②]

超越民族国家层面的“人类命运共同体”教育，与国际上通行的“全球公民教育”（Global Citizenship Education，简称 GCE）相通。总结联合国及世界各国全球公民教育的政策与实践经验，为了真正“促进全球公民责任和团结”，“人类命运共同体”教育，或者“全球公民教育”至少应当包括如下几个重要的教育主题：第一，文化理解与和平教育。第二，经济发展与可持续发展教育。第三，全球治理与公民的建设性参与。

以上基础道德教育、民主法治教育、“人类命运共同体”教育，刚好构成了一个由近及远的逻辑系列。只有在教育内容上不断扎实强化这些主题的教育，我们的世界才可能更加美好，中国德育也才能满足人民群众对于美好生活的向往。但无论是基础道德教育、民主法治教育还是“人类命运共同体”教育，在内容选择、界定和有效开展上，都有许多需要德育理论工作者勇敢面对、深度回应的重大课题。

（三）新时代应当建构的德育形态

实现优质、公平的教育供给这一新时代中国教育事业发展的基本逻辑，不仅要求有高品质的德育内容安排，也要求有高品质的德育形式保障。让中国德育在教育形态上更加美好、让新时代少年儿童有更多接受优质德育

① 编译自 TAWIL S. Education for ‘global citizenship’: A framework for discussion [C] // ERF Working Papers, Series No. 7. Paris: UNESCO, 2013.

② 联合国教科文组织 . 反思教育：向“全球共同利益”的理念转变 [M] . 联合国教科文组织中文科，译 . 北京：教育科学出版社，2017：57.

的幸福感，具体说来，让中国德育成为专业的德育、审慎的德育、美好的德育，理应成为新时代德育形态变革的主要方向。

1. 让德育成为专业的教育——对德育规律的严格遵循

立德树人是教育的根本任务，故在教育上“人民日益增长的美好生活需要”也就自然表现为人民群众对于德育实效提高的广泛期待。而要让中国德育实效提高、让德育形态更为美好，这就需要严格遵循德育的客观规律，实现经验型德育向专业化德育的历史转型。

首先，由经验型德育向专业化德育的历史转型，要求德育实践充分尊重儿童道德发展的客观规律。

关于儿童的道德发展，劳伦斯·柯尔伯格（一译科尔伯格）曾经在道德认知发展上有过经典的描述。柯尔伯格不仅通过实证研究归纳出了儿童道德判断三水平（前习俗、习俗、后习俗）、六阶段（奖惩与服从定向、工具主义的相对主义定向、好孩子定向、法律与秩序定向、社会契约定向、普遍伦理原则定向）的发展轨迹，而且通过图利尔等人的试验得出结论：发展性道德教育的第一个心理学原则是，儿童只能同化在发展意义上合乎他们自身水平的那些道德说理；第二个心理学原则是“道德发展上的向前运动不仅依赖于向儿童揭示下一阶段的思维，而且要使儿童体会到运用他们自己当前的思维水平到道德问题情景中发生认知冲突的经验，如果经验不到足够多的认知冲突和不确定性，道德发展就不会发生”。[①] 柯尔伯格的道德认知发展理论及其生发出来的两难讨论、公正团体等德育方法至今仍然有重要的应用价值。当然，儿童道德发展并不只有道德认知发展一个维度，精神分析理论、社会学习理论、积极心理学等许多品德发展理论都从

---

① KOHLBERG L.Cognitive-developmental theory and practice of collective moral education［M］// WOLINS M, GOTTESMAN M. Group care: the education path of youth aliyah. NY: Gorden & Breach,1971 : 367.

人格发展、道德情感、亲社会行为等方面补充了儿童道德发展的其他维度。即便是儿童道德认知发展理论本身，通过图利尔、努奇等人的努力，也发展出了社会认知领域理论，将道德发展领域与社会习俗、个人生活领域的发展严格区分开来，人们对儿童道德认知发展图景的描绘也越来越具体、准确。吉利根、诺丁斯等人则以他们在关怀教育理论上的杰出贡献，从性别视角补充了我们对于儿童道德发展的认识。道德发展理论的不断发展已经告诉我们的基本常识是，儿童道德发展的阶段性特征是客观存在的，发展的逻辑也是有规律可循的。而要求得德育实效提升，教育实践只能遵循这些规律。若我们将“德育”定义为思想、道德、法治、心理教育等更广泛的领域，则思想、道德、法治、心理教育等教育实效提升的前提，也一定是对儿童思想、道德、法治、心理发展实际与客观规律的敬畏与遵循。

其次，由经验型德育向专业化德育的历史转型，还要求德育实践充分尊重德育活动的客观规律。

在当代中国德育实践探索中，德育的课程改革一直是德育实践改进的重点领域，而德育课程改革的一大进步，就是在课程理念上对于德育规律的尊重。其中最重要的就是鲁洁所倡导的“生活德育”理念对于课程改革的巨大贡献。鲁洁指出：“道德学习的本质，不是知识学习，而是生活的、实践的学习。”① “当代的教育却无视道德之知的实践特性，同其他知识一样也把它放在科学理性主义的过滤器中筛选成普遍化、客体化的知识，彻底割断了它长在母体身上的脐带，断绝了它与生活实践的联系，也就使它再也回不了自己的家。”② 因此，“新德育课程的基本理念是回归生活。德育课程要‘源于生活，通过生活，为了生活’，在课程的实施中，不仅要关注课程的内容贴近生活，

---

① 鲁洁．江苏社科名家文库：鲁洁卷［M］．南京：江苏人民出版社，2015：18.

② 鲁洁．边缘化　外在化　知识化：道德教育的现代综合症［J］．教育研究，2005 (12)：11 － 14 + 42.

还要努力促使课程学习能真正改变生活”[①]。德育课程改革的具体目标应当表现为“道德观：从知识道德向生活道德转变”“课程观：从唯知识论走向生活经验论”“学习观：从单向传输转向交互作用”[②]。

不管德育课程标准与课程实践如何发展，我们可以肯定的是：不仅德育课程，而且全部德育实践，在坚持中国特色社会主义德育方向的同时，如何克服德育内容“假大空”、德育方式“强制灌输”等违背规律的德育惯习，始终是中国德育追求进步的重要方向之一。

再次，由经验型德育向专业化德育的历史转型，在教育实践上必然要求德育工作专业化水平的全面提升。

“德育专业化”既是历史的趋势，也是逻辑的必然。在进入现代社会之前，包括德育在内的所有教育活动都是经验型的。从事个体化教学工作的教师，其教育实践与手工艺人师傅带徒弟的模式并无本质差异。其基本逻辑在教育内容上都是“会什么，教什么”，在教育形式上也都是借助经验探索教育的有效性。尽管中外都不乏杰出的教育家和教育思想家，但是他们的教育实践、教育理论都是经验性的探索。以机器大工业为代表的现代生产的迅猛发展以及义务教育普及运动所催生的大规模学校教育，特别是“师范教育”的产生，是经验型教育到专业化教育的一个重要分水岭。师范院校的产生，意味着人类社会在制度上认可了教育工作两种专业性：一是在教育内容上，现代科学各学科知识意义上的“学科专业性”得到进一步认可；二是在教育方式上，教育学、心理学、教学法等所代表的“教育专业性”得到了体制性的认可。如果说“学科专业性”是旧式教育“会什么，教什么”逻辑的延续与升级，那么“教育专业性”则是现代教育与古代教育的根本区别所在。从此，包括德育在内的全部现代教育，都必须

① 鲁洁．江苏社科名家文库：鲁洁卷［M］．南京：江苏人民出版社，2015：18.

② 鲁洁．德育课程的生活论转向：小学德育课程在观念上的变革［J］．华东师范大学学报（教育科学版），2005 (3)：9 － 16 ＋ 37.

兼顾“学科专业性”和“教育专业性”。在这一意义上，现代教育、德育必须实现由经验型到专业化的范式变革，当然就是一个历史的必然。

之所以说“德育专业化”不仅是历史的趋势而且也是逻辑的必然，还因为：若全部教育都要承认“学科专业性”和“教育专业性”，实现由经验型到专业化的范式变革，德育作为教育的“根本任务”当然也要完成这一历史的转型。而要完成这一历史转型，德育就必须在研究、决策和教师的德育专业化等方面做出应有的努力。

完整的“德育专业化”无疑应当包括德育研究的专业化和德育决策的专业化。因为没有研究的专业化，德育决策及实践就没有“专业”的基础，专业化也就无从谈起。而德育决策的专业化则是德育事业专业化发展的关键。因为没有对于儿童道德发展规律的把握，没有对于德育原理、德育规律的尊重，就不可能有教育政策所追求的德育实效的取得与提高。“文革”时期一些政策对于德育规律的否定直接导致了德育内容的混乱以及德育方式非理性，其结果是灾难性的。“文革”结束后，“五讲四美三热爱”运动在全国范围内广泛开展，其实就是因为绝大多数国民已经意识到基本德性丧失的灾难性后果。20 世纪 70 年代末 80 年代初出现的青年一代的“信仰危机”更是意味着强制灌输无法建构真正的信仰。而新世纪伊始开启的德育课程改革之所以取得重要进步，最为根本的经验无疑也是教育决策对于德育专业或德育规律的应有尊重。

“德育专业化”还应当包括教师德育专业化。[①] 迄今为止，日常教育生活中人们常常将教师专业化理解为课程、教学意义上的专业化，这是一个严重的“概念的缺损”。其结果，“一方面，教师大学毕业拿到教师资格证书时基本没有学习过如何进行德育，在继续教育过程中对德育的学习也是偶然和不系统的，故所有教师都在以‘摸着石头过河’的方式

① 蓝维．德育专业化的关键：德育教师的专业发展［J］．教育研究，2007 (4)：26 － 27.

从事德育；另外一方面，现代教育与心理科学已经在德育理念、德育基础理论、德育策略与技能、品德及德育心理等许多维度都累积了十分丰富的研究成果，但这些成果只在教育研究者圈子里面循环，而较少与一线教师和其他实际教育工作者联系”①。因此，如何分门别类让所有实际承担着德育使命的从教人员都获得相应教育岗位所必需的德育观念、德育理论与德育事务等方面的专业知识与能力，是新时代中国教育事业尊重德育规律，实现德育实效、品质提升的关键之关键。

2. 让德育成为审慎的教育——对后真相时代的理性应对

当前，由于经济全球化的不断深化以及媒介生活形态的突飞猛进等原因，社会生活的复杂性、价值观的复杂性都已经空前提高。如何应对“后真相时代”的挑战成为全球性话题。

2016 年，《牛津英语词典》将“后真相”（post-truth）一词选为年度词汇，并将之定义为“诉诸情感与个人信仰比陈述客观事实更能影响民意的一种情形”。尔后《经济学人》在一篇文章中将“后真相”解释为：“真相并未被篡改，也未被质疑，仅仅是变得次要了。”②也就是说，“后真相时代”的公众在求真相没有希望的情况下，往往不再“较真”，人们更趋向于相信他们在情感上愿意相信的“事实”。概括说来，“后真相时代”的突出特征有二：一是由于种种原因，尤其是基于各种利益的考量，与过去相比，当代社会已是一个真相更难把握的社会；二是由于媒体发达、信息爆炸，人类很难像过去那样轻易获得真相，因此许多人便“方便行事”“反求诸己”，只相信自己愿意相信的“真相”。后者不仅让形形色色的民粹思维大行其道，也让真相的求索、共识的形成变得更为困难。而“未经反思就接受的观点

① 檀传宝．再论“教师德育专业化”［J］．教育研究，2012，33 (10)：39 – 46.

② NOGUEIRA J. Post-truth politics：art of the lie［J］. The Economist，2016 (9)：a27 – a33.

和草率作出的决定有可能给我们的家庭、朋友、同事、社会、环境以及星球造成破坏性的灾难”[①]。

虽然“后真相时代”的到来,也有碍于自然世界里真相的发现,但是“诉诸情感与个人信仰比陈述客观事实更能影响民意的一种情形”肯定更多地发生在社会领域，尤其是价值观及其教育领域。故在当代社会，德育不可避免地面临两大维度的时代挑战。

首先是在教育目标、内容上，当代德育会面临不同价值观的同台竞技，其次是德育的形式方面，如德育的方式、方法等，同样会在不同制度、不同意识形态的国家间竞争，这都要求德育能够帮助道德学习主体在复杂的当代社会生活中作出明智且经得起考验的价值选择。此外，在“后真相时代”，人们对情感与信仰的服膺往往超过了对事实真相的究问。批判性思维有助于人们基于事实追求道德生活的真相。故在“后真相时代”，德育要理性应对上述挑战,批判性思维（Critical Thinking,又译作“审慎性思维”）就显得前所未有地重要。

所谓批判性思维，不过是“做出有目的、自我监督的判断的过程”，是“就观点和行为建构一个合理且公正的判断”。[②]批判性思维的关键能力，包括质疑能力和理性思考能力。[③]与彼得・法乔恩的前述定义相似，诺希克列举过另外三个有代表性的定义：“批判性思维是合理的、反思性的思考，着重于决定相信什么或做什么”（来自恩尼斯）;“批判性思维是熟练的、可靠的思考。因为它对背景很敏感，依赖于标准，并且是自动调整的，所以有助于形成有效的判断”（来自李普曼）；“批判性思维是你

① 法乔恩 . 批判性思维：思考让你永远年轻［M］. 李亦敏，译 . 北京：中国人民大学出版社，2013 : 6.

② 同①7.

③ 美国学者恩尼斯的观点，转引自 COTTRELL S . 批判性思考：跳脱惯性的思考模式［M］. 郑淑芬，译 . 台北：寂天文化，2007 : 12.

在思考的时候，考虑自己的想法，以使自己更好地思考”（来自理查德·保罗）。[①]

批判性思维所要求人的，不过是严肃反思自己的判断和行动，不过是“讲理”（reasoning）——依据“理”（依据可靠标准并推理）、“据”（客观事实）作出理性的抉择并服从真理。批判性思维是一种明智的思维方式，其本身并不等同于某种道德上的善或恶。换言之，一些邪恶之徒也可能具有某种批判性思维的能力并让这一能力为犯罪服务。但对于德育而言，批判性思维要求分析信息来源与背景，依据一定标准，通过重新组织概念、展开逻辑推理，从而合理反思、评估所获取的信息及其附着的价值观，这不仅会帮助个体获得事实意义上的真相，更有利于帮助个体在置身于价值信息的洪流时能够以公正客观的态度作出理性的道德判断，避免无意中被未经反思的道德情感带来的猛烈冲击俘获而成为无脑的“乌合之众”。很显然，当代人要在纷繁复杂的价值世界中真正安顿自己、安顿年轻一代的精神生命，与其在眼花缭乱的价值观面前无所适从，不如在德育实践中强化批判性思维的培育，让德育对象在“风吹雨打”中自由、理性地选择并牢固建构起自己的价值观。由于批判性思维具有特别强调反思、强调标准、强调真实、强调理智等特性[②]，批判性思维的培育当然也一定会让合理的德育活动在内容、形式的竞争中拥有更强大的竞争力。

“物质丰裕的时代”和“后真相时代”无疑是同一个时代。前者意味着精神需要的凸显和德育对于这一需要高质量回应的必要；后者则要求高品质的德育，应该将批判性思维纳入日常德育生活，不仅提升德育的实效，而且因为实效的获得而让德育对象体会自主、自由地接受德育的美好。

---

① 诺希克．学会批判性思维：跨学科批判性思维教学指南［M］．柳铭心，译．北京：中国轻工业出版社，2005：2.

② 同①3－5.

3. 让德育成为美好的教育——主体自由的真正实现

如果用发展批判性思维的方式去应对“后真相时代”的德育的挑战是一种相对“防守”的策略，那么更为积极的教育战略就是让德育成为一种最“美好”的教育事业。当代德育应当成为一种能让道德学习主体自由真正实现的德育，一种自主、生活和审美的德育。

与自主的德育相反，在德育领域最不美好的学习体验，当然就是蔑视学习者的主体性、“按着马头让其喝水”（杜威语）式的强制灌输了。关于“灌输”，或者“强制灌输”，柯尔伯格曾经有过一段十分精辟的论述：“灌输既不是一种教授道德的方法，也不是一种道德的教授方法。说它不是一种教授道德的方法，是因为真正的道德应当包含对可能出现的价值冲突作出审慎的抉择；说它不是一种道德的教授方法，是因为合乎道德的教学必然意味着尊重儿童正在发展的对所学内容进行推理与评价的能力。”[①]

与灌输式的德育相反，让道德学习主体自由真正实现的德育，一定是自主、生活的德育。“唯物辩证法认为外因是变化的条件，内因是变化的根据，外因通过内因而起作用。”[②] 因此自主的德育不仅是现代教育学、心理学的主张，也符合唯物辩证法的基本原理。就像石头不可能孵化出小鸡一样，没有德育对象内在学习动机的发动，没有对特定价值观念的情感接纳、认同，没有学习者学习经验（生活）、发展阶段等“内因”条件的支持，就没有任何有效学习发生的可能性。由于涉及情感、态度、价值观的改变，与一般文化课知识学习相比较，强制灌输在德育上会更加无效。也正是因为这一点，柯尔伯格才说灌输“不是一种教授道德的方法”。自主的德育、自我建构的德育不仅是教育“效益”的要求，而且是教育伦理的要求。现

---

① POWER C, KOHLBERG L. Using a hidden curriculum for moral education［J］. Education Digest, 1987 (2) : 12.

② 毛泽东选集：第一卷［M］. 北京：人民出版社，1991 : 302.

代德育乃至全部教育之所以区别于古代德育、教育，一方面是彻底的人身依附的否定，另一方面是教育基于人是目的而非手段的伦理基础。因为无视学习主体的尊严，将学习者看作达成某种目的的工具或者器皿，所以“按着马头让其喝水”式的强制灌输意义上的德育才“不是一种道德的教授方法”。就是说，由于违背现代教育伦理，德育的强制灌输范式在本质上是反德育的。

自主的德育可能面临价值观教育的强制与放任之间的矛盾；强调生活的德育也可能面临德育对生活的适应与超越之间的张力。而促成价值引导与自主建构的矛盾解决的“中庸之道”，在于德育内容与形式的审美化。因为“道德教育的内容与形式如果可以处理成一幅美丽的画、一曲动听的歌，那么与这幅画、这首歌相遇的人就会在‘欣赏’中自由地接纳这幅画、这首歌及其内涵。道德教育的价值引导与道德主体的自主建构两个方面就可以在‘欣赏’过程中得以统一”[①]。所以，让道德学习主体自由真正实现的德育更一定是审美的德育。

正如自主、生活德育的意义不仅在于德育绩效的提升，也在于教育伦理的落实一样，审美化的德育最为重要的也不仅仅在于通过对德育内容、形式、师生关系等的审美化改造而使得德育更为生动、克服道德规范之于学习者的“顽强的疏远性”，审美化的德育最重要的意义，也在于席勒所言的“在有文化教养的圈子里，在审美的国度里，人就只需以形象显现给别人，只作为自由游戏的对象而与人相处”[②]这一极富美感的教育境界的达成。由于道德及其学习自由的真实获得，德育才可能让学习主体摆脱奴隶式的被动道德规训状态，也脱离“人和人以力相遇”的丛林法则所支配的

---

① 檀传宝．德育美学观［M］．北京：教育科学出版社，2021：224.

② 席勒．美育书简［M］．徐恒醇，译．北京：中国文联出版公司，1984：145.

野蛮生活。因此，审美化的德育实践是一种能使道德主体的意义求索和学习自由兼得的当代德育之道。

无论是自主的、生活的、审美的德育，或是其他许多浪漫、理想的中国当代德育理论主张，本质上都是在主张让德育成为因道德学习主体自由的真正实现而变得更加“美好”的教育，而这正是“物质丰裕的时代”中国社会对于德育最核心的要求。

依据新时代的发展逻辑，我们需要什么样的德育实践、德育研究？

我们认为，加强基础道德建设、开展民主法治教育、促进“人类命运共同体”的形成，应该成为新时代必须坚守的最重要德育主题；让中国德育成为专业的德育、审慎的德育、美好的德育，理应成为新时代德育形态变革的最重要的改革方向。如果上述德育主题（内容）、德育形态（形式）的发展方向的确是新时代发展逻辑的必然，那么新时代的德育研究理所当然服从这一时代转型的逻辑去求得自身的发展。新时代的中国需要高品质的德育，相应地也就需要与之相应的更高品质的德育研究。换言之，如果中国德育理论工作者要“将论文写在大地上”，就一定要投身于以高质量的学术研究推进中国德育在内容与形式维度的品质提升这一伟大的事业之中。

在这一时代背景之下，《中国德育研究大系》可谓当代中国德育学人对于高品质德育实践与理论建构这一时代责任的一次集体性的学术承担。

四、《中国德育研究大系》的缘起与编撰历程

湖北教育出版社是一家情系教育、志存高远的专业出版社。自 2002 年以来，出版社曾经与多位德育研究者一起合作研制、出版国家义务教育新课程标准教材《品德与生活》《品德与社会》（鄂教版），为基础教育课程改革添砖加瓦。在愉快而高效的合作过程中，出版社与德育专家们不仅加深了了解，而且获得了高度互信。2020 年 10 月，全国德育学术

委员会第 29 届学术年会在海南召开，湖北教育出版社方平社长专程与会，提出与全国德育学术委员会合作出版《中国德育研究大系》的详细设想。《中国德育研究大系》选题价值也受到了全国德育学术委员会许多专家的高度肯定。会后，我们就立即着手谋划书系的框架、邀请和遴选作者、商讨编撰工作的日程安排。

2021 年 6 月，《中国德育研究大系》启动会在华中师范大学召开。长江出版传媒股份有限公司领导、湖北教育出版社领导和多位编辑参加会议，全国德育学术委员会时任理事长檀传宝教授、副理事长杜时忠教授，以及十位作者：孙彩平教授、卜玉华教授、齐学红教授、唐爱民教授、程红艳教授、班建武教授、叶飞教授、刘长海教授、李敏教授、刘春琼副教授参会研讨。为了认真总结中国当代德育研究的重要成果、应对德育研究面临的时代挑战、回应社会对德育实践的重大关切，与会专家一致认为在“两个一百年”的历史交汇点，编写《中国德育研究大系》适逢其时。在这次会议上，大家对《中国德育研究大系》的编写思想、风格定位、内容体例等问题进行了深入讨论，并形成如下共识：第一，丛书要成为高水平研究成果的集成，要优先考虑德育研究的学术性、专业性。第二，要突出时代气息和中国特色，充分反映中国德育发展和德育理论进步的整体风貌。第三，要具有国际视野、中国立场，要成为一个具有民族特色和世界眼光的德育研究精品系列。

最终呈现的《中国德育研究大系》由《德育基本理论研究》《学生品德发展研究》《教师道德研究》《德育课程研究》《班级德育研究》《家庭与社会德育研究》《德育方法研究》《德育评价研究》《中国传统德育研究》《中国德育研究新进展》十个分册组成，基本实现了预期目标。为了确保《大系》的学术水准与出版质量，在十册图书编写、审校完成后，我们又特别邀请了十位学者分别对上述十部书稿进行了审阅，他们分别是：周小李教授、张添翼副教授、蔡辰梅教授、郑航教授、李家成教授、李太平教授、朱晓宏教授、唐汉卫教授、冯永刚教授、郑富兴教授。十位审稿人认真阅读了书稿，并提出了大量中肯而有益的建设性意见，各册作者在此基础上进行了修改完善。

在此，我们对十位审稿人表示衷心感谢！

这十册图书汇集了中外德育研究的最新成果，在深入探讨德育基本理论、中国传统德育及面向未来的中国德育等诸多理论课题的同时，也系统分析、回应了教师道德、品德发展以及影响青少年品德成长的课程、教材、教学评价等德育领域的重大实践课题。《中国德育研究大系》既是汇集当代德育研究成果的百科全书，更是推进中国特色社会主义德育理论建构的工作平台。它不仅为中国特色社会主义德育理论的建构提供了一个系统、深入的崭新起点，更为构建方向正确、内容完善、学段衔接、载体丰富、常态开展的新时代德育工作体系，大力促进德育工作的专业化，提升德育的创新性、实效性，落实立德树人的根本任务，奠定了重要的教育理论之基。再加上作者团队——全国一批深具专业实力的德育研究者的积极参与和倾情奉献，我们有充分的理由相信：这是一套集权威性、公益性、原创性和实用性于一体的集大成之作。其出版，无论对于中国德育理论的建设还是德育实践品质的提升，都具有十分重要的时代意义。

汇集一批好学人，做成一桩大事情。在《中国德育研究大系》即将出版之际，作为主编，我们由衷感谢出版社有关领导、编辑团队对于本书系的有力支持，真诚感谢十位作者在百忙之中的积极响应、倾情投入和高品质的产出。与此同时，我们更是和全体作者一样，由衷地希望与更多的读者们同行，携手迎接一个中国德育研究更加美好的新时代！

檀传宝　杜时忠

目录

导　论

本书力图从品德心理的整体视角，采用整合思路对我国 1978 年以来的品德心理研究进行总结和述评。

一、目的与诉求

近半个世纪以来，品德发展研究成果丰硕，同时也日益细化，近二十年的研究更是如此。在“求真”“求实”之科学研究精神的感召下，国内外研究者对看似狭小或单一的研究主题与领域持续深耕，已经将触角延伸至品德整体的不同侧面。以道德认知为例，传统道德推理形式（认知阶段）与内容（事件领域性）的融合形成了社会认知领域理论（Social Cognitive Domain Theory），而道德认知性别化的视角则走向了关爱倾向，直至关爱研究超越了性别范畴。又如，社会直觉理论（Social Intuitionist Theory）一度引发了道德起源的进化论与认知神经科学方面的研究，而乔纳森·海特（Jonathan Haidt）在十几年前将之整合入道德基础理论（Moral Foundations Theory），构建了用以解释日常生活道德判断的模型。其他不一一列举。可见，传统道德认知、道德情感、道德行为的“品德开端”均已作为品德心理的基础成分而被纳入新的结构——如道德敏感性、道德认同等。这些新的结构不断出现，为进一步对品德进行整体反观提供了可能。

近三十年，国内品德心理研究具有明显的“追随”与“验证”的特点。

同时鉴于心理学学科本身的跨领域性，心理学研究科学化范式的推进以及认知神经科学的兴起，学生品德心理研究成果分散地出现于不同学科领域：既有认知神经科学研究领域、基础心理学研究领域、发展心理学研究领域和社会心理学研究领域，也有元伦理学研究领域以及教育科学研究领域等。不同领域内的学者或从群体或从个体，或从应然或从实然，或诉诸哲学思辨或诉诸实证科学来研究道德心理。这一研究格局导致品德心理与德育呈现较为复杂的关系，有时二者互为启发，有时德育研究滞后于品德心理研究，又或品德心理“小而微”的研究结果不足以辐射至复杂的德育现实。本书尝试将这些散落于不同研究领域的“小而微”的心理学研究成果以相对完整的框架加以组织，间或与其他非心理学学科研究结果进行对照或者相互补充。以此观之，学生品德心理或可更好地服务于教育现实。

因此，本书以绪论—品德心理的起源—品德发展的不同开端研究（道德认知、道德情感、道德行为）—品德心理的整合与特定品德德目研究—品德心理研究的方向与趋势为大致脉络组织内容。各章节之间并没有严格的界限，例如道德行为章节会自然涉及那些将道德情感和道德认知借鉴于道德行为研究之中的理论。亦鉴于此，有时某种理论会被切割出现在不同章节：以道德直觉理论为例，一方面它出现在品德发展的个体与社会来源章节中，着重论述道德发展的进化论根源，另一方面它出现在品德心理的整合研究章节中。同时，鉴于“小而微”的心理研究多在一定的理论框架下进行，因此在内容许可的情况下，每个主题的阐释方式多以整体理论性介绍、学生发展状况与影响因素、德育启示的顺序进行。将“学生品德发展”置于这一逻辑框架具有先整体后局部的考量。

二、整合之视角

整合视角一方面是研究内容的整合，另一方面也是研究方法所自然带来的结构和框架。中介效应（Mediating Effects）和模型建构（Model

Construction）等统计方法的发展提供了不同量化对象之间的结构。值得注意的是，由方法所自然带来的整合具有方法本身的局限，如所采用的测评工具是否具有良好的信效度，对各变量的操作性定义是否得当，采用不同工具对同一变量的研究，其结论是否具有可比性，等等，这些应加以事先的提醒。

整合还会涉及学生个体的“整全人”发展框架（朱小蔓），对品德发展研究的反观应在这一构架下进行。可以就品德发展谈品德发展，也可以在其他领域内——如在心理健康视域内——谈品德发展。例如，研究证明具有亲社会行为（道德行为开端）的个体也具有较好的情绪调节和社会认知能力，也会更容易获得良好的社会支持，因此亲社会行为具有促进心理健康的功能。对“羞愧”主题进行研究的过程中，本书也综合考虑了心理健康领域和道德发展领域对“羞愧”的研究成果。两个领域内研究者均对该主题产生了兴趣，也恰恰映照了品德与心理健康都是作为“全人”“整合之人”不可分割的部分。

整合视角不仅面对“整全人”的目标，也有教育方法论上的启迪。对学生品德发展的问题而言，整合思路不在于得到唯一、确定的解释，而是扩展而成整体的思路。例如，就一个做出攻击行为的学生，整合视角下的研究者力求给出几种，甚至是几十种解释。但诚如努奇（L.Nucci）所说，把问题变得复杂在某种程度上是一种进步，这是一种认识论上的进步：以整合思想扩展思路，在与具体儿童接触时才可能基于开放的思路给予充满实践智慧的反馈。教育艺术，甚至浪漫德育（檀传宝）就有了生发的空间。

三、遗憾

本书存在以下遗憾：

鉴于本人水平和能力有限，虽时刻提醒以尊重和开放的心态汲取一切相关文献，但面对浩如烟海的文献，恐不能对品德发展的全部研究予以关注。可能会对有价值的文章有所取舍，也可能会根本忽视了那些并非发表于高水平期刊但充满真理颗粒的文章与图书。不能穷之，实为精力所限，但丝毫不应遮其光芒。另外，当我们对某一理论进行“命名”时，也同时把它限于某种理解的框架，会成为读者与研究者的刻板认知并加以传递。而作者本身的理论立场甚至是理论背后的哲学观都在一定程度上对“命名”产生影响。本书未对所涉及文献一一考据这种“预设”，更多从“形而下”层面对比考察其研究结果与结论。

鉴于本人的受教育经历，虽然借鉴了不同学科研究的智慧，但思考视角仍主要限于西方道德发展心理学。反身而诚，学科视角之外还有鲜活的伦理生活。我在父母的爱和支持、朋友师长的提携帮助以及传统文化的浸润下长大，其间的伦理要素已内化为我的“伦理性存在”的一部分，并持续为我提供生命能量。叹自己智慧不足，能力所限，无法在中国博大精深之文化下，在韦伯所说“我与你”之间探寻品德发展经验，也无法同时兼顾现象学视角和叙事视角。品德发展关乎是非善恶，但其研究总归要回归本应生命力饱满且鲜活的个体、回归丰饶的生活世界，期待能在鲁米“是非对错之外的平原”与各位读者相遇。

刘春琼

2023 年 1 月

随园

第一章
绪论

第一节　基本概念

本书对所关注的主题和基本概念有如下界定：

一、品德与道德

日常生活中，道德与品德经常被混用，但是在科学性界定中，二者是不同概念。在现代科学语境下，道德更多是一个社会学概念，是社会意识形态之一，是人们共同生活及其行为的准则和规范。值得注意的是，此处"准则和规范"并不能化约至具体的规则（moral rule），它还包含"道德原则"（moral principle）。例如中国文化下的"仁义礼智信",西方更强调的"公正""功利"，都是不同的道德原则。原则对具体规则具有指导意义，在不同规则产生冲突时可指导个体进行选择。同时道德原则也代表一种"精神"，包含面对规则的态度和观念。因此道德对个体的影响、个体对道德的习得，必然包含个体的主动参与，道德认知、道德情感、道德行为等界定看似逻辑不良，将社会意识和个体意识范畴词汇并列，其实是约定俗成，指的是个体与道德有关的认知、情感与行为，属于个体意识范畴。

品德就是个体在道德方面的品质，是一种个体意识。《心理学大辞典》（林崇德，杨治良，黄希庭，2003）将品德界定为“个体依据一定的社会道德原则或者规范行动时表现出来的稳定的心理特征和倾向”[①]。因此品德最重要的特征是稳定性，跟心理学意义上的“个性与人格”具有重叠部分，可以认为品德是人格或者个性在伦理道德方面的表现。诚如心理学意义上的人格或者个性离不开个体的知情意等心理过程，个体形成品德的过程中也离不开道德认知、道德情感和道德行为方面的过程性维度，它们可视为建构品德的路径和开端。

但值得提出的是，如果从词源方面细致考察，英语与汉语对道德和品德的界定略有差异。

道德（morality）一词，英文“morality”来自拉丁语“mores”，指的是风俗与习惯，中国文化中的道德可以分为“道”和“德”两个部分：道，指的是自然运行的真理；而“德”指的是依道行事而得到的“德性、品性”。将中英词义进行对照，可见中国文化下的词源考据具有一个特征，即“得德论”“德福一致”，国内一些道德心理学研究者均认同这一考据。[②]文化心理学研究者汪凤炎将之解读为“之所以将某种东西作为自己的德性，本是试图通过它们而使自己变得更加优秀，从而使自己更好地适应、更好地生存发展”[③]。

品德（moral character）一词，西方指的是个体的道德品质，英文对应“moral character”，character 一词的原意是“雕刻”或“雕琢而成之物”，

---

① 林崇德，杨治良，黄希庭．心理学大辞典［M］．上海：上海教育出版社，2003：195.

② 杨韶刚．道德教育心理学［M］．上海：上海教育出版社，2007.

③ 汪凤炎．中国传统德育心理学思想及其现代意义（修订版）［M］．上海：上海教育出版社，2007：89－90.

后转义为由外界环境影响而造成的固定人格特质。结合英文中的“morality”词源，可认为西方文化下品德具有受外部影响内化而得的词源根据。中国文化语境下，品德被界定为“品行、德行”，且格外强调“德”所依赖的“道”，以及个体德之修身享用功能，“道者，人之所共由。德者，己之所独得。”因此相比于西方强调品德为个体接受外在影响所得，中国文化更认为品德具有内求的途径，所谓“行有不得者皆反求诸己，其身正而天下归之”（《孟子·离娄上》）。

从某种程度上讲，这种词源上的中西方细微差异可能会影响到国内学者对品德研究的偏爱范围。例如国内在理论层面上曾经一度兴起探索“品德心理结构”热、德育思想中对“整全人”的主题性研究，以及最近十年将品德心理与心理健康教育整合的趋势，都可能与此有关。

二、品德心理与品德发展

“品德心理”“品德发展”对应英文为“moral psychology”“moral development”，鉴于国外“moral psychology”已经成为独立的学科，且国内将二者多直接译为“道德心理”“道德发展”，虽有如前所述的逻辑上的缺陷但也就约定俗成，本书也不对其进行严格区分。在文献整理时，将品德心理与道德心理视为类同词汇。

国内学者在谈及个体品德建立、发展时更倾向于使用“品德心理”。品德心理学“是研究个体品德的心理结构、品德形成与发展过程及其变化的规律、品德发生作用的过程及规律，阐明进行道德教育途径和教育措施的心理学依据的一门教育心理学分支学科”[①]。可见，在该界定中，品德心理包含了品德发展。此时的品德发展又可以称之为个体品德的发展心理学。

---

① 林崇德.品德发展心理学［M］.上海：上海教育出版社，1989：5.

从“发展”角度界定，品德发展的含义又略有不同。人们一般把各种事物的增长、变化和进步都在日常语言中宽泛地界定为发展，但个体发展中的“发展”有更严格的界定。按照朱智贤主编的《心理学大词典》，“个体发展是个体从初生经成熟到衰老的整个过程中生理和心理由简单到复杂、由低级到高级、由旧质到新质的运动变化。”① 可见并非所有变化都是发展，只有那些按照顺序出现的、相对持久的变化才能称之为发展。同时，个体发展包含身心两个方面以及身心的相互影响过程，品德发展属于人的发展，因此也包含生理与心理两个方面。而根据林崇德等2003年版的《心理学大辞典》，心理发展又包含心理种系发展和心理个体发展，前者指从动物到人类种系演化中的心理发生和发展，后者指个体人类从初生到成熟、再到衰老的过程中心理的发展。② 这样看品德发展包含相关生理发展、种族发展与个体发展内容。同时，道德又属于社会范畴，因此社会发展也经由个体社会化的过程影响了品德形成。这样，谈及品德发展这一主题时，虽然研究主体是个体发展，但是它同时也包含了种族发展、社会发展以及生理发展的相关内容。而这些内容也正是道德心理学被誉为“真正的综合学科”的原因，当然也是不断促进这一学科持续发展的原因。

本书同时涉及品德发展的上述两种观点，以第一种观点为主，第二种观点作为补充性说明贯穿全文。

除此之外，国内品德发展研究存在包含心理学在内的多种研究路径。例如，著名学者曾钊新被誉为“先擎大纛”，是我国道德心理学开创者，其著作《道德心理学》就是从伦理学视角出发进行的研究。而李伯黍、章志光等著名学者,则从经典心理实验的角度加以研究。他们分别显现出“形而上”和“形而下”的理论特征。但随着研究的深入，这两条路径不断走向融合，彼此借鉴。马向真提出，随着伦理学的道德心理学研究“下移”，

---

① 朱智贤．心理学大词典［M］．北京：北京师范大学出版社，1989：225.

② 林崇德，杨治良，黄希庭．心理学大辞典［M］．上海：上海教育出版社，2003：195.

心理学的道德心理学研究“上调”，在二者的中间位置产生了一个新的结合点。这个结合点正是道德心理学新的增长点。[①] 当然，在这一新的增长点中，国内学者追随着国际上的实证路线，所进行的研究多是心理学研究。本书所综述的文献也多是心理学范畴下的品德发展与道德发展研究。

三、儿童与学生

儿童发展是个体发展心理学中非常重要的一部分，特指儿童从个体出生到成熟这一阶段的变化。国际《儿童权利公约》界定儿童是指0—18岁，但目前从脑科学研究成果看，神经科学研究发现，人的大脑在25岁左右才成熟，故儿童年龄区间应被扩展为0—25岁。当前的儿童发展心理研究也通常如此界定，可见它与日常生活中所谈的“儿童”存在很大差别。发展心理学区分了儿童发展的不同“阶段”，不同阶段存在着有别于其他年龄段的特征，目前国际上普遍认可的发展阶段为：出生前期（从受孕到出生）、婴幼儿期（出生到2岁）、儿童早期（2—6岁）、儿童中期（6—11岁）和青少年期（11—18岁）五个时期。[②] 我国学者也从学生接受教育的角度进行了区分：胎儿期、新生儿期、婴儿期、幼儿期、学龄前期、学龄期、青春期七个阶段；青春期又可划分为早期（相当于初中阶段）、中期（相当于高中阶段）、晚期（相当于大学教育阶段）。

与儿童不同，学术界对“学生”的界定存在很多偏向：社会学研究者强调其社会属性和社会角色；伦理学研究者强调与教师所对应的关系；教育学研究者强调其接受教育的地位和属性。但其实早在20世纪80年代，

---

① 马向真．当代中国道德心理学：问题与范式［J］．南京师大学报（社会科学版），2018(4)：74.

② 劳拉·E. 贝克．儿童发展：第5版（教育科学精品教材译丛）［M］．吴颖，等译．南京：江苏教育出版社，2002：4.

我国教育界就从“人之属性”的四个层面来把握学生的本质属性：学生是人，学生是发展中的人，学生是一个完整的人，学生是以学习为主要任务的人。[①]德育的顺利完成有赖于教育者对学生的整全性和发展性把握，因此从“儿童”与人之属性来界定学生更能体现这些本质属性。本书对“学生发展”不做狭隘的社会学、伦理学和教育学限定，“学生品德发展”中的“学生”主要指学龄期与青春期（包括青春期晚期）阶段的儿童，并没有特别限于学校情境、学生身份。研究对象主要是大中小学校学生，同时涉及特殊学生（如听障生）、特定学生（如留守儿童）等。

第二节　品德发展研究的简要历史

从 1978 年至今的 40 多年时间内，随着我们国家令人瞩目的进步，心理学事业也获得新生并实现了飞速发展。品德心理发展工作者也在诸多分支领域进行了大量的创新性研究，取得了非凡的成就。研究成果近十几年更呈“井喷”趋势。不仅研究数量从每年 1 到 2 篇到现在的每年几百篇，成果日益增多，研究领域也有所拓展，既涉及道德认知、道德情感和道德行为等传统研究领域，也涉及道德认同、道德自我、道德敏感、领域认知、道德基础理论、道德具身认知等多个品德整合与品德发展来源等相关领域研究；既涵盖幼儿、小学、中学、大学和成人等年龄阶段，也涵盖民族学生、留守儿童、特殊儿童、攻击性儿童等特定群体。在研究方法上，从采用单一方法、实验与观察法，到借助于仪器进行脑神经科学研究等，同时也越来越能够综合运用新的统计方法（如结构模型、中介效应分析），采用内隐测验、认知神经科学等新的心理学技术，实现了统计和方法方面的很多

① 南京师范大学教育系．教育学［M］．北京：人民教育出版社，1984：127.

突破。

从阶段看，可以粗略分为三个阶段：1978—20 世纪 90 年代初期为恢复期，奠定我国品德研究的基础；20 世纪 90 年代初期到 21 世纪初为反思与沉寂期，出现研究断层，遭遇困境；21 世纪初至今为复兴繁荣期，大量借鉴国际研究，在道德心理学体系下进行多层次、多维度品德发展研究。

一、恢复期：1978—20 世纪 90 年代初期

从 1978 年起，随着心理学研究的快速发展，道德发展心理学的研究也出现了勃勃生机。傅统先作为我国老一辈心理学家和教育学家，一直关注儿童道德发展。早在 1954 年就出版《儿童品德教育讲话》,[①]1984 年其与学生陆有铨翻译的皮亚杰名著《儿童的道德判断》得以出版，该书成为我国后继学者品德心理研究的重要参考著作。[②] 受其启发，学界涌现了大量中国儿童品德发展研究，相对集中于几个研究团队。

这些团队主要包括以下：

李伯黍教授领导的上海师范大学“儿童道德发展研究协作组”。该协作组的研究侧重于道德认知研究。他们沿着让·皮亚杰和劳伦斯·科尔伯格的技术路线对我国儿童的道德判断发展进行了系统研究。研究一方面证实了皮亚杰等人的观点，同时也展现了中国儿童的发展特点。例如，该协作组利用对偶故事法对全国 18 个地区的 2000 多名 5—11 岁儿童进行了大规模研究。研究发现我国儿童同样经历从客观性判断到主观性判断的发展过程，而 6—7 岁是道德认知发展的转折年龄；同时，研究还发现我国儿童根据行为本身的好坏做出判断的转折年龄在 8—9 岁，早于皮亚杰所提出的 11—12 岁。该协作组的大量成果集中体现在 1992 年出版的《品德心

① 傅统先．儿童品德教育讲话［M］．济南：山东人民出版社,1954.

② 皮亚杰．儿童的道德判断［M］．傅统先，陆有铨，译．济南：山东教育出版社,1984.

理研究》和 1999 年出版的《品德心理研究新进展》两本论著以及一系列文章中。

基于其研究，品德发展的研究体系逐步确立。李伯黍与燕国材主编的《教育心理学》对该体系有相对完整介绍：第一章为道德品质的形成规律和教育对策；第二章、第三章、第四章分别为道德认识的发展与教育、道德情感和道德价值取向的发展与教育、道德行为的发展与教育；第五章为影响道德发展的因素，系统分析了认知、社会文化、教育和性别等因素对道德发展的影响；第六章为品德发展的评定方法。这一体系从道德认知入手，逐步扩展至道德情感、道德行为和品德教育等方面，是其品德心理学学科构想的具体体现和经验支撑。应当说，李伯黍教授的工作基本奠定了中国品德心理学研究相关体系。稍后时期，他对这一体系进行了反思，提出了中国品德心理学的几个特点：第一，他认为道德发展研究反对自然主义谬误，认为道德发展不是成熟的胚胎发育理论；第二，他认为个体道德认识和个体德性是相互作用的分层系统，在逻辑上与成熟的胚胎发育理论迥然不同；第三，他认为道德发展是心理学、哲学、伦理学、教育学的综合。他提出，对道德心理现象进行科学的实证研究，同时影响了道德哲学，后者从中汲取营养并进行新的哲学思索，以应对新的伦理现实。而个体在道德理念上的"应当"也是在道德经验的事实判断中逐渐悟得，只是因个人发展水平不同而呈现各种差异（李伯黍，1996）。① 这些观点都是道德发展研究的奠基性理论基础，影响了其后对品德的研究方向，其学生岑国桢、陈欣银、陈会昌、方文、李丹等后继者对其理论又进行了创新性研究。相对于当时的国际研究而言，国内当时的研究也独具特色。

第二个团队是北京师范大学章志光教授领导的"学生品德形成的内外条件及动力系统"课题组。该课题组所采用的研究方法为实验法，研究内

① 李伯黍，李正云．道德发展：心理学、哲学、伦理学和教育学的思考［J］．华东师范大学学报（教育科学版），1996（4）：62－68.

容包括但不限于青少年的道德判断与评价、道德观念与认知归因、道德情感、价值观内外条件的交互作用等。课题组的主要研究成果汇总于1993年出版的《学生品德形成新探》一书。章志光教授的课题组有以下两个研究重点：对品德形成进行了动态实验研究；对品德问题和问题行为进行了社会心理学方面的教育经验调查研究。研究结果表明品德的形成不能离开人的道德认识、道德感、道德动机、道德行为的意动等心理机制，而学生的品德是在对外界道德榜样及规范感知与理解的基础上，通过道德行为的实践与反馈逐步形成与发展起来的。另外，章志光教授还主持了“学生品德形成的内在条件及动力系统”课题，该课题集中关注了品德形成的动力问题，采用实证研究方法，对道德观念、道德判断和道德评价的归因机制、道德情感、价值观以及内外条件交互作用进行了多项研究，得出了以下重要结论：内外多种因素交互作用才得以形成品德；动态实验是品德研究的重要方法；决定个体品德发展方向与水平的关键因素是价值取向；可以通过教育上的针对性培养来提高学生品德的效能；要进行品德量表的编制，它既是品德研究的必备工具，还可能成为品德教育的手段。

可见，章志光教授根据大量研究进行了理论创建。他设想可从生成结构、执行结构和定型结构三个维度来分析品德结构，这些结构组成了个体的品德动力系统，该系统与社会环境和群体环境共同组成一个大的社会动力系统。章志光教授在研究对象上突出品德结构的动态形成，他认为品德心理学应着重研究个体在社会制约下，在群体互动中产生的内部心理结构及其动力状态（章志光，1990）。[①] 这一独到见解对于品德发展研究具有奠基性意义。

相对于道德认知，道德情感研究起步较晚。李怀美教授（1989）一方面探讨了中国儿童道德情感的总体发展特点，另一方面深入分析了具体的

---

① 章志光．试论品德的心理结构［J］．北京师范大学学报，1990 (1)：7 － 17.

某种道德情感。在总体发展特点方面，李怀美及其领导的儿童品德心理研究协作组发现：中小学生的道德情感发展水平随年龄的增高而逐步提高，从小学四年级开始逐步稳定上升，但不等速、不均衡；道德情感的不同侧面、不同水平上表现出多层次性及多水平的特征，而且随年龄的增高逐步趋于复杂化。①

除此之外，辽宁师范大学韩进之教授等关于青少年理想形成和发展的研究，以及西南师范大学曾欣然教授关于品德结构及其发展的模拟实验研究等，都是对道德观念和道德判断的重要研究。韩进之和王宪清在《德育心理学概论》（1986）中将品德心理体系做了扩展。其基本内容包括六个方面：（1）德育心理学的研究对象、性质、任务和方法，以及品德心理研究的历史和现状；（2）品德的心理结构和结构各要素形成发展的规律，以及品德在个性发展中所占的地位和作用；（3）儿童道德品质培养的途径问题；（4）品德不良的社会心理因素问题；（5）品德不良的矫正；（6）德育心理研究的方法问题。② 该书第一次对“品德不良”进行了界定。

而下一代的研究者中，作为我国培养的第一位教育学（心理学）博士，北京师范大学林崇德教授对青少年品德发展与教育的关系进行了长期研究，发表了多篇论文，并著有《品德发展心理学》（1989）一书。林崇德最重要的创见在于从辩证关系研究儿童与青少年品德发展。③《品德发展心理学》一书是该体系的集中体现。该书第一章分析了品德发展心理学的对象、品德的特征和品德的结构。林崇德认为，品德发展心理学研究的是儿童与青少年品德发展的规律，应当从心理学、个体发展、个性中具有道德价值的核心成分和教育培育的角度来理解品德的发展。他认为品德的结构

---

① 儿童品德心理研究协作组. 中小学生道德情感发展研究［J］. 心理发展与教育，1989(3)：1－6.

② 韩进之，王宪清. 德育心理学概论［M］. 上海：上海人民出版社，1986.

③ 林崇德. 品德发展心理学［M］. 上海：上海教育出版社，1989.

包括三个子系统：深层结构和表层结构的关系系统，心理过程和行为活动的关系系统以及心理活动和外部活动的关系及其组织形式系统。这些基本观点确立了品德发展心理学的理论框架。第二章为品德发展研究简史。第三章是儿童与青少年品德发展的基本理论。阐述了品德发展的条件、动力、与教育的辩证关系和年龄特征。这三章与第四章品德发展的研究方法一同构成了理论基础部分。第五章和第六章探讨的是品德发展的两个影响因素：群体和个性。第七章到第九章阐述了不同年龄阶段儿童的品德发展特点和培养问题。第七章考察的是入学前儿童品德的发展，包括品德的发生、3岁前和幼儿期的品德发展。第八章和第九章论述了小学和青少年阶段的品德一般特点、道德动机的发展、品德心理特征的发展以及道德习惯的形成和培养。第十章分析了品德不良和违法犯罪青少年的心理特点。整个品德发展心理学体系由理论基础、影响因素以及发展与培养三部分构成，对其后的道德发展心理学相关研究具有重要启示。

二、反思与沉寂期：20 世纪 90 年代初期到 21 世纪初

20 世纪 90 年代初，从品德心理学学科自身的发展来看，国际上科尔伯格之后的道德心理学研究进入了一个相对平稳期，国外大量研究主要是对科尔伯格的理论进行论战、修正以及发展。虽然出现了一些新的主题，但在当时还没有引起学界的广泛关注，也没有在道德教育引起回响，所以也并未实现真正的理论上的超越。

与此同时，国际心理学主流转向认知心理学，方法上尤其强调实证研究。我国的心理学研究，包括品德心理研究，在 20 世纪 80 年代以相对多元的方法进行，虽然充满创造力，但是遭受了科学性上的批评和反思，所发表的品德心理研究成果越来越少，因此进入了一个相对低潮的发展阶段。但也有一些有影响力的成果发表，主要集中在道德心理研究方面，道德行

为研究也有所增强。李丹等研究了中学生的利他态度和行为倾向[①],王美芳等人介绍了艾森伯格的亲社会推理理论，并进行了学前儿童的在园亲社会行为以及青少年的亲社会行为研究[②]。

与此同时，对品德发展研究的理论反思和应用却在增加。例如，李伯黍等从心理学、哲学、伦理学和教育学的角度综合分析了皮亚杰和科尔伯格的道德认知发展理论[③],岑国桢深入探讨新时期的道德心理和道德教育研究[④]。郭本禹从心理学史和理论心理学的角度对科尔伯格进行了研究,其专著《道德认知发展与道德教育：科尔伯格的理论与实践》对科尔伯格的道德心理学理论进行了系统梳理[⑤]。而曾钊新则从伦理学角度、从人性论反思角度对道德心理学进行了哲学研究，其专著虽为哲学著作，但也为该领域提供了重要的研究视角，引导了道德心理学研究的哲学取向。[⑥]同时，来自教育学的理论反思和借鉴也增多。如魏贤超从德育的角度对科尔伯格理论进行了研究,[⑦]班华（2001）等开始倡导产生巨大影响的“学会关爱”思潮和运动等[⑧]。

---

① 李丹,黄芸.中学生利他态度和行为倾向的调查研究［J］.心理发展与教育,1996(1):14－16＋13.

② 王美芳,庞维国.学前儿童在园亲社会行为的观察研究［J］.心理发展与教育,1997(3):17－22;王美芳,庞维国.艾森伯格的亲社会行为理论模式［J］.心理学动态,1997(4):37－42;王美芳.6－17岁儿童亲社会道德判断的研究［J］.山东师大学报(社会科学版),1996(2):58－62.

③ 李伯黍,李正云.道德发展:心理学、哲学、伦理学和教育学的思考［J］.华东师范大学学报(教育科学版),1996(4):62－68.

④ 岑国桢.从公正到关爱、宽恕:道德心理研究三主题略述［J］.心理科学,1998(2):163－166.

⑤ 郭本禹.道德认知发展与道德教育:科尔伯格的理论与实践［M］.福州:福建教育出版社,1999.

⑥ 曾钊新.道德心理学［M］.长沙:中南工业大学出版社,1987.

⑦ 魏贤超.道德心理学与道德教育学［M］.杭州:浙江大学出版社,1995.

⑧ 班华.创造性的培养与现代德育［J］.教育研究,2001(1):15－19.

三、复兴繁荣期：21 世纪初至今

进入 21 世纪之后，我国的道德心理学逐步复兴并开始呈现蓬勃繁荣景象。最近几年发表的研究，尤其是实证研究明显增多。各类学术会议中研究者所提交的论文也出现了更多的道德发展与道德心理学方面的研究。不完全统计，相关译著和专著累计出版也达近百种之多。这些现象都表明品德心理学进入了一个新的发展周期，它既是社会发展对心理学研究所提出的要求，也是对国际上该学科蓬勃发展趋势的响应。

与前期相比，近二十年来我国的品德心理学研究发生了几点明显的变化。第一，道德行为研究成为研究的重点。品德心理学的复兴在很大程度上得益于道德行为和社会性行为研究的增强。道德行为研究范围变得非常广泛，涉及利他、分享和助人等亲社会行为，以及攻击、欺负、说谎等反社会行为。研究者不仅从道德行为介入其研究，从相伴随的道德情感、道德认知等系统性视角加以研究和解读，同时也出现了道德解约、道德许可、道德伪善等道德行为调节机制的研究。第二，道德认知研究出现新的变化。例如，对道德判断的研究侧重考察道德判断的影响因素和测评；对儿童和青少年的公正、关爱、宽恕、感恩、责任以及性道德观等价值观的研究逐渐受到重视。第三，研究者翻译介绍了许多国外最新成果。具有代表性的有：杨韶刚和郭本禹主编的“道德教育心理学译丛”（2003），丛书包括《追随科尔伯格：自由和民主团体的实践》《道德发展的理论》《移情与道德发展：关爱和公正的内涵》《道德领域中的教育》4 本。郭本禹主译的科尔伯格的《道德发展心理学：道德阶段的本质与确证》[1]（2004）。杨韶刚、刘春琼主译的《道德发展手册》（2011）也已出版。

---

① L·科尔伯格. 道德发展心理学：道德阶段的本质与确证[M]. 郭本禹，何谨，黄小丹，等译. 上海：华东师范大学出版社，2004.

第四，研究方法上也出现新的创新。认知神经科学的发展使得各大心理学系成立认知神经科学研究中心，纷纷购入 fMRI 等仪器，这也同时促进了道德心理学的认知神经科学研究与发展。出现了一批如北师大刘超教授等道德心理的认知神经科学研究者，一方面跟国际接轨，另一方面也做出中国化的研究。这为我们理解品德发展的脑神经基础、进化论基础、道德直觉的脑神经反应等最新议题提供研究条件。第五，具体统计方法上，在大量的心理学实证研究中研究者采用了结构方程、中介效应等统计处理方式，不仅从统计学意义上给出影响因素，还可以刻画不同影响因素之间的作用。

尤其是从 2010 年到 2021 年，品德发展研究呈现了立体、多维度的趋势，仅就道德心理学研究方面，出现了道德认同（道德同一性）①（万增奎，2006）、具身道德②（陈潇，江琦，等，2014）、道德心理许可③（石伟，2011）、道德解约（道德推脱）④（杨继平，王兴超，高玲，2010）、道德伪善⑤（沈汪兵，刘昌，2012）、道德的心理物理学⑥（彭凯平，喻丰，2012）、厌恶与道德判断⑦（吴宝沛，张雷，2012）等主题。同时，学者们对这些主题进行了包括但不限于中小学生和大学生等群体的发展特点研究，并经常将之作为中介因素纳入品德心理的影响与发展框架。这些研究主题既是道

---

① 万增奎 . 论哈特道德同一性的建构观［J］. 理论界，2006 (10)：125 − 126.

② 陈潇，江琦，侯敏，等 . 具身道德：道德心理学研究的新取向［J］. 心理发展与教育，2014，30 (6)：664 − 672.

③ 石伟 . 道德心理许可研究述评［J］. 心理科学进展，2011，19 (8)：1233 − 1241.

④ 杨继平，王兴超，高玲 . 道德推脱的概念、测量及相关变量［J］. 心理科学进展，2010，18 (4)：671 − 678.

⑤ 沈汪兵，刘昌 . 道德伪善的心理学研究述评［J］. 心理科学进展，2012，20 (5)：745 − 756.

⑥ 彭凯平，喻丰 . 道德的心理物理学：现象，机制与意义［J］. 中国社会科学，2012 (12)：28 − 45 + 206.

⑦ 吴宝沛，张雷 . 厌恶与道德判断的关系［J］. 心理科学进展，2012，20 (2)：309 − 316.

德心理学这一“真正的综合学科”[①]所带来的跨学科启示，也是对心理学传统知情行研究框架下的品德结构的拓展和超越。

除此之外，超出学生品德发展的范围，从道德教育，甚至是从哲学和伦理学对品德心理的反思性研究看，研究者更加注重整合的取向。杨韶刚提出品德发展研究必定与伦理学有关，是“心理学与伦理学的会同与融合”[②]。鲁洁教授则从教育学的视角反观道德教育，强调“做成一个人”，从生活论意义阐释“成人之道”[③]。“做成一个人”的理念把人之为人的很多方面纳入道德教育，道德发展就与更大意义上的个体心理健康、社会文化和环境等方面的因素结合起来。陈会昌教授在20世纪末提出我们的文化将很多属于心理健康的问题归为德育范畴，存在“头疼医脚”的谬误。[④]之后另一些学者将心理学与道德教育融合，提出了“道德健康”的概念[⑤]（薛晓阳，2005；张忠，陈家麟，2007；赵联，2007）。并将积极心理学与道德教育融合，提出“积极道德教育”以促进学生积极品德的发展和完善[⑥]。这些观点和研究表明了学科螺旋上升的发展趋势。

因此，在此时反观品德发展研究，其视野已经超出了传统知情行的品德结构，其发展也呈现出包含遗传与进化、生物基础、个体心理、身

---

① Haidt J. The emotional dog and its rational tail: a social intuitionist approach to moral judgment [J]. Psychological Review, 2001, 108 (4) : 814 − 834.

② 杨韶刚. 从道德相对主义到核心价值观：学校道德教育转向的心理学思考 [J]. 教育研究, 2004, 25 (1) : 32 − 37.

③ 鲁洁. 生活·道德·道德教育 [J]. 教育研究, 2006 (10) : 3 − 7.

④ 陈会昌. “心理健康”的标准是什么？ [J]. 祝您健康, 1998 (12) : 11 − 11.

⑤ 薛晓阳. 道德健康的教育学刍议：兼议心理教育的伦理转向 [J]. 教育研究, 2005, 26 (11) : 23 − 27; 张忠, 陈家麟. 论道德健康与心理健康：兼议心理健康教育功能、价值、目标的拓展 [J]. 教育理论与实践, 2007, 27 (6) : 53 − 56; 赵联. 对德育课教学的教育策略思考 [J]. 中国教育导刊, 2007 (18) : 34 − 35.

⑥ 周围. 积极道德教育：积极心理学视域中的道德教育 [M]. 北京：中国文史出版社, 2014.

心健康、社会与哲学等各个层面上的、更为开阔和多元的复杂结构。鉴于本人学科所限，本书将主要从道德心理学视角进行反观，兼具其他学术视野。

第二章
品德起源研究

谈论品德起源问题，一是为了更好地理解个体品德结构成分，二是可以经由此途径更好地理解个体品德的“先天”差异性，更全面且更有针对性地促进个体品德成长。从全人角度看，儿童发展会受到社会文化、生物进化、基因等因素的影响，甚至在一定程度上受制于广泛意义上人之为人的有限性。因此个体品德的良好发展也就必然从生物基因和进化等因素始，经历社会化过程，最后终于个体品德的相对完整和完善。传统道德认知研究（主要指皮亚杰和科尔伯格的理论）认为其起源主要来自于社会的道德规则和个体的一般认知水平，这被称为道德心理的理性来源。鉴于它为研究者所熟知，此处不做论述，仅论述近二十年得到大量研究的其他来源。

需要提醒的是，品德的个体与社会来源并不必然具有道德含义，不承认这一点就容易陷入自然主义谬误。例如认知神经科学提出了“道德脑”作为品德发展的生理机制，但是具有道德脑并不必然成为一个有道德的人。同样，虽然先天的怜悯之心作为道德情感的起源，但它并不必然导致善良的德性。甚至一位没有怜悯之心，先天移情功能缺失的个体，在支持和接纳的外界环境下也可能成为一名具有良好品德的公民——即他会形成缺乏情感成分、有所欠缺的品德结构，但非常适应社会、为他人所认可与接纳、甚至为社会做出自己的贡献。

但是是否承认并尊重品德的这些来源却可以在很大程度上左右品德发展研究以及道德教育的方向。例如，承认先天移情作为品德来源就是承认了品德的个体享用功能；承认文化来源就是承认了深层文化差异以及对传统文化进行充分体认之后的德育价值；承认道德直觉也就充分承认了非理性在品德建构中不可替代的作用。当然，这些来源难以尽述，本章节试图抛砖引玉并指出可能方向。

第一节 生物与进化起源

品德的生物与进化起源侧重于解释人之生物先天属性对品德的影响。在学科交融趋势下，这些研究构成了可以用以解读道德心理学的新兴学科：进化伦理学、神经伦理学、具身认知等，当然传统研究也得益于这些新的研究方法和视角，进而使各自理论有所发展。本节仅对各理论关于品德起源的研究和观点进行论述。

一、道德的进化起源——进化伦理学研究

进化伦理学是进化论和伦理学的交叉学科，旨在运用进化论去研究伦理学中的基本问题，它侧重从自然事实中得出结论，对道德现象进行描述和解释，亦可界定为道德进化论。我国学者从伦理学角度对此进行了大量评述和研究，如舒远招[①]、吴宁[②]、徐向东[③]、张子夏[④]、赵斌、成诚[⑤]等。进化

---

① 舒远招．西方进化伦理学的哲学收获和界限［J］．哲学动态，2008(9)：39－44.

② 吴宁，冯琼，冯旺舟．进化与伦理［J］．东南大学学报(哲学社会科学版)，2011，13(2)：5－8＋126.

③ 徐向东．道德动机、欲望与实践承诺［J］．浙江伦理学论坛，2016(1)：90－113.

④ 张子夏．进化伦理学多重意义辨析［J］．自然辩证法研究，2017，33(10)：16－21.

⑤ 赵斌，成诚．消解自然主义谬误：基于进化伦理学的解释［J］．东北农业大学学报(社会科学版)，2018，16(1)：80－84＋96.

伦理学对传统伦理学发出挑战，使道德研究从形而上学转向自然科学。

早期的进化伦理学强调自然选择、社会本能作为道德的来源。达尔文1871年发表了《人类的由来》，它标志着进化论的诞生。达尔文认为人类道德规范的来源，是由人与动物共有的社会性本能而来，并将这种社会性本能视为人的一种“先天性”。道德是通过自然选择而得以形成的想法对传统道德理论产生冲击，影响了斯宾塞、赫胥黎等人，他们继承和发展了达尔文理论，均支持道德是自然选择或生物进化产物的观点。但随着摩尔提出那个著名的议题——道德源自自然事实的理论体系犯了“自然主义谬误”，加之道德进化基础被贴上了社会达尔文主义标签，道德进化的思想随之遭受冷落。

20世纪60年代，基因选择学说、亲缘选择理论、互惠利他理论和进化博弈理论等的出现使进化伦理学开始复兴，逐渐达到研究的高潮。当代伦理学将人视为“社会生物”，从生物学的角度来探讨人类社会，用动物行为学、遗传学和现代生物学等理论以及方法来解释道德的起源和性质，试图用遗传工程方法改变人的道德品质。代表人物有威尔逊、道金斯、H.A.洛伦兹等。威尔逊的《新的综合:社会生物学》[①]标志着社会生物学开始兴起，其中主张“人类道德就是某种‘生物化’过程，并将其称之为‘基因的道德’”[②]。

基因具有两种与道德有关的表达：自私和利他。自私基因指的是，基因所感兴趣的就是不断重复拷贝自身，在进化过程中争取最大限度地生存和扩张。研究者认为自私的基因通常会导致个体行为的自私性。有研究者指出，“真正有道德的人”尚未形成的主要原因就是人至今还没有消除从

---

① 爱德华·奥斯本·威尔逊．新的综合：社会生物学［M］．李昆峰，编译．成都：四川人民出版社，1985.

② 吴宁，冯琼，冯旺舟．进化与伦理［J］．东南大学学报（哲学社会科学版），2011，13(2)：5－8＋126.

动物祖先身上所获得的这种行为基因。[①] 与此同时，人类又具有利他的基因，它从人类对社会合作的需要中凸显出来，利他基因的首要目的是要以各种有效合作方式来解决利益冲突问题，形成亲社会行为。人类的道德最先从原始亲社会行为进化为人类特有的亲社会行为，最终形成人类道德。利他的发展研究包括亲缘选择（Hamilton，1964）、互惠利他（Trivers，1971）与间接互惠利他（Alexander，1991）等。从进化伦理学研究历程看，从互相利用的互惠主义到不能直接得到回报的间接互惠，再到仅出于人与人之间的情感进而不求回报，对道德的这种研究随着人群规模的扩大而不断变化着，从家庭开始，到社群与部落、民族与国家，最终泛化到人类普遍的爱。

目前研究者均认可人类同时具有这两种基因，它们分别是个体品德建构的不利前提与有利前提。自私基因的意义在于帮助教育者意识到个体品德建构的进化困难，而利他基因被视为道德的直接起源。从进化的角度来说明道德的本质和起源，学者们主要回答以下问题：人类的道德能力具有什么样的适应作用能使其一直存在。对这个问题的回答肯定了个体品德发展的“先天如此”的方面，一方面是先天的限定性，另一方面是先天的人类物种优势。因而品德教育在承认这些来源时，既不能太过于理想化，也不能把人“非人化”。

二、道德的生物来源——神经伦理学的研究

20 世纪最后的十年被称为“大脑的十年”，fMRI 和脑磁源、高分辨率脑电成像技术、PET 等多种无创性脑功能成像工具的发明使对大脑的研究成为可能。《Science》曾把“大脑是如何建立道德观念”列为“125 个科学前沿问题”的第 93 个问题。这激发了学界的大量研究并形成了“神经伦理学”

① 赵斌，成诚．消解自然主义谬误：基于进化伦理学的解释［J］．东北农业大学学报（社会科学版），2018，16（1）：80－84＋96.

这一新兴学科。该学科正式诞生于 2002 年，它是在伦理学与认知神经科学的交叉研究中诞生的一门新兴学科，也是当今神经科学快速发展的必然结果。可以从三个方面归纳其在道德来源方面的研究。

第一，关于是否存在“道德脑”的研究。

随着对人脑内部结构和功能知识的不断积累，研究者逐渐将神经认知科学技术引入道德判断和道德动机的相关研究，给出了大脑功能定位方面的科学解释。例如，脑科学研究发现道德判断的脑区涉及背外侧前额叶、颞叶前部和颞顶连接处等与认知加工相关的部位；而道德情感涉及腹内侧前额叶、眶前额叶、前扣带回和杏仁核等与情绪加工相关的部位；特性主题，如移情、内疚和钦佩等道德情绪能够激活腹内侧前额叶、前扣带回和前脑岛等部位。道德的神经科学研究兴起的时期，也是美国科尔伯格学生艾略特 · 特里尔 (Eliot Turiel) 所倡导“道德领域理论”如日中天之时。因此“特定性道德领域”是否具有特定的脑区，即是否存在“道德脑”，就成为研究者的关注点。Greene（2001）的研究对道德问题、习俗问题分别进行了道德判断的脑功能研究，研究发现额叶内侧、后部扣带，以及角回这三个脑区在进行道德领域问题判断时有更大程度地激活[①]，一度被视为“道德脑”存在的证据。但是随着领域理论本身的发展以及更多的神经伦理学研究证据，更多研究者认可道德心理过程是一个复杂的认知和情感过程。所以 Young 在 2010 年总结研究后提出：“道德心理学家在精确的界定什么是道德判断的脑特异过程的路上，行进非常缓慢，原因也许是这个心理界限实在太过难寻，或者也可能根本就不存在。”[②] 目前学界多接受这一观点，认为道德心理具有特定的脑功能定位，但认为当前界定“道德脑”的存在还

---

① Greene J. D., Sommerville R. B., Nystrom L. E., et al. An fMRI Investigation of Emotional Engagement in Moral Judgment [J]. Science, 2001, 293 : 2105 – 2108.

② Young L, Bechara A , Tranei D., et al. Damage to Ventromedial Prefrontal Cortex Impairs Judgment of Harmful Intent [J]. Neuron, 2010 , 65 (6) : 851.

为时过早。

第二，道德倾向对应的大脑区域及对实践的指导研究。

相关研究认为，大脑由三个部分构成。第一是爬虫类脑，又称“原始脑”或“基础脑”，包括脑干和小脑等，负责基础的生存和繁衍，吃、喝、拉、撒、睡、性等；第二是古哺乳类脑，包括下丘脑、海马和杏仁核等边缘系统，多负责情绪等；第三是理性脑，包括新皮质和部分皮层下组织。但在人的身上，三者均存在，所以人脑为“三位一体”（Triune Brain）的结构。基于该成果，Narvaez（2010）等提出了三类道德倾向分别对应于以上的三个区域：第一，安全道德，与生存本能有关，以保证个体生存为目的的道德，人与动物均有，较为原始；第二，卷入道德，即通过社会联系与他人发生情绪卷入而产生的道德，如安全依恋和移情等；第三，想象道德，涉及运用推理能力来适应社会关系。这三种道德分别来自于三个“脑”，因而具备不同的脑机制。[①]这一分类对于教育实践具有一定的意义，不同类别的道德培养应具有不同的教育主体与教育途径，家庭与学校的主要德育内容可据此分配或者互为补充。

第三，运用认知神经科学来辅助研究个体真实的道德心理过程。

基于脑区被激活的区域反推真实的道德心理过程应该如何的研究方法，促进了道德心理学理论本身的发展。其中产生很大影响的观点是Greene等人在大量认知神经科学研究的实证研究基础上所提出的道德双过程加工理论（Dual-process Theory of Moral Judgment），该理论认为在道德判断的过程中，理性认知加工和非理性认知加工同时存在，前者处理抽象的道德推理，后者则处理与社会适应相联系的内隐情绪动机，通

① Borroto-Escuela D. O., Narvaez M., Marcellino D. Galanin receptor-1modulates 5-hydroxtryptamine-1A signaling via heterodimerization [J]. Biochemical & Biophysical Research Communications, 2010, 393 (4) : 767 - 772.

常情况下二者协同作用共同促进道德判断。该模型得到我国学者的验证[①]并拓展到对“公正”[②]和伪善[③]等特定主题的双加工模型研究，他们均将其中的非理性反应（道德直觉，见本节第四部分）纳入相关主题的判断中。双过程加工理论是从脑科学的角度论证，在真实道德生活中道德认知与道德情感不可分。

概而言之，神经伦理学不能像进化伦理学一样描述道德的演变过程，只能显示人们进行道德判断或行为时的“即刻心理变化”。这些结论可以视为道德心理“横截面”的认知神经科学方面的佐证，可以视为个体生物性在品德发展过程中的表现和表达，但是将之视为品德发展的生物基础，甚至推导出存在“道德脑”则失之偏颇，易走向还原论。但承认其认知神经科学基础，是对道德发展过程中人的生物性存在的肯定，只有这样才可以在“是”与“应当”中保持相对的平衡，避免过于理想化的道德教育倾向。

三、先天移情——一种非理性来源

在伦理学层面，道德究竟根源于我们的理性还是情感？这一直是备受关注的问题。柏拉图以来，西方主流的理性主义哲学传统一直支持前者。哲学家休谟提出不同看法，他注重后者，且把引发“道德判断”或“价值判断”的感觉和情绪称为人类的“道德感”“道德情感”。他认为道德情感才是一种“原始的事实或实在”。当代美德伦理学家迈克尔·斯洛

---

① 段蕾，莫书亮，范翠英，等．道德判断中心理状态和事件因果关系的作用：兼对道德判断双加工过程理论的检验［J］．心理学报，2012，44（12）：1607－1617.

② 胡金生，叶春，李旭，等．公正判断中的“非理性”：加工特征、主要表现和影响因素［J］．心理科学进展，2012，20（5）：726－734.

③ 孙嘉卿，顾璇，吴嵩，等．道德伪善的心理机制：基于双加工理论的解读［J］．中国临床心理学杂志，2012，20（4）：580－584.

特（Michael Slote）也主张后者，从日常道德感走向了先天的道德感。他认为人类天生具有移情能力和移情反应，这才是我们理解道德发生的最终依据，这种理论被称为“道德情感主义”。其内涵与孟子的“四端说”相互呼应，我国学者认为它给“儒家伦理在当代德行论语境下的解释创新提供了重要的借鉴意义”①（方德志，2012），可见二者之间的互通与联系。而且，随着认知神经科学的发展，研究者也给出了移情的大脑机制——“镜像神经元”(Mirror–Neuron System)。从神经科学的角度来看，“当我们听到人们说话或看到他们的姿势、手势以及面部表情的时候，我们脑中的神经网络就被一种‘共享表征’（Shared Representation）所刺激。其结果就是一种对我们所观察的对象的体验产生内在的反应或模拟。”②社会科学家们对自然科学中关于镜像神经系统的作用进行了深入研究，很多学者都认为可以通过镜像神经系统追根溯源，找到移情本能反应的生物学根据。尤其是近十年，镜像神经系统对于道德心理乃至整个心理学的重要意义也日渐凸显，研究者认为镜像神经元塑造了我们“文明的基石”。拉马钱德兰（Vilayanur Ramachandran）甚至认为镜像神经系统的发现对于心理学来说就像 DNA 的发现之于生物学，对它的作用给予充分肯定。这些研究显示了移情具有先天性，是基础性道德情感。

然而对于移情的道德功能，学界一度产生了很大的分歧。一些支持移情的学者认为移情是道德生活的黏合剂，有助于我们了解他人的处境，设身处地体会他人的感受，促使我们产生利他动机，从而促发利他行动。在亲社会动机研究领域，心理学家丹尼尔·巴特森（Daniel Batson）也提出了“移情利他主义假说”，他通过道德心理学的研究和一些实证经验的总结证明

---

① 方德志．走向情感主义：迈克尔·斯洛特德性伦理思想述评［J］．道德与文明，2012(6)：56－63.

② 王嘉．神经科学与西方道德心理学视野下的移情、同情以及共同感［J］．云南社会科学，2014(1)：51.

移情有助于我们产生无私利他的动机。在有关合作和分享[①]、助人[②]、抚慰[③]等国内大量亲社会行为研究中，许多实验证据都表明移情与亲社会行为之间的显著正相关关系，移情水平高的人比移情水平低的人表现出更多的亲社会行为[④]。这些研究均把移情视为重要的道德情绪。

另一些研究者反对移情，认为移情在道德生活中起消极作用，因此道德生活中根本不需要移情。例如有研究者认为应该避免移情，移情有诸如软弱、不公正等弊端，并且对于道德判断、道德的发展以及触发道德行动方面都不是必要的。同时，生活中确实有很多缺乏移情能力的人，但未必是坏人。甚至研究者声称移情是一种危险的情感，会导致残忍和不公正的行动，存在所谓“妇人之仁”，因此基于规则的决策才能抓住道德的本质。[⑤]可见，这些观点站在理性主义立场来反对情感主义。

更多研究者对移情持有温和的态度，从移情的分类来寻求移情与道德的关系。

从是否具有社会属性的角度，有研究者将移情区分为基本移情与继发性移情。[⑥]基本移情是一种不经过个体心理理论中介的感知能力，发生较早、

① 张莉．榜样和移情对幼儿分享行为影响的实验研究［J］．心理发展与教育，1998 (1) : 26 － 32.

② 李丹，崔丽莹，岑国桢，等 .6–8 岁儿童同伴互动及与父亲教养方式的关系［J］．心理科学，2004 (4) : 803 － 806.

③ 宋凤宁，欧阳丹．教师期望：概念、理论模型及实证研究［J］．外国中小学教育，2005 (3) : 13 － 16.

④ 余宏波，刘桂珍．移情、道德推理、观点采择与亲社会行为关系的研究进展［J］．心理发展与教育，2006 (1) : 113 － 116; 丁芳．儿童的道德判断、移情与亲社会行为的关系研究［J］．山东师大学报（社会科学版），2000 (5) : 77 － 80.

⑤ Decety, Jean. Is empathy necessary for morality ?［J］. International Journal of Psychophysiology Official Journal of the International Organization of Psychophysiology, 2016 , 108 : 24.

⑥ 李肖．基本移情和再激发性移情：对他人之感知的一种探索［D］．南京：南京大学，2013.

类似于本能。在马丁·霍夫曼（Martin. L. Hoffman）那里被界定为先天移情，他发现，刚出生不久的婴儿听到别的婴儿哭泣，也会哭起来，但是对自己哭声的录音却不能产生类似的反应。也就是说，在个体还不能意识到别人是完全不同于自己的一个人时，就能通过最简单的情绪唤起方式体验到他人正在遭遇的不幸，因此这种先天移情也被称为普遍性移情。这种能力在个体的日常生活中也是作为第一反应而起作用。凭借这种能力我们可以立刻根据他人的面部表达直接理解他人情感。但是对他人情感的感受与理解并不必然包含对他人行为本身，以及行为动机或者意义的理解，而包含后者的移情才可以称之为继发性移情。霍夫曼也认为，移情的四个发展阶段（普遍性移情、以自我为中心的移情、对他人的移情、对他人整体状况的移情）呈现的也是伴随个体心理能力的增长而生成的序列和阶段。也就是说，只有通过引入再激发性的移情才能使我们感知另一个理性主体更为复杂的社会行为。此时移情才可能具有道德功能和品德发展的意义。

可见，先天移情并不必然具有道德意义，认为移情具有消极意义的研究多在此层面上展开思考。而激发性移情具有道德功能，支持移情积极作用的研究者多强调这一层面。

但是激发性移情需以先天移情为基础，从这个意义上讲，先天移情是个体品德的来源之一，表现如下：首先，它作为情感来源与个体心理能力和认知结合，促进个体品德建立。按照霍夫曼的观点，移情性忧伤需要与认知结合，才能形成个体的道德文本，而道德文本的不断抽象化才可以形成个体道德原则。例如，打了小朋友后小朋友哭了，别人的哭泣引发孩子的移情性忧伤，此时家长和老师用“诱导说理”（induction）的方式来加以解释。多次进行后，个体就在认知和情感之间建立了文本。之后遇到类似的情况就会诱发这样的文本，进而不再做出伤害行为。而多次的、更复杂的文本就会对“伤害”这一主题有更深的理解，进而抽象成道德原则和行为守则。其次，先天移情是形成复杂道德情感的基础。霍夫曼认为内疚情绪的产生就是事情引发了个体移情性忧伤，此时认知上做出归因，如果认为自己对此负有责任，则会产生内疚的情感。而在同情与移情区分的研究中，移情性忧伤加亲社会行为倾向才可以称之为同情，愤怒感和不公正感等也与此类似。[①] 可见，移情是道德情感的基础，也是个体品德建构的来源之一。

肯定移情作为品德的来源具有积极意义，它部分解释了品德的个体享用功能。移情和道德都是人的一种精神需要，能使人得到精神愉悦和满足。移情使人能与他人产生情感上的互通，在理解他人和被他人理解的过程中获得自身精神上的满足，获得一种精神愉悦。而道德也是如此，人之所以能自愿地服从道德，是因为人在道德行为过程中能体验到需要的满足，能获取积极的情绪体验。承认移情作为品德来源，也就同时承认了移情和道德相对原始的、相对根本的享用功能。

四、道德直觉——另一种非理性来源

在道德来源于理性还是情感这一永恒的争论中，先天移情予以道德情感方面的回应，而海特经由“道德直觉”的提出进行道德认知方面的回应。

海特认为，以道德认知发展阶段论为代表的传统道德心理学理论流派存在先天上的缺陷与不足。皮亚杰和科尔伯格对于儿童道德发展的研究确立了道德判断和推理在道德心理学中的核心地位，科尔伯格之后的二十多年间，几乎所有的研究者都围绕儿童道德判断和推理能力展开研究。虽然后人从不同方面对道德发展阶段论进行了补充，也进行了相应的发展和修正，但是这些研究者在海特看来，实际上都是关注道德形式的“唯理论”者，即认为道德的知识可以通过理性思考和严谨推理来获得，基于此，个体及群体道德差异只是这一维度下发展水平高低的反映。2001 年，海特发表论文《情感的狗和它理性的尾巴》，首次提出“社会直觉模型”(The Social

① 马丁·L. 霍夫曼 . 移情与道德发展［M］. 杨韶刚，万明，译 . 哈尔滨：黑龙江人民出版社，2003.

Intuitionist Model，简称 SIM)，指出“道德判断通常是个体快速、自动评估（直觉）的结果”[①]，因此会存在道德失声、“道德词穷”现象，即一个人已经做出了道德判断（这是错误的或者是正确的），但没有推理得出为什么会错或对。人的直觉在短时间内快速、自动完成道德判断，认知推理并不参与其中，认知只是在后续对道德判断的结果进行合理化的解释与推理。所以，道德直觉可以定义为一种“道德判断在意识中的立即呈现，包括一种情感效价（好—坏，喜欢—不喜欢）”[②]。海特勾勒出道德判断的一系列步骤：一是直觉判断过程，二是随后的推理过程，三是对他人的推理说服过程，四是对他人的社会说服过程，五是推理判断过程，六是自我反应过程。在这样连续的加工过程中，道德判断的最基本过程是属于直觉加工的。[③]这种直觉或因进化或因表观遗传而得，并非后天养成。因此，可以将这种道德直觉视为个体品德来源之一。

海特对道德判断的理性认知模型的质疑在认知神经科学研究中得到了佐证。例如 Moll 等人对道德判断与带有不愉快价值的非道德判断进行了比较，结果发现在道德判断时，左前额脑区底部活动幅度较大，此区域在非道德社会判断中也有很强的激活。这表明，左前额脑区底部是道德判断的主要加工区，与社会情绪信息加工区共用同一区域，说明它主要是认知而非情感的。值得提出的是，海特并无意于解释道德心理来源。在他提出“道德直觉”后 12 年，海特与团队成员共同发布研究报告《道德基础理论：道德多元论的实际效用》。从该报告可见，其研究兴趣在于将当时的科尔伯格以及之后特里尔的领域理论纳入到一个更大的人类道德判断过程和模型之中，走向对道德的整合化研究。

---

① Jonathan Haidt. The emotional dog and its rational tail: a social intuitionist approach to moral judgement [J]. Psychology Review, 2001, 108 (4) : 814 − 834.

② 徐平，迟毓凯．道德判断的社会直觉模型述评 [J]．心理科学，2007 (2) : 403 − 405.

③ 同 ①.

概而言之，如果说移情是对道德情感这一非理性来源的强调，那么将道德直觉作为道德来源更多是对道德认知之非理性来源的强调。之后，无论是海特提出的道德基础理论，还是 Greene 提出的双加工理论，都走向了对道德心理过程中理性与非理性加工的综合。基于这些理论所进行的德育研究也就走向了更加真实和生活化的方向。

五、具身来源——对理性与非理性的超越

当学者在争论道德来源于理性还是非理性时，认知心理学迎来了认知革命——具身认知理论（embodied cognition theory）。具身认知强调心智或认知对身体及其感觉运动系统具有依赖性，认为身体的运动或对身体状态的体验以及模拟，会对认知、态度、社会知觉、情绪等发生作用，这种效应被称为具身效应。从具身认知的观点看，道德的抽象思维根植于身体体验基础之上。例如来自身体的“软”的感觉，会影响并辐射到道德判断中的“心软”，身体上的厌恶感也会影响到对不道德行为的厌恶。这些都得到了研究者大量实验验证。

我国学者对具身认知在道德认知领域中的应用也进行了大量研究。其中涉及的身体体验包含了身体的洁净①，来自身体的厌恶②，身体的上下、左右、包围与中心等方位感，质地软硬（又称之为“道德的心理物理学”）③，甜和苦④等。研究者对身体体验之于道德心理的影响进行了研究，首次提

① 阎书昌．身体洁净与道德［J］．心理科学进展，2011，19（8）：1242－1248.

② 应小萍，罗劲，赵志裕，等．道德和生理厌恶的关系研究：前部与后部脑岛的双向实验分离［C］// 中国心理学会．第十七届全国心理学学术会议论文摘要集，2014：1566－1568.

③ 彭凯平，喻丰．道德的心理物理学：现象，机制与意义［J］．中国社会科学，2012（12）：28－45＋206；吴言动，喻丰，彭凯平，等．心真的会“软”吗？软硬感受与语义改变道德判断［J］．心理学探新，2019，39（6）：571－574.

④ 李志强．甜苦味觉对道德判断的影响研究［D］．苏州：苏州大学，2019.

出了“具身道德”[①]的概念，认为具身道德是具身认知的内容之一，是指身体经验、身体及其活动方式同道德认知与判断、行为等心理过程相互嵌入和相互影响。与传统研究相比，其不同之处是它强调了身体与道德情境的互动，通过从身体感受、身体动作等体验来探究其在道德判断中所起的作用，因而被认为具有很高的生态效度。

承认“具身”作为道德心理的来源之一，也就是把完整的个体纳入道德认知，让其成为品德发展的身体途径——“身心同一”与“身心一体”的途径。如果从哲学角度看，具身与我国传统文化中的身体修行，与近代现象学家莫里斯·梅洛－庞蒂在《眼与心》[②]中所述的身体现象学、肉身化的存在，具有类似性。道德心理学与哲学再一次在此处获得相互的借鉴和来自彼此的助益。在德育实践方面，对具身来源给予充分重视后，重视体验和身体感知的教育模式就会因此在更深的层次上展开，这是一个尚待继续发展的领域，或可从中国传统修身养性的活动中得到启示。

第二节　社会与文化起源

品德来源，包括但不限于进化来源，还包括社会与文化来源。可以认为社会、文化蕴含着个体道德发展的预先设定性。道德具有社会性，因而品德也具有社会性来源。目前研究者关注了文化规定性，也关注了社会事件的内在规定性。前者是文化心理学的观点，后者构成了目前广为流行的社会认知领域理论。同第一节类似，本部分仅关注其可能成为品德的“来源”

① 陈潇，江琦，侯敏，等．具身道德：道德心理学研究的新取向［J］．心理发展与教育，2014，30(6)：664－672；唐芳贵．具身道德的心理机制及其干预研究［M］．北京：中国社会科学出版社，2015.

② 莫里斯·梅洛－庞蒂．眼与心［M］．杨大春，译．北京：商务印书馆，2007.

部分，并不涉及理论关于个体发展和品德结构的整体性研究。

一、道德认知领域特殊性——社会经验来源

与情感主义相呼应，品德发展研究理性传统的主要代表是皮亚杰和科尔伯格。他们二者均强调社会建构论，可称之为道德发展社会建构主义的第一代与第二代。美国心理学家特里尔创立了社会认知领域理论，被认为是建构主义的第三代。这三代道德建构主义者除了在个体道德建构的水平、阶段以及结构的外在表现等研究上存在差异之外，还对个体与社会的相互作用机制持有不同看法。

他们都认可道德发展的动力来自于个体与外界的相互作用，但其相互作用观并不相同。皮亚杰认为，同伴之间的相互作用对个体的道德发展起到关键的作用，所以他提出并重视在同伴交往中形成的道德自律。而科尔伯格优先强调的是相互作用中个体角色承担的过程以及个体具有的一般理智发展水平，所以他强调个体对两难问题的道德推理。特里尔则首先强调事件知识的内在结构以及个体对此的建构，所以他提出领域认知的问题。如果说前两代社会建构主义仍旧在个体内部展现发展过程，那么第三代社会建构主义则把个体道德发展的新的来源——社会事件与知识的内在结构纳入到道德发展的建构过程中。

在特里尔看来，认知结构是部分构建的，主要是“因为不同领域的知识具有不同的知识边界，这种知识的边界决定了个体思维的边界”①。例如，逻辑数学和道德就具有不同的知识边界，所以逻辑判断不同于道德判断。他认为个体在相互作用的过程中会产生各种“经验”，而这种经验是个体道德认知的来源。经验是无须建构的（个体需要建构的是概念和认知），

① Turiel, E. The development of social knowledge: Morality and convention［M］. Cambridge, UK: Cambridge University Press, 1983 : 21.

而是以其原有的形式对个体的认知建构发生影响，所以他强调“个体的经验会影响个体建构知识和思维的类型”。“事件或任务的本质都可以为个体所‘经验’，个体对它们的熟悉程度以及对事件本质的认识影响个体思维的类型和水平。”[①] 可以看出，在特里尔的建构主义观点中，事件对个体的影响是直接的，并不需要经过个体认知的“过滤”。所以，对具有武断性质的习俗事件，个体可以直接认识其武断性，对于具有普遍意义和本质后果的道德事件，个体也可以直接认识到其普遍性。

特里尔及其同事首先通过对外部事件的领域分析，提出领域区分的一些假设性标准，然后在自然情境或实验情境下，通过经过改进的临床研究法验证个体对不同领域事件的区分是否存在这些标准，以及这些标准是否存在年龄上的差异，由此确立道德和习俗，以及个人领域区分的个体认知标准。研究得到了一百多项实验的验证，个体基于不同事件而产生不同的领域认知，这被称为心理学最有生命力的现象之一。值得提出的是，生活中存在不能归为任何一个领域的事件，这被斯麦塔娜称之为“多面性的问题”（nutifaceted issues）。这些问题或者是不同领域相互影响的产物，或者是属于还没有被界定出来的新的领域。对这些问题，个体就需要更多的实践智慧参与。

可以据此认为，社会事件的本身就是个体品德发展的来源之一。承认这一点，其实是把个人的“经验”和“体验”纳入到品德建构中。个体如果完全对自己的经验保持开放，而不受心理防卫机制的歪曲，则可以更清楚地认识事物本质,发展良好的品德。心理学家罗杰斯将这些人称之为“机能充分发挥者”（Fully Functioning Person），他们没有僵硬难以变化的思想框子，决策与行为选择中更多是去做“觉得对”的事情，充分体验事物、体验自我的所有感觉，而结果往往证明那是真正令人满意的选择。在德育

---

① Turiel, E. The development of social knowledge: Morality and convention [M]. Cambridge, UK: Cambridge University Press, 1983 : 17.

过程中，欧阳文珍认为这与重视感悟与熏陶的教育手段一脉相承（欧阳文珍，2005）。[1] 罗杰斯甚至认为通过成为机能充分发挥者也就是充分存在者，个体才能过上真正幸福的生活。这样，品德发展就成为个体趋于人格整合与完整过程中的一个附带成果。

二、道德发展的“大理石纹”——文化来源

科尔伯格关注“公正道德”，吉利根基于性别差异提出“关爱道德”，但文化心理学研究者 R.A. 施韦德（R.A.Shweder）（1990）提出，这些传统的认知发展研究仅仅关注的是道德准则的一个子集，比较适合于西方社会。他通过对印度布巴内斯瓦尔这座城市的研究提出了多元道德理论。施韦德总结出印度文化中的三种道德类型，它们分别是自治道德、群体道德和神性道德。自治道德主要指的是那些不得伤害他人权利和正义之类的道德规范，这些规范也包括通常为西方文化所强调的个人自由与权利等，是个体选择和意志得以实现的道德；群体道德包括个人对群体的责任，尊重等级及与他人合作等道德规范，其特点是保护社会或团体的整体性，亚洲文化更强调的集体主义道德就是此类道德；神性道德则包括遵守宗教的规矩和传统文化要求等，其目的是保证灵魂的纯洁性和自然的秩序、避免堕落，此类道德下，违反宗教教规的行为可能被视为不道德。[2] 施韦德认为，这三种道德同时存在于各个文化之中，只是不同文化对不同道德的侧重和强调方面有所不同。例如，现代西方社会更多强调自治道德，而群体道德和神性道德则不被重视。而在大多数传统社会中，道德领域是比较广泛的，既包括群体道德，也包括神性道德，以此来保护社会秩序和传统。大量的

---

① 欧阳文珍．品德心理学［M］．合肥：安徽大学出版社，2005.

② Shweder R. A. In defense of moral realism: Reply to Gabennesch［J］. Child Development, 1990, 61 (6) : 2060 − 2067.

跨文化研究支持了施韦德的观点，道德心理学中的文化因素因此得到关注。

但是施韦德的研究从分类和文化差异的角度进行描述性研究，没有揭示文化之于个体的作用方式。即便是后期对道德文化问题进行关注的领域理论，也简单将文化之于个体道德发展的影响归结为“接受文化信息假设”，强调个体会对信息假设主动进行领域认知进而接受文化影响的过程。从这一视角出发，文化还不足以作为品德来源而存在。但是目前文化心理学已经超越了这种范式。大量新近研究认为文化对人的影响可覆盖方方面面，不能仅仅把不同文化简化为价值观上的差异。罗伊 · F. 鲍迈斯特在若干心理学实证研究的基础上写就了《文化性动物》一书，其中采用超越文化差异的视角来研究文化对个体的影响，“单独一人，我们不过是一只狡猾的畜生，等待着环境的怜悯与恩赐。合在一起，我们就能维持一个系统，把自己和子孙后代的生活改造得越来越好。不是文化性动物，这样的事情就做不成，好在我们已经是了。”[①] 他认为文化的预先设定性先于人类而存在，生物学研究甚至发现文化通过改变我们基因的表观遗传来将文化信息传递。从这个角度看，文化远非个体心智发展的背景，而是心智的构成部分。可以说，文化心理学建立了心理学研究的新范式，在心理起源、心理过程等方面对普通意义上的心理学发起了挑战。从这一意义介入文化心理研究的学者都支持人类的心理发源自文化，持有“大理石纹”假设：即假设人类具有天生的、属于本文化的纹理，人类心理需要在这些纹理的基础上进一步发展。

此时文化对个体的影响会超越具体的价值观之内容，而涵盖个体心理建构的各个层次。卢俊、陈浩、乐国安（2017）从文化心理学角度对社会规范“松—紧”的文化维度进行了综述，松—紧文化包括两个关键要素：“一是规范的强度，或者说规范的清晰度与普遍性；二是惩罚程度，或者说是

① 罗伊 · F. 鲍迈斯特 . 文化性动物：人类的本性、意义与社会生活［M］. 张建新，赵然，林丽，等译 . 上海：华东师范大学出版社，2021，尾声 .

对偏离规范行为的宽容度。松—紧文化中的‘紧’指规范强，对偏差行为包容度低（惩罚强）；而‘松’是指规范弱，对偏差行为包容度高（惩罚弱）”。[①]因此松—紧文化指的是反映对偏差行为的惩罚度与强度的社会规范文化。目前使用松—紧的文化维度来刻画和描述包括但不限于自我、人格、心理健康与幸福感、判断与决策、创新等诸多方面。如果文化只是价值观内容对个体的单方面传递，那就无法解释松—紧维度之于人之为人的几乎所有方面的影响，而这些都会或多或少、或直接或间接地影响个体的品德建构。从这一维度看，文化（包括区域文化、民族文化、亚文化等）应该成为品德建构的来源之一，而不应该仅仅是个体发展过程中加以习得的价值观。其实早在 2012 年，张积家就提出了“民族心理学研究是科学心理学研究的应有之义”[②]。我国实施宽容的民族政策，民族习俗和文化传统也是不同民族儿童道德发展的文化预设。另外，也有研究者关注中国城乡区域的文化差异。[③]这些都会成为儿童品德发展的不同文化来源。

承认品德建构的文化来源，也就是承认了文化与道德浸润之于个体的意义。当然，此处指的是被充分体认[④]的中国文化，而不是以“传统文化”为幌子而进行的形式化社会活动。

---

① 卢俊，陈浩，乐国安．松—紧文化：跨文化心理学研究的新维度［J］．心理科学进展，2017, 25 (5) : 16.

② 张积家．加强民族心理学研究，促进中国心理科学繁荣：民族心理学专栏前言［J］．心理科学进展，2012，20 (8) : 1139 － 1144.

③ 张海钟，姜永志．当代中国跨文化心理学的新领域：中国城乡区域阶层文化心理跨文化研究［J］．教育文化论坛，2012，4 (1) : 54 － 57; 马欣然，任孝鹏，徐江．中国人集体主义的南北方差异及其文化动力［J］．心理科学进展，2016，24 (10) : 1551 － 1555.

④ 孟宪平．论中国文化安全视阈中的文化自觉和文化认同［J］．新远见，2009 (4) : 56 － 66.

第三章
道德认知研究

品德心理的个体与社会起源为学生品德发展提供先决条件，但从品德发展研究历史来看，起源研究远滞后于传统研究，甚至很多学者在研究过程中并没有将之作为发展前提纳入品德心理的研究视野。从历史看，对品德发展的传统研究始于心理学的知、情、行之框架，因此道德认知、道德情感和道德行为构成个体品德发展的三种研究开端，关于三者的研究极其丰富。随着研究逐步深入，当下一些研究主题涉及三者间的相互作用，或者发展特定的整合机制和结构，它们与道德知、情、行成分共同解释了品德心理的发生、发展与完善。

作为开端之一，道德认知研究得到了最多的关注。道德心理学这一学科得以正式确立就有赖于科尔伯格对道德认知的研究，它强调道德认知的形式而不是具体的道德内容，一度是 20 世纪五六十年代到七八十年代道德心理研究的主体内容。直到今天，一些学者在试图推进道德心理学的理论创新时，仍然不得不以这一理论作为基本参考或主要批判对象。当前，从历史发展脉络看，道德认知研究已进入了“后科尔伯格时代”：如吉利根提出了“关心倾向”与科尔伯格的“公正取向”相并列，二者的不同在于个体如何建构“道德概念”，“关心倾向”基于“关系”的道德概念与科尔伯格注重“原则”的道德概念形成对比，它显示了来自女性的道德智慧（具有不同伦理内容）；几乎同时，科尔伯格的弟子特里尔则提出道德领域思维有别于习俗和个人领域思维，将道德发展的形式与内容进行了初步的整合。这些都是当前道德认知研究的重要内容。

自 1978 年以来，我国学者在道德认知方面的研究主要集中于对国外理论的引进与验证，虽有中国文化的特定道德认知研究，但零星散于其间。因此本章仍以皮亚杰、科尔伯格、吉利根和特里尔的理论为主体，并对国内基于这些理论进行的中国儿童和学生研究进行述评。

第一节 基于皮亚杰和科尔伯格道德认知思想的国内研究

品德发展研究中，皮亚杰的思想博大精深。自他出版《儿童道德判断》的近 100 年间，其思想历久弥新，不断有新的研究成果发现，甚至学界提出“重回到皮亚杰”[①] 以应对当下的研究困境。科尔伯格的道德认知研究来自于皮亚杰，鉴于皮亚杰对儿童道德判断研究的缺陷和不足，他在儿童道德认知发展及道德教育领域进行了深入、系统的研究，将其理论从学术层面深入到理论与实践相结合的层面，并构建了既涉及道德发展的哲学，又包含了心理学以及道德教育的庞大理论体系。所以科尔伯格在道德发展上的影响力甚至超越了皮亚杰，被誉为“现代道德（认知）发展理论之父”，其后的“后科尔伯格主义”更是占据当前道德认知研究的主流。国内相关研究或追随，或发展，都处于不断推进中。

一、皮亚杰和科尔伯格的学生品德发展理论

可以从儿童道德发展的条件与动力、阶段、研究方法与教育观四个方

① 王云强，郭本禹．源起与回归：皮亚杰与当代道德心理学研究［C］//中国心理学会．第二十三届全国心理学学术会议摘要集（上），2021：96.

面来简单概括二者观点。

（一）道德发展的条件与动力

在个体心理学的研究思潮中，关于儿童发展与心理结构的观点各有强调。例如，弗洛伊德在个体发展方面强调“连续”“序列”，而格式塔心理学则更加强调个体心理的结构，如“完形”“图式”“整体大于部分”。将这二者结合，就构成了皮亚杰和 L.S. 维果茨基的主要理论倾向。他们将结构与发展结合，形成结构—发展观。该观点主要强调，在儿童发展过程中，在旧结构的基础上发生变化、产生新的结构才意味着发展进入到新的阶段。这样，结构与发展相结合就形成了“建构”的概念，这被称为建构主义。建构主义理论对道德发展研究产生了重大影响。皮亚杰和科尔伯格都持有建构主义的观点，分别被称为“第一代建构主义道德发展观”与“第二代建构主义道德发展观”，形成了类似但不同的观点来解释道德发展的条件与动力。

1. 皮亚杰：强调主观责任和合作

皮亚杰认为，儿童道德发展的条件是认知水平，儿童道德发展的结构主要是责任结构，而儿童道德发展的动力主要表现为协作。

首先，他认为个体的一般认知发展水平是道德发展的理性根基。离开了儿童智慧和认知的发展，就无法说明他们的道德判断以及他们的道德责任是如何发生与发展的。这种注重主体性而非环境作用的观点与其认识发生论的观点一脉相承。

其次，皮亚杰认为道德发展的结构主要是儿童的责任结构。在最开始的系列研究中，皮亚杰通过细致而复杂的大量实验研究及其对研究结果的理性归纳，总结了儿童道德责任的发生过程。责任判断具有两种类型：客观责任与主观责任，儿童首先发展客观责任，之后发展主观责任。所谓客观责任，是指儿童评价道德行为时会依据行为的实际结果、行为符合或违反规则的程度，但不考虑行为动机是什么。客观责任在性质上是他律的，此时儿童的道德规则观念仅囿于“是什么”的理解水平，道德判断受自身以外的价值标准所支配。研究发现平均年龄 7 岁的儿童表现出客观责任，随着年龄逐渐增大，客观责任减少，主观责任逐渐占据主要地位。主观责任即指儿童在评价道德行为时，依据行为者的行为动机，而把行为的物质后果放在次要地位。皮亚杰发现主观责任出现的平均年龄是 10 岁。主观责任在性质上是自律的，此时儿童的道德规则观念已发展到“应该怎样”的理解水平，道德判断逐渐有了自己内在的价值标准。儿童初步领会到规则之所以必须遵循，不是因为成人的权威，而是因为这些规则符合自己与他人及集体之间实现互惠的需求。规则不是既定的，而是人们在互惠的关系域中共同创造出来的，因此规则是可以更改的。由于儿童已真正内化了道德规则，道德判断更加成熟，从而产生了服从规则的自觉要求。这时的道德行为已经不是单纯的服从，故而儿童能够更加自觉地遵守道德规则。

再次，皮亚杰认为儿童通过合作使道德认知得以发展，即合作是道德发展的动力。既然道德认知从客观责任向主观责任发展、从他律向自律发展，那么道德责任的发生机制问题就是客观责任如何向主观责任转化的问题。皮亚杰认为，这一过程的核心是“去自我中心”。如何去自我中心呢？皮亚杰通过观察和研究发现，儿童要形成或发展更高级的责任类型就必须诉诸合作，只有合作才能将儿童从自我中心状态中解放出来。皮亚杰此处所说的合作，指的是儿童的一般认知（智慧）发展到一定程度时，就能够在彼此平等、彼此尊重的基础上产生具有合作性质的活动，合作代表一种更基本、更有社会意义与道德意义的关系。单向的强制关系只能产生客观责任，只有在这种合作活动中，儿童才能产生真正的思想交流。一方面它能促进儿童理智上和道德上去自我中心，另一方面它能产生一种“新型道德”，一种互惠的而不是服从的道德，即主观责任的道德。这样，道德认知产生和发展的过程主要就是个体在一般认知能力得到提高的同时通过协作来促进主观责任得以产生的过程。

2. 科尔伯格：强调认知发展和观点采择

科尔伯格继承了皮亚杰道德发展理论的建构主义观点，即认为道德的发展是主客体相互作用的结果，是心理认知发展的结果。

首先，科尔伯格强调儿童的一般认知发展水平，即皮亚杰的逻辑思维发展阶段与水平，它为道德认知发展的提高提供了可能性，并决定了个体的道德发展水平。科尔伯格提出，道德推理也是一种推理，较高的道德推理依赖于较高的逻辑推理，个体的逻辑阶段与其道德阶段并行不悖，逻辑阶段的发展是道德阶段发展的必要前提条件。没有较高的逻辑阶段的获得，就不会出现较高的道德阶段的发展，只有具备一定的逻辑推理能力，个体的道德发展才具有可能性。因此，逻辑发展是道德发展的必要条件，但不是充分条件，逻辑阶段的达到只是为相应的道德阶段的达到提供了一种可能性。

其次，科尔伯格提出“社会道德的观点”（sociomoral perspective），它既指个体承担的社会事实观点，又指个体承担的社会价值观点。在科尔伯格看来，皮亚杰强调个体对客体（主要是规则）的建构属于前者，这是一种社会事实。而他认为道德发展除此之外还需要社会价值和观点的刺激，它们来源于个体之间的直接的道德争论，科尔伯格将之称为“观点采择”。科尔伯格认为，观点采择不是唤起同情和移情的情绪化观点，它主要是认知的，通过社会相互作用和交际情境理解社会中的各种角色的观点，并把它们联系起来在不同背景下解读和认知。所以，在其关于道德教育的研究中，科尔伯格强调可以通过道德两难故事的讨论，激发儿童的道德认知冲突，经由观点采择，使儿童意识到他人的观点和道德推理与自己不同，而产生一种道德认知上的矛盾或不平衡状态，从而使个体的道德判断向上发展成为可能。当产生新的平衡时，道德就发展到新的阶段。这样，观点采择跟个体一般认识发展能力相并列，共同成为科尔伯格“第二代建构主义发展观”下道德发展的条件和动力。

（二）认知发展阶段

个体进行道德社会建构的重要成果就是形成自己的道德发展阶段，也就是不同的发展结构。关于其阶段表现皮亚杰和科尔伯格具有不同的结论。

1. 皮亚杰的观点：从他律到自律

在皮亚杰看来，道德首先表现为一套规则系统，而不是一系列美德。并且这套规则系统主要通过儿童的理性加以建构，与情感基本无关。所以儿童是否遵守规则非常重要，并且儿童对遵守规则的意识反映了他们特定的道德理性能力。

皮亚杰通过对儿童规则的研究得出儿童道德发展的一个序列：从他律到自律。所谓他律（heteronomy），是指儿童的早期道德判断不关心行为者的主观动机，而只是单方面关注行为造成的具体后果。在他律阶段，儿童依赖自身以外的价值标准来支配道德判断，导致儿童单方面地尊重一般社会规则和成人权威。所谓自律（autonomy），则是指儿童受自己的主观价值标准所支配的道德判断，具有主体性。儿童依据彼此之间的相互尊重和互惠而建立自律，因此它相当于协作的道德。正如儿童的认知发展存在着一个不变的发展顺序一样，儿童的道德发展也是一个不变的顺序，即从他律道德到自律道德。儿童必须经历他律道德阶段才能发展到自律道德阶段，而不可能越过他律阶段直接进入自律阶段。

皮亚杰基于自律和他律的比重问题提出了儿童道德发展的阶段。其发展特点汇总见表 3–1。

从表中发展阶段内容可见：第一，皮亚杰的道德发展研究是建立在思维发展基础上的,对应于其认知发展阶段理论（感知运动阶段,前运算水平,具体运算阶段和形式运算阶段）。他认为儿童的道德发展是认知发展的一部分，儿童的道德判断能力受到儿童逻辑思维能力的制约。因此，儿童道德判断能力的发展阶段与儿童认知能力的发展阶段是平行的。第二，在皮亚杰看来，儿童的道德发展是一个从“他律道德”向“自律道德”演变却又相互作用的过程。自律与他律并非作为“阶段”而存在，更多是一种“类别”。这一思想与科尔伯格后期关于“亚阶段”的研究相互辉映。

表 3-1　皮亚杰儿童道德发展阶段

阶段	阶段特点
自我中心阶段（2—5 岁）	在这个阶段，儿童每个人都是“个人玩个人的”，开始学着像大一些的儿童那样去接受规则。他们一方面受着成人从外面强加的一整套规则的支配，另一方面又不能与规则制定者建立真正的接触和理解。因此，5 岁前是一个“无他律也无自律期”，他们以自我为中心来考虑问题，规则对他来说还不具有约束力。
权威阶段（6—8 岁）	在这个阶段，儿童的道德生活几乎完全是以服从权威为特征的，服从权威的力量是一种约束的道德判断和道德品质。在儿童看来，一定要绝对服从父母、老师等成人或年龄较大的、更为成熟的、更有力量的权威者。同时，在儿童心目中，权威者规定的规则是固定的，不可改变的，必须绝对地服从，不可违背。皮亚杰把儿童绝对服从规则要求的倾向称为道德实在论。
可逆阶段（8—10 岁）	在这个阶段，儿童的道德判断不再是以单方面服从权威为特征，而是以相互遵守规则为特征。儿童意识到跟同伴交往的社会关系，他不再把规则看作是一成不变的东西，而把它看作是同伴间共同约定的东西。如果所有的人都同意的话，规则是可以改变的。由此可见，儿童的道德判断已经开始摆脱外界的约束，并具有自律道德水平的初步萌芽。
公正阶段（11—12 岁）	公正阶段是从可逆的道德观念发展而来的。在皮亚杰看来，从同伴之间的可逆关系转变到公正关系的主要原因是利他主义因素。公正观念不是一种判断是或非的单纯的规则关系，而是一种出于关心与同情人的真正的道德关系。也就是说，儿童不再刻板地按固定的规则去判断，他已经认识到在依据规则判断时，应先考虑到同伴的一些具体情况，从关心和同情出发去判断，表现为自律。

2. 科尔伯格的观点："三水平六阶段"及其对皮亚杰理论的发展

科尔伯格的道德发展理论存在两个重要的假设：第一，道德判断的结构反映个体道德判断的水平。科尔伯格认为，道德判断可以从其结构和内容两个维度加以界定，不同发展水平和阶段的道德判断，既有具体的内容，又有特定的结构。道德判断的内容就是道德问题所作的"该"或"不该"，"对"或"错"的回答；道德判断的结构指的是判断的理由以及说明理由的过程中所包含的推理方式。评判人们对道德问题的看法，不能着眼于道德判断的内容，而必须考虑道德判断的思维结构。道德阶段的划分，应根据道德判断的结构而非内容进行。第二，个体的道德判断结构处于不断发展之中，经历性质不同但相互关联的三种水平六个阶段。这三种水平六个阶段按照不变的顺序由低到高逐步发展，更高阶段的道德推理兼容低阶段的道德推理。遵循皮亚杰的道德发展理论路径，科尔伯格把研究重点放在儿童的道德认知结构发展的研究上，创立了现代道德认知发展理论。他将道德发展观分为三种水平六个阶段，见表 3–2。

表 3–2　科尔伯格儿童道德发展阶段

水平	阶段	阶段特点
前习俗水平	阶段 1：惩罚与服从的定向阶段	这一阶段表现出利己主义者遵从上级的权威或威信，或者是出于避免麻烦的考虑。孩子为了避免受到惩罚而遵循规则。
	阶段 2：朴素的自我主义定向	在这一阶段，所谓正确的行为要能够满足自己的需求，偶尔也能满足他人的需求。孩子遵守规则是为了获得回报。个体是从其自身的现实利益出发来处理道德问题的，处在此水平上的儿童，所关心的并不是社会规定为正确的行为，而是能够带来实际后果的行为。

续表

水平	阶段	阶段特点
习俗水平	阶段 3：好孩子定向	处于这一阶段的人是为了得到称赞和取悦，帮助他人，维持良好关系。孩子服从规则是对他人赞成的追求。
	阶段 4：维护权威和社会秩序取向	这个取向是为了履行每个角色的责任，展现对权威的尊重，以及维持既定社会秩序本身。这一阶段的孩子符合避免谴责和引起内疚的原则。个体学会从社会成员的视角来处理道德问题，他会考虑社会群体的期望以及社会道德规范对其自身行动的要求，从而努力做好自己的道德角色。
后习俗水平	阶段 5：契约的立法定向	义务被认为是契约的一种形式，总体来说是为了避免破坏他人的意志或权利，影响大多数人的意愿和利益。
	阶段 6：良心或原则取向	该取向实际上不仅仅是为了服从社会规则，而且还包含对全面而一致的逻辑诉求的选择，个体开始处理道德问题，道德判断也上升至普遍公正原则的层次。

与皮亚杰相比，科尔伯格在以下方面做出发展。第一，他不仅注重道德发展的过程和阶段，而且更加注重道德发展水平各阶段特征的研究。第二，在说明主客体相互作用的同时，科尔伯格注重人有其特有的思维和认知模式——观点采择，更加强调人的主观能动作用。第三，皮亚杰认为，道德的发展在青少年时期就已经成型了，即道德发展的年龄区间只是从出生到 12 岁左右，而这一点恰恰与科尔伯格的观点相反，科尔伯格认为，人的一生都在培养着自己的道德修养和品质，也就是说道德的发展是伴随着人的一生的。

科尔伯格认可皮亚杰自律和他律的划分，认为两种水平的逐渐过渡实质上是一种质的飞跃，而个体从阶段 1 到阶段 6 的发展过程，实际上是个体从他律走向自律的过程，或者说是道德他律的逐渐减少过程和道德自律逐渐增加过程。他在研究后期索性把道德发展中的他律与自律称为道德判断的两种类型，把每个道德发展的阶段（六个阶段）再细分为两个亚阶段：亚阶段A即他律阶段，体现了规范和功利的道德定向；亚阶段B即自律阶段，体现了公正、公平和理想自我的道德定向。科尔伯格认为，亚阶段A的道德判断依据的是已知的外在规则、法律或者原则与准则；亚阶段B的道德判断依据是“应该怎样”以及那些为自我内在认可的东西，因此亚阶段B既有规则意识，又能做出更加公正的判断。这样，通过这样的途径，皮亚杰的观点被充分纳入科尔伯格的理论。

（三）研究方法

如何去研究和测量儿童的道德判断呢？在皮亚杰同时代，对儿童的测量研究存在两种方法：其一是比奈的智力测验，其二是弗洛伊德的临床诊断法。道德心理学研究很难使用像智力测验那样的方法去直接测量儿童的道德判断，因为道德判断包含了具体的道德内容，也不能使用弗洛伊德的谈话法，它不够经济。皮亚杰将二者结合，发明了临床访谈法。该方法源自精神分析有关谈话、提问和分析的方法，并借鉴了比奈测验中的客观性，但同时他又超越了上述两种方法。精神分析的方法是通过访谈，追溯患者的童年期经验和有关梦境的时候，找到患者潜意识中的症结所在，而皮亚杰的方法在于通过访谈寻找隐藏在个体内部的因果关系；比奈测验通过被试对于有关问题“是”与“否”的关注，对其加以区别，而皮亚杰不只关注被试的反应，他的兴趣更多集中于被试反应背后的推理过程。

这种方法具有创新性意义，并带来了20世纪80年代我国品德发展研究第一个繁荣期，研究者基于我国儿童所熟悉的故事，运用临床访谈法测查了包含劳动观念、友谊、爱国等主题的道德判断，具有很多创造性。只是由于之后遭受的科学性方面的质疑，此类研究渐渐式微。

就具体的访谈材料而言，皮亚杰编撰了许多包含着道德价值内容的情境故事来研究儿童的判断过程，它们以对偶的形式出现，所以也被称为“对偶故事”。它指的是在一组测试中，采用两个相似的背景，但是又在某个方面存在不同的故事。比如关于说谎的故事，一个故事是儿童带有一定的欺骗意图，但是没有造成明显不良的后果；另一个故事是儿童只是由于无心的失误，但是造成了有害的后果。由此让儿童判断哪个行为“更坏”或“更应该受到惩罚”。通过分析儿童对这一组故事的判断，能够分析得出儿童在某个阶段对于谎言的认识，以及对谎言的内容和后果的评价是倾向于客观责任感（基于行为结果进行判断），还是主观责任感（基于行为动机进行判断）。

对偶故事是研究儿童道德判断的材料与载体。在具体研究过程中，研究者需以临床法进行开放式的提问，即在对儿童的问答过程中不事先设计问题，而是根据儿童对前一个问题的回答决定，提问因人而异，不拘于标准化的程序。这一方法能使研究者与儿童进行无拘束的交谈，使整个研究过程保持一种自然状态。谈话的过程是儿童的实际思维过程，其最终目的是要求研究者通过谈话和观察来把握隐藏在儿童言行表现背后的本质。

科尔伯格在皮亚杰的“对偶故事”方法的基础上，开创性地使用“两难故事”法来研究儿童的道德发展。20 世纪 50 年代，科尔伯格在准备其博士论文时，借用了皮亚杰的研究方法和成果。但是，他发现被试的某些道德判断类型很难归到皮亚杰的两级发展水平的任何一种。所以，他认为儿童的道德发展不只是两级，应有更多级的水平或阶段。为了更好地测查，他将研究材料从对偶故事改成道德两难故事。科尔伯格认为两难故事保留了对偶故事的简洁故事形式和冲突性特点。科尔伯格要求两难故事所包括的冲突情境如什么是正当或什么是错误，必须是清楚的或明晰的。故事中的冲突性观点，从表面上看都应该是合理的。如著名的“海因茨偷药”的故事中，存在一个同样重要的道德考虑：拯救一个人的生命还是遵守法律？二者无法两全只能二选一，因而构成“两难”。此时，访谈问题就可以不再是简单的“是”或“否”，而是采取更加开放的问题，让被试更加明确地表述自己的判断。科尔伯格一共设计了 9 个假设的两难故事，或是古代哲学家的道德两难问题，或者来源于皮亚杰的故事，或者自己编撰，这 9 个故事构成其道德判断测验的主要内容。

不仅如此，科尔伯格还对具体操作的临床法做了改进。他认为皮亚杰的临床谈话法不是标准化和客观化的测量工具，带有很大的主观臆断的特点，因此这种方法所获得结果的可靠性也被人怀疑。加之，用两难故事作为引发儿童道德判断和推理的手段，不再是对偶故事所采用的二择一的选择判断，而是根据故事内容提出一系列问题。它从儿童陈述的理由中寻找其道德发展的规律，因此更有必要减少主观性以测查道德发展的形式而不是内容。于是他增加了故事法的研究精度，注重标准化的程序，在最初版本的《道德判断手册》中就有 1000 多页来指导如何进行实验，被誉为“心理学文献中最复杂的评分系统”。可见他力图把解释学的方法与最大限度地减少个体主观性理解结合了起来。

之后的 DIT[①]（“确定问题测验”）、MJT[②]（“道德判断测验”）等可以进行大规模施测的问卷都是在客观性方向上的简约化发展，但也同时遭受了无法深入了解个体思维过程等主观性方面的批评。但不论怎样，这些测量工具已经成为测定儿童道德判断，并促进儿童道德发展的常用方法。

（四）学生道德教育观

皮亚杰更多致力于认识发生论的研究，并没有太多关注道德教育的问题，而科尔伯格在此方面所做出的努力和贡献超越了皮亚杰，形成了从 20 世纪 50 年代以来非常重要的道德教育思潮。虽然他的理论也存在

---

① 陈欣银．道德判断的“确定问题测验”及其应用［J］．心理科学通讯，1988 (3) : 21 − 26 + 51.

② 吴慧红．道德研究新视角：道德判断测验的理论和实证研究［D］．南京：南京师范大学，2005.

一定的缺陷和不足，受到一些人的质疑和非议，但是其理论具有鲜明的科学性、发展性和实践性的特点。很多国家和地区把科尔伯格的道德认知发展理论作为制订、设计学校道德教育计划的依据，并据此编写各级学校的道德教育教材和指导手册。科尔伯格的理论和实践贡献得到人们的高度评价和广泛赞誉。

科尔伯格认为，道德教育要促进儿童对道德问题进行积极思考。他提出道德判断和推理是儿童道德发展中最为重要，甚至可以说是唯一具有道德性质的因素。情感需在理性认知的引导下才有特定的道德意义和价值。同时这种认知上的发展变化有别于情绪的即时性，它是持续的、恒定的且不可逆转，因此道德判断和推理能力的提高会带来真正意义上的个体发展。

在道德教育的实践探索方面，科尔伯格和其学生布莱特在儿童小组讨论的过程中发现，儿童在道德认知方面具有偏好或喜爱比自己高而且只高一个阶段的道德观点，这被称为“加一阶段的道德引导”。基于这一发现，他们努力把道德认知发展阶段理论用于道德教育实践，并提出了相应教育模式。对这一模式所进行的很多实证研究都证明，这一模式能有效促进道德认知阶段的向上发展，也能在一定程度上促进道德行为趋于成熟。在具体方法方面，科尔伯格除了主张开展小组讨论的道德教育模式外，还提出运用模拟、指导学习、观察和参与三种方法予以配合。坚决反对传统的灌输教育中无视学生的自由意志、不顾学生自身发展水平和自主活动的强制性做法。在如何进行道德教育的形式方面，科尔伯格支持隐性课程。他认为，除了进行专门的道德教育外，还要充分利用学科的教学形式，把道德教育与学科教学有机结合，充分利用隐性课程的影响。从当时的美国道德教育实践看，基于科尔伯格的道德教育获得大量实践。除了在美国中、小学开展认知发展观的道德教育，科尔伯格还将之推广到其他各类学校和机构，如寄宿制学校和大专院校，以及少年教养所，甚至监狱等，产生了极其广泛的教育影响。

随着广泛教育实践的开展，科尔伯格继续总结思考，并在其理论后期提出公正团体法，并认为这是其道德教育思想的最重要体现。科尔伯格多次引用苏格拉底“美德只有一个，那就是公正”，他指出所谓普遍的道德原则主要指公正原则，所以科尔伯格设计的学生群体冠以“公正团体”之名。它是科尔伯格在“道德两难故事”基础上加以修正从而提出的道德教育方法，通过民主参与创造公正的团体以促进个体的道德发展。一般要求学生人数在60—100人，再加上5名左右教师设立议事委员会、顾问小组、集体会议和纪律委员会。每周召开一次集体会议，时间在1个半小时至2个小时。实施中主要通过师生的民主参与活动方式来创造一种公正的集体氛围以促进个人的道德发展，主要形式是通过集体会议来进行如下活动，如制定有关的规则和纪律、计划集体活动和政策并处理违纪事件等。学生在公正团体中通过自主决策，自觉践行，充分参与、合作以及负责，使成员关心共同利益，增强社会责任感，促进其道德的不断发展。之后的很多实验证明，“公正团体”将理论与实践密切结合，在学校道德教育实践中取得了突出成效，呈现出许多值得我们借鉴之处。

概括来说，皮亚杰和科尔伯格的理论不仅从具体的心理发展规律上启发我国学者进行验证，还从研究方法、道德教育思想层面深刻影响了我国品德发展研究和实践，甚至近几年不断有学者重新回到道德发展的动力和条件这一更深层认识论来反观当下品德发展困境，可见二者的理论对国内相关研究的影响之巨，形成了谈道德认识必谈及皮亚杰和科尔伯格的现象。

二、基于皮亚杰和科尔伯格思想的国内学生品德研究

心理学意义上的国内品德研究就是以皮亚杰和科尔伯格理论作为出发点来展开的。

（一）引入、验证性研究

国内最早关于皮亚杰思想的介绍来自1941年黄翼《儿童心理学》[①]中关于“道德发展”的章节。他与王元璋合作，创编了故事情境，使用自编的符合中国儿童日常生活的对偶故事以及访谈法研究儿童的判断。研究灵动鲜活，但限于当时条件而没有产生很大的理论影响。1978年之后，随着科学研究的繁荣，道德认知和判断相关研究也得到发展。1980年，皮亚杰《儿童心理学》（吴福元译，1980）翻译出版，1984年，《儿童道德判断》（傅统先译，1984）翻译出版。心理学方面，1981年，D. Elkind和R. F. Dabek撰写，岑国桢翻译，李伯黍校订的《儿童道德判断中的人身伤害和财物损坏》在《心理科学》杂志上发表，此文基于皮亚杰的道德发展理论，用对偶故事法调查分析了不同年龄段儿童在财物损坏以及人身伤害中的道德判断。这篇文章的发表使道德心理学开始进入我国研究者的视野，引起关注，并持续长达几十年。它引发了国内学者系列研究，例如1982年，以李伯黍等为主的“儿童道德发展研究协作组”发表了《国内81个地区5—11岁儿童道德判断发展调查》，该研究与1981年所发表的文章类似，但它是更大规模的验证和模仿性研究，被誉为国内心理学界开始道德心理学研究的起点。之后，陈会昌、李伯黍、岑国桢连续发表了《关于儿童对公私财物损坏的道德判断的研究》《训练对儿童道德判断的影响的实验研究》等，都是在皮亚杰和科尔伯格理论指导下进行的研究，这些研究构成了最初的理论繁荣期。

与此同时，研究者也对皮亚杰和科尔伯格理论进行了综述和评价。岑国桢（1984）对皮亚杰思想的贡献进行了整体介绍[②]，傅统先（1981）着重

---

① 黄翼．儿童心理学［M］．重庆：正中书局，1941.

② 岑国桢．皮亚杰对儿童道德发展研究的贡献［J］．山西教育科研通讯，1984 (5)：29－32.

介绍了科尔伯格的道德教育思想[①]，刘范（1981）从道德认知的整体角度探讨了道德发展的问题。李伯黍教授等的述评则从心理学、哲学、伦理学和教育学的角度综合分析了皮亚杰和科尔伯格的道德认知发展理论[②]（李伯黍等，1996），为跨学科分析道德认知理论开创了先河，之后魏贤超[③]（1995）和郭本禹[④]（1999）均有专著对科尔伯格的理论加以介绍，前者更多关注道德教育，而后者则是研究科尔伯格理论的国内重要著作，从哲学—心理学—教育学相结合的角度进行了完整介绍和述评。

进入 21 世纪，"后科尔伯格主义"者简化了科尔伯格的道德判断测验，开发了 DIT、MJT 等工具，这些工具同科尔伯格所使用的访谈手册相比更为便捷，可以进行大规模实测。国内学者对这些工具加以翻译引进，并进行了信效度检验。

（二）基于中国儿童被试的具体研究

基于皮亚杰和科尔伯格的道德认知观，国内研究者无论在品德心理的研究方法、中国儿童具体发展结论、德育启示、批判和不足等方面都进行了新的探索，也取得了丰富的研究成果。

1. 中国儿童的道德认知判断水平研究

基于皮亚杰的理论，李伯黍（1982）等人在全国 81 个地区对 2000 多名 5—11 岁的儿童进行一项"我国儿童道德判断的发展"的调查。[⑤] 该研究通过运用包括关于动机意向和财物损坏的道德判断，关于人身伤害和财

---

① 傅统先．柯尔伯格的道德教育学说［J］．全球教育展望，1981 (4)：1 － 11.

② 李伯黍，李正云．道德发展：心理学、哲学、伦理学和教育学的思考［J］．华东师范大学学报（教育科学版），1996 (4)：62 － 68.

③ 魏贤超．道德心理学与道德教育学［M］．杭州：浙江大学出版社，1995.

④ 郭本禹．道德认知发展与道德教育［M］．福州：福建教育出版社，1999.

⑤ 陈会昌，李伯黍．关于儿童对公私财物损坏的道德判断的研究［J］．心理学报，1982 (3)：318 － 325.

物损坏的道德判断和关于摆脱成人惩罚影响的道德判断三方面的对偶故事进行研究发现：我国儿童从客观性责任判断向主观性责任判断发展的转折年龄在 6—7 岁；摆脱成人惩罚影响，根据行为本身好坏做出分析判断的转折年龄在 8—9 岁。王琰（2010）以皮亚杰的道德发展理论为基础，揭示了我国学龄前少年儿童从他律到自律道德思维发展中呈现出的特征：在公正观念上的可逆性推理思维已形成，“去自我中心”的道德思维凸显。①

而基于科尔伯格理论的发展阶段研究则集中于林崇德在 1989 年出版的《品德发展心理学》一书中，他通过对相关研究的总结指出“我国小学儿童道德判断一般处于前三阶段，达到第四阶段的为数极少，而达到第五、六阶段的基本没有”。刘电芝（2004）也认为，儿童 15 岁以后道德发展水平才可能达到阶段 3。这些研究皆说明，我国小学阶段儿童的道德发展普遍处于阶段 1、阶段 2 水平，其中道德认知发展较快的儿童，他们的道德判断能达到阶段 3 的水平。王琰（2008，2010）以科尔伯格道德两难故事的研究方法对 8 名学生进行访谈，并对山西省内一些高职高专院校的 1400 名在校青年学生进行了问卷调查。研究发现，高职院校的青年学生在一定发展阶段上往往不是使用单一阶段的推理，而通常使用几个相邻阶段的推理，即其道德发展阶段是交叉并行的，而且道德判断系统与特定年龄和发展阶段是相联系的。②

基于后科尔伯格的方法，杨韶刚，吴慧红（2006）以中文版的道德判断测验（MJT）为测量工具（工具以 C 分数作为道德判断水平的分值，C 分数越高道德判断水平越高），以 724 名 12—27 岁青少年学生为被试

---

① 王琰．少年儿童从他律到自律的道德思维特征探析［J］．教育理论与实践，2010，30(7)：37－38．

② 王琰．青年学生道德认知发展阶段思维特征的探究［J］．教育理论与实践，2008(36)：29－31．

进行实证研究。结果表明：学生的C分数随年级提高而有所提高，但不同年级之间有一定波动，研究表明学校教育有助于提高学生的道德判断能力，但存在不稳定因素。[①]张倩和杨韶刚（2018）使用DIT–2对811名大学生的研究发现了大学生道德判断中功利考虑与超越并存的现象。[②]王云强等人（2007）采用道德判断测验（MJT）考察了情绪状态对大学生道德判断能力的影响。结果发现情绪状态对大学生道德判断能力的影响显著，快乐状态下的道德判断能力明显高于悲伤状态下的道德判断能力。[③]此外，研究也发现道德判断任务的自我相关性对大学生道德判断的影响很小。

2. 适合国情的道德认知内容研究

皮亚杰和科尔伯格仅关注道德认知形式，但随着研究的深入，也带来了知行不一致、忽视认知内容等方面的问题，由此产生了道德发展领域内著名的"内容与形式之争"，这是道德发展的重要议题。这一争议的意义在于学界重新开始对道德认知的内容加以强调。国内学者也在这一方向上进行了适合中国国情的探索。

研究者首先关注了"故事"本身。无论是皮亚杰的对偶故事还是科尔伯格的两难故事，都把"故事"带入了品德心理研究的视野。我国学者陈会昌对儿童道德观（"爱祖国观念""爱劳动观念""爱科学观念"）的研究就使用了故事法，既涉及故事的演绎也涉及对故事的判断。例如在对爱劳动观念的研究中设置了这样的故事：黄雷同学的家里是"种粮专业户"。有一次，天刚下过雨，黄雷的爸爸叫他到学校请两天假，帮助家里给小麦施肥。黄雷起先有点犹豫，怕耽误了学习。但又一想，如果不帮家里施肥，

---

① 杨韶刚，吴慧红．青少年道德判断能力的研究［J］．心理学探新，2006，26（2）：55－60.

② 张倩，杨韶刚．确定问题测验与当代大学生道德判断能力现状调查［J］．广东外语外贸大学学报，2018，29（2）：130－137.

③ 王云强，乔建中．理工科大学生焦虑状况测查研究［J］．中国健康心理学杂志，2007，15（11）：1007－1009.

自己就不是一个爱劳动的孩子。于是，他就到学校请了假，帮家里施肥去了。黄雷这样做对吗？为什么？①陈会昌经过对小学三年级到高中三年级9个年龄组720名同学，对4个开放性问题和2个两难故事的回答中，研究总结了劳动观念分为四个水平：水平一，从劳动具体内容和品质理解劳动概念；水平二，从脱离具体劳动内容理解劳动；水平三，爱劳动包括爱体力劳动和脑力劳动；水平四，先人后己的劳动态度。这些故事生动、生活化，涉及认知内容，也涉及认知冲突，成为研究道德认知内容的良好素材和工具，这也进一步影响了之后的研究者。基于该方法，顾海根和李伯黍（1997）开发了上海地区青少年（12—17岁）道德判断能力测量表，表中共有四个符合中国国情的道德行为故事，分别反映自由与自律、公与私、义与利、平等与公正四对道德冲突中的一对矛盾。其评分方式借鉴了DIT、MJT等测量工具，信度和效度均令人满意。这也成为具有中国文化效度的道德判断能力研究所使用的工具。

不仅如此，随着道德心理学研究与德育实践需求之间的日益靠近，我国研究者也关注了“观念”②（施铁如，1993）、“规律与纪律”③（陆有铨，1984）、“判断”与“信念”④（胡金生等，2014）等主题，以此来探索道德认知的内容维度。刘次林（2020）从培养道德认知的德育实践维度，将道德认知分成三个层次：行为规范（采取典型的内容维度的教育）、中层道德概念（采取兼顾了道德认知的内容维度与形式维度的教育）与道德原则（采取主要是道德认知的形式维度的教育）。⑤这些观点都肯定了道德认知

---

① 陈会昌. 道德发展心理学［M］. 合肥：安徽教育出版社, 2004 : 327.

② 施铁如. 中学生性别心理差异的研究［J］. 心理科学, 1993, 16 (1) : 57 − 59 + 61 − 62.

③ 陆有铨. 道德发展规律与纪律教育：皮亚杰理论的几点运用［J］. 华东师范大学学报（教育科学版）, 1984 (1) : 37 − 42.

④ 胡金生, 王红霞, 叶春, 等. 公正研究中的道德信念整合理论［J］. 心理学进展, 2014 (4) : 585 − 593.

⑤ 刘次林. 行为规范教育要规范［J］. 江苏教育, 2020 (15) : 1 − 1.

内容与形式具有同等的重要性。

3. 对特定儿童的道德判断研究

国内研究者关注了听障生以及留守儿童等特定群体的道德认知。张俊玲（2008）发现，高中听障生道德判断发展处于科尔伯格道德发展阶段的第三和第四阶段。[①]道德判断发展水平显著落后于同龄健听学生，高一听障生的道德判断水平相当于小学高年级健听学生水平，高二听障生的道德判断水平相当于初二、初三健听学生的水平。高中听障生的道德判断水平大约落后于同龄健听学生一年。另外张宁娟（2008）对留守儿童道德认知发展的不利情况进行了分析，强调与留守儿童的互动具有积极作用[②]，这与科尔伯格的道德发展动力在于社会互动的观点一致。

4. 在道德判断依据方面的探索性研究

随着对科尔伯格理论研究的持续深入，以及“后科尔伯格”思想的引入，一些更深层的问题，如个体做出道德判断的依据是什么，也得到了研究。科尔伯格认为个体判断依据以公正取向为主，且朝向道德原则阶段发展，较低年龄阶段儿童的判断依据是从惩罚到社会到原则。针对这个问题，我国研究者也得到了关于中国儿童的特定结论。耿少萍（2018）通过对全国七大行政区 10—18 岁儿童道德发展状况的调查，揭示了儿童道德判断的依据存在着多元化的特征[③]，法律与秩序、社会契约、普遍伦理原则在各个年段儿童道德判断中都占有一定比例，小学高年段儿童（10—12 岁）已具有较高阶段的道德判断定向。另外，儿童的道德判断能力存在非常明显的年段差异，但其差异并不表现为年龄越大道德判断水平越高。同时，功

① 张俊玲 . 高中聋生道德判断发展水平及内隐认知特点研究［D］. 上海：华东师范大学，2008.

② 张宁娟 . 科尔伯格道德发展理论及其对预防留守儿童道德成长问题的启示［J］. 外国教育研究，2008，35 (9)：84 − 87.

③ 耿少萍 . 多元化、功利化：认知结构与动机共同影响下道德选择依据：中国儿童道德判断水平发展阶段特征分析报告［J］. 教育科学研究，2018 (2)：26 − 34.

利化倾向在儿童的道德判断及道德行为选择中表现明显，并且随年龄的增长功利化程度逐渐增强。孙彩平对 7 万多儿童的调查报告，也给出了类似的结论（孙彩平，2018）。①

可见这一问题提出了不同于科尔伯格普遍性的框架，具有一定的文化研究价值，但还需进一步深入与系统化。

（三）对德育实践启示的相关研究

目前我国理论界对于皮亚杰和科尔伯格的道德发展理论有着较高的认可，其理论启示着人们在道德教育中关注儿童的主体地位，转变教学方式。这种认同从 1978—2021 年期间不断被重新提及。可分为不同层次。

1. 具体德育实践上的启示

在品德心理研究早期繁荣期，傅统先在 1981 年就发表《柯尔伯格的道德教育学说》对其进行介绍。之后研究者不断在实践中加以应用和总结，主要有以下几个方面：

第一，与纪律教育整合。陆有铨（1984）将皮亚杰道德发展理论与儿童纪律教育相结合，提出在纪律教育中应当让学生参与制订和修改纪律条文，利用并发展儿童的情感，组织儿童合作的活动及运用相关的奖惩手段进行纪律教育等。②

第二，否定灌输，并贴近儿童生活。易法建、黄文胜（2005）基于皮亚杰道德发展理论指出在道德教育中应当以儿童为主体，提供适当的社会性相互作用的机会，打破“灌输法”一统天下的局面；在德育内容选择上，要结合儿童的日常生活，选取适应儿童既有道德水平的内容激发儿童道德

---

① 孙彩平．中国儿童道德发展报告 (2017)［M］．福州：福建教育出版社，2018.

② 陆有铨．道德发展规律与纪律教育：皮亚杰理论的几点运用［J］．华东师范大学学报（教育科学版），1984 (1)：37 － 42; 陆有铨．皮亚杰关于儿童道德判断的研究［J］．教育研究，1984 (10)：76 － 81.

发展，而不是要儿童形成高标准的道德观。[①]

第三，倡导道德两难故事法。研究者提出在道德判断能力的培养中要摒弃美德袋式的教育方式，采用与转化科尔伯格的“道德两难故事法”。在故事设计上要结合中国国情，遵循提供高于学生道德发展一个阶段水平的讨论标准。用分组式讨论提升儿童参与道德问题探索的主动性。在使用“道德两难法”时，应当首先调查研究，在事实基础上设计道德问题，应暴露问题，就事论事，其次，应给予学生充分的讨论，寻求问题的解决等。

第四，对公正团体法的借鉴。早在 1993 年，我国学者邓才彪就对“公正团体法”进行了教育实验研究，肯定了其道德教育价值。[②] 刘海涛（2009）也从思想政治教育方面探讨它在高校德育中的价值。[③] 当然，国内更多的实践在于借鉴其实践思想，以“学生自治”“自我管理”等方式将公正团体整合进班主任管理工作中[④]（李秀萍，2014；叶纯亮，2020；魏默，马娥，2019）。

2. 思想上的启示

近十年，皮亚杰和科尔伯格理论的影响持续存在，二者的理论观点是研究品德发展时绝对无法忽略的理论视角。很多学者在提出新理论时必会以其为基础，例如刘小柳和高德胜（2018）提出“道德想象力”时就以皮亚杰和科尔伯格为基础，并将之与杜威思想进行比较。[⑤] 甚至也有研究者

---

① 易法建，黄文胜．皮亚杰的儿童道德发展理论及其启示［J］．广西师范大学学报（哲学社会科学版），2005，41 (4)：94 － 97.

② 邓才彪．试析科尔伯格关于“公正团体”的实验研究［J］．教育研究与实验，1993 (4)：63 － 68.

③ 刘海涛．思想政治工作的“三环相扣”［J］．成才之路，2009 (7)：75.

④ 李秀萍．如何培养学生的自主学习能力［J］．中学课程辅导：教学研究，2014，8 (33)：1；叶纯亮．科尔伯格“公正团体法”在高校辅导员德育工作中的有效运用［J］．佳木斯大学社会科学学报，2020，38 (4)：91 － 94；魏默，马娥．学校德育教学运用“公正团体法”的研究［J］．教学与管理，2019 (15)：93 － 96.

⑤ 高德胜．道德伪善的教育学思考［J］．全球教育展望，2018，47 (11)：28 － 43.

面对当前品德发展研究困境而反身向其取经。[①]（王云强、郭本禹，2021）这都说明了二者的理论影响极其深远，这种影响不仅在于他们理论的具体研究结论，还体现在一些更根本性的问题上：对主体性的承认、个体道德发生论、发展性等。

例如赵文静（2007）论述了皮亚杰道德责任发生论的基本观点，认为在道德教育中需要转变道德教育理念；从强制灌输到尊重自由和拓展教育方法；从单纯讲解到自主活动。认为需要以自由为基础，充分利用学生的自主活动，才能教会学生负责。[②]傅维利（2017）基于皮亚杰自律与他律的分类，指出当代中国应该改善我国传统文化在处理自律与外烁关系方面的先天不足，形成新的学校德育体系和策略。[③]也有研究者从“心理健康一体化”的视角融合科尔伯格的理论，俞国良（2020）从道德认识视角论述了大中小幼心理健康教育一体化。[④]他依据科尔伯格的道德发展理论分析了大中小幼学生的道德认知特征，并基于此提出相关的心理健康教育一体化的积极措施。他指出未来的大中小幼心理健康教育一体化，在尊重道德认知发展客观规律的基础上，应以促进道德认知发展为核心，以防止不良道德认知倾向为要务，使学生道德认知发展既符合年龄特征又能朝着高阶段靠拢，最终形成相互衔接、有机统一的心理健康教育一体化体系。

可以认为，除了具体的心理发展阶段方面的结论以及具体的德育方法，皮亚杰和科尔伯格理论还作为一种“思想”在影响着我国品德发展研究，与中国文化产生了程度不一的融合。

---

① 王云强，郭本禹．源起与回归：皮亚杰与当代道德心理学研究［C］// 中国心理学会．第二十三届全国心理学学术会议摘要集（上），2021：96.

② 赵文静．皮亚杰的道德责任发生论及其教育意蕴［J］．山东师范大学学报（人文社会科学版），2007，52（3）：124－127.

③ 傅维利．道德外烁的时代价值及教育策略［J］．教育研究，2017，38（8）：32－42.

④ 俞国良．大中小幼心理健康教育一体化：道德认知视角［J］．国家教育行政学院学报，2020（12）：3－11.

第二节　学生品德发展的关心倾向及关爱教育实践

在科尔伯格“公正倾向”研究如日中天时，另一种“不同的声音”也出现并越发响亮，这就是吉利根所倡导的“关心倾向”。关心倾向之于个体品德发展和德育实践的意义在于以下两点：第一，它作为道德认知的一种“声音”“倾向”，更好地刻画了基于性别差异且超越于性别差异的道德认知内容、道德认知过程、道德认知特点与发展，是对个体品德发展过程的认知方面的深化研究。第二，作为一种伦理关系的基础而直接促成了德育范式向“人与人关系”的转变（鲁洁，2002；班华，2003），并进而促成了“关爱教育”“学会关心”等德育实践。其目的在于促进学校、社会、家庭协同培养儿童的“关心品质”，让儿童“学会关心”。更有研究者甚至将关心视为一种教育价值观，认为它具有超越德育的价值。[①] 所以，关心研究成为学生品德发展与学校道德教育的重要主题。

鉴于不同学科背景，在文献中 care 被翻译为“关心”“关爱”“关怀”等词汇，对应中文类似但略有差异的内涵。本节不限于介绍作为道德认知的关心，还涉及作为认知论的关心，作为教育伦理的关怀及其引发的我国关爱教育实践。

一、作为道德认知的“关心”

“关心”倾向的提出来自于吉利根。她是科尔伯格的学生，受到当时女性主义的影响而保持了对性别问题的敏感。她注意到科尔伯格研究中的

① 周先进．学会关心：教学价值观的反思与重建［M］．北京：教育科学出版社，2012.

所有被试均为男性，便从性别差异视角开始反观道德认知，并最终超越了性别差异，揭示了道德认知层面的另一种倾向——关心倾向。其研究汇总于《不同的声音》一书（1982）。该书出版后引起强烈的反响，先后再版32次之多，不仅在道德心理学领域，而且对哲学、伦理学、政治学、社会学等学科都产生了深刻的影响。同时“关心倾向”对护理业、环境保护等具体行业也产生了影响。在道德心理学研究领域，形成了“关心倾向”的道德研究思潮。

（一）继承于科尔伯格

以皮亚杰和科尔伯格为代表的道德认知发展理论最大的贡献在于通过实证研究发现个体按一定的认知结构来进行道德认知，体现为发展阶段。同时二者均认可这种发展阶段的变化是围绕着公正观展开。但是吉利根质疑公正作为唯一的道德取向。她回顾了大量的经典著作，尤其是伦理学、哲学方面的文献，发现除公正外，人类社会一直存在关爱取向的伦理道德观，两种不同的道德观通常纠缠在一起。

为了科学地验证个体道德认知发展的关爱取向，吉利根及其合作者进行了“权利与责任”的代表性研究，研究证明了吉利根的假设：个体存在公正和关爱两种道德取向，这两种道德取向分别与男女性别有关，且表现在个体的整个一生中，表现在各种道德情境中。她于1977年在《哈佛教育期刊》上发表《女性的自我观与道德：一种不同的声音》（In a different voice：Women’s conceptions of self and of morality）一文。吉利根认为，公正道德基于独立的个体存在，而关心的道德基于相互联系的自我概念；公正道德求助于抽象的原则，而关心的道德求助于协调人际关系。只有把这两种道德倾向结合在一起才能完整地解释人类的道德发展。

（二）关心道德取向的内涵

对于“关心倾向”是如何在女性身上体现出来的，她提出关系的意象这一概念，并以此为基础描述女性不同于男性的道德概念和道德发展。

1. 关系的意象与道德概念

关系的意象是吉利根在道德认知和推理中发现的一种现象，指在面临道德冲突时，脑中出现的意象主要是事物之间相互的联系和关系，而不是道德原则。这种现象主要体现在女性身上，并且在吉利根看来这种意向的存在可能会使整个个体的道德认知发生变化。

关系的意象完全不同于科尔伯格所论述的原则性道德以及道德建构说。以海因茨偷药事件中的艾米（女孩,11 岁）和杰克（男孩,11 岁）为例。男孩杰克的反应是很明确的，他认为主人公应该偷药。他察觉出生命价值的逻辑优先性，并用数学的逻辑来比拟这种道德困境。

“人的生命比金钱更贵重，如果药剂师只赚 1000 美元，他仍然可以活下去，但是如果海因茨不去偷药，他的妻子就会死去。药剂师日后可以在其他病人那里赚得 1000 美元，而海因茨却再也不能得到妻子。”①

这种回答，思路清晰，对于该做什么不该做什么都有清楚的认识。儿童用自己的一些原则来判断实践的可行性与否，表现出一种规范思考的能力、反思的能力以及逻辑推理的能力。女孩艾米的回答则显得含糊其词和犹豫不定。她认为海因茨不应该偷药，她既没有考虑财产也没有考虑法律，而是想到做贼对海因茨和其妻子关系的影响。

“如果他偷了药，或许因此挽救了妻子，但是，如果他这样做了，他可能必须进监狱，因而他的妻子可能再次病得更重。而他又无法再次得到药品，这也许不是一件好事，所以他们应该真正坐下来好好商量一下这件事，寻找其他途径弄到钱。”②

可见，女孩并没有把这种道德两难看成数学问题进行推理，而是来描

① 卡罗尔·吉利根．不同的声音：心理学理论与妇女发展［M］．肖巍，译．北京：中央编译出版社，1999：24.

② 同①27.

述三者之间的关系，并且她试图通过维护而不是切断同药剂师的联系，并在此基础上做出如上的回答。

表现在艾米身上的这种特点就被称为一种“关系的意象”。关系的意象表现为两个特点：首先，关系的意象使道德判断具有情境化，吉利根认为这是道德成熟的另一种维度。在不同情况下存在不同的关系格局，对这种相互联系的看法决定了不同情境下的不同反应。在考虑到自己的同时，还考虑到与他人的联系以及他人与他人的联系等。情境化使女性的道德判断显示出非原则性的特点，对科尔伯格来说，这意味着女性具有模糊和不准确的道德原则，所以他认为女性处于较低的发展阶段。而对吉利根来说，这意味着女性思考具全面性，是道德成熟在另一维度上的表现。其次，关系的意象使男女两性采用不同的方法来限制不道德的行为。例如，攻击性以及对攻击性的解决因女性所具有的关系意象而不同。男性的攻击性更多产生自通过竞争形成的个人成就，而女性的攻击性更多表现在亲密关系中。[①] 相对于男性通过寻求准则来限制攻击性，女性则认为强调通过避免孤立来防止攻击性。男性认为准则构成了一种清晰的边界和约束攻击性的方式，而女性则认为，受到准则约束的、由竞争获得的成就对关系网构成了威胁。女性试图改变准则以保护关系，而男性则奉行准则取代关系。所以，女性的关系的意象在攻击性的限制方面是不同于男性的，而这种心理要求无论对于道德心理学还是对于伦理学的发展都是非常重要的。

对于道德概念，皮亚杰认为一切的道德都是一个包括许多规则的系统，而一切道德的实质就在于个人学会去遵守这些规则。但吉利根认为，女性的道德基础是由关系的意象所决定的另外一种方式。首先，在自我方面，强调联系带来对相互责任的承认。责任是道德的起始，了解自己的责任是进行道德思考的第一步。男性的责任是对自身进行的限制，是自主性

---

① 卡罗尔·吉利根．不同的声音：心理学理论与妇女发展［M］．肖巍，译．北京：中央编译出版社，1999：40.

的，而女性的责任是对他人的需要做出反应，是牺牲性的。对相互责任的承认意味着女性道德存在于人与人之间的关系中，起到让人重视关系并维护关系的目的。其次，在他人方面，道德概念存在不伤害他人的道德原则，而道德就是解决冲突并且不使人受到伤害的一种途径。再次，在道德判断方面，关心总体表现是弱化甚至避免道德判断，在对假设道德困境的反应方面，女性弱于男性，从而导致道德判断出现多种可能性并强调不同情境下的不同反应来使问题真实化。所以，基于同样的原因，选择真实的道德两难困境对于了解女性的道德发展是必须的。吉利根正是通过对真实道德生活情境——流产问题的考察开始其女性道德发展研究的。

2. 道德发展观

吉利根通过研究女性在面临流产困境时的表现来说明道德认知的发展变化，一方面是因为流产问题是被试所面临的真实生活道德困境，另一方面，流产问题是女性面临的一种典型的、严重的道德困境。做出选择的女性需要负起很大的责任。此时自我和他人之间的冲突便成为女性道德问题的核心。研究发现女性道德发展具有三个阶段：

（1）第一阶段：确保生存进行的自我关怀。在此阶段，自我是关怀的唯一对象。应当与“意欲”（即想不想）不能区分。此时自我是分离的，缺乏支持、无权利。所以，她们慎重地选择孤立以保证自己不受伤害。该阶段的另一个特点是仅仅关心生存。生存是第一位的。吉利根认为在该阶段，道德是由社会强加的，女性在社会中更多是扮演臣民的角色，而不是公民的角色。①

（2）转折：把第一阶段评判为自私的，产生责任的时期，并产生对他人与自我联系的新理解。个体开始通过接受社会价值观证实自己作为社会成员的合法认同。

---

① 卡罗尔·吉利根．不同的声音：心理学理论与妇女发展［M］．肖巍，译．北京：中央编译出版社，1999：82.

（3）第二阶段：自我牺牲式的关心他人。在这个阶段，善的普遍判断取决于其他人的接受，像对生存一样的胜于对其他一切的关注。这种对善的理解同传统女性的道德观点和要求类似：关怀、保护他人。它的突出表现是只关心他人，并以此为根据来考虑自身的价值。当不能同时满足自我和他人的最大利益时，或者责任和自我利益产生冲突时，女性往往承担受损失的一方，把善等同于自我牺牲。①

（4）转折：自我与他人的不平等引起失衡，导致对关系重新进行思考。女性开始采用以下逻辑来正确审视自我牺牲的问题：把本人包括在关心的范围下是自私的还是负责的，是道德的还是不道德的？女性需要一种道德判断上的转变来应对这种冲突，这种转变在吉利根看来是从关注善到关注真的转变。即采用"真"的标准，不是从行为的后果，而是从行为的动机和效果来评价道德行为。于是，善的概念发生了移位，从外在的标准转移到同自我联系起来，认识到需要同时关心自我和他人。

（5）第三阶段：在道德平等的条件下同时关心自己和他人。在该阶段，个体把自我和他人同时纳入关怀的范围，保持自我与他人之间在道德上的平等地位。而禁止伤害则成为一种指导道德行为和进行道德判断的准则。所以，尽管仍然存在自我和他人之间的冲突，但是，以此为原则，寻求一种"体面的仁慈的方式，一种或许会留下轻微的震撼，但并不完全摧毁一个人的方式来行为"②。善的概念包括了自我，认识到对自己也有责任。这样自私与责任的冲突就消失了，代之以包含"自我价值"的善。需要强调的是，此时表现出的道德不是一种新的道德，而是一种摆脱了压抑的道德。

总之，吉利根将这种道德推理和认知上的发展概括为关心倾向的发展。这种倾向一方面与女性的道德概念的发展密切联系，另一方面，同自我概

---

① 卡罗尔·吉利根．不同的声音：心理学理论与妇女发展［M］．肖巍，译．北京：中央编译出版社，1999：84.

② 同①100.

念的发展也密切相关，因为女性自我概念体现为在关系中界定自我。吉利根用一段话很好地总结了该项研究的意义：“女性对流产困境的建构揭示出存在一种不同的道德语言……这就是自私的和责任的语言，它把道德问题定义为实现关怀和避免伤害的义务问题。伤害被看成是自私的和不道德的，而关怀则被看作是履行了道德的责任……女性在思考道德冲突和选择时对这类语言的反复使用，同科尔伯格研究中的男性分离开来，表明了对道德发展的不同理解。”①

二、超越性别差异的关心

吉利根最初从性别差异的角度回应，提出了另一种道德认知倾向。其后她又超越性别差异，从伦理、教育、认识论等角度介入“关心”研究。当然，她也不是独自一人。

（一）吉利根自己的回应

对于道德与性别的关系，吉利根的态度始终是矛盾的。她一方面试图让女性在心理学、伦理学领域发出自己的声音；另一方面，她又不想把道德性别化。她曾明确表示：“我描述的不同声音并非是以性别，而是以主题为特征的。它与妇女的结合是一种经验上的观察，我主要通过妇女的声音来追溯不同声音的发展……男女声音的对比强调了两种思考方式的差异，集中于解释问题而并不标明对任一性别的概括。”②这种思考方式甚至体现在给予“声音”以关系视角的解读。在她看来声音在本质上是“关系的”，自己的声音是否被听到了，自己和他人是如何对声音做出反应同样重要。

---

① 卡罗尔·吉利根.不同的声音：心理学理论与妇女发展［M］.肖巍，译.北京：中央编译出版社，1999：76-77.

② 同①72.

如果关心与关爱倾向不是性别化的，那么二者的关系是怎样的呢？吉利根一直强调关爱和公正的平等性与互补性，并且宣称她研究女性青少年的目标是给道德发展理论增加另外一条路线。但也有研究者提出反对意见，认为关心是对公正的一种否定，关爱道德取向与公正道德取向对“发展”“自我”的理解以及它们各自所基于的认识论是不同的，所以关爱取向是一种根本的重新建构。因此，公正和关爱的关系不是一种简单的互补，也不是一种简单的否定，它们之间的关系还有待于道德心理学研究者的进一步探索。

但不管怎样，吉利根提供了一条研究心理问题的不同路线，从被研究者的视角来审视问题，这在道德心理学研究方法的发展进程中具有重大意义。

（二）学界的回应

学界从实证研究的元分析来做出回应，也从该理论上做出回应，都倾向于否定关心的性别特定性。

1. 实证上的考察

道德认知真的存在性别差异吗？这一直是道德心理学中争论的焦点问题，并且在 21 世纪前后的二十多年来一直没有停息。2000 年的一期《道德教育杂志》曾就这个问题做过专题介绍。其中 Jaffee and Hyde（2000）对这些实证研究进行了一个元分析，他们搜集从 1966 年到 1999 年以来共 706 篇文章，经过严格的挑选最后选择了 160 篇。这些文章对道德领域内是否存在男性主要采用公平的推理和女性主要采用关心的推理的性别差异进行的实证研究做了分析，研究发现，关心推理总的性别差异效应大小是 d=-0.28，这一数据显示女性比男性更多地倾向于采用关心的推理，但是这种性别差异并不显著。[①]

① Jaffee, Sara, Hyde, et al. Gender Differences in Moral Orientation: A Meta-Analysis. [J]. Psychological Bulletin, 2000 , 126 (5) : 703 - 726.

2. 超越性别的关心思维

关心作为一个在日常生活中得到广泛应用的词汇，受到了具有认知论倾向的心理学家的关注，他们从词汇学的角度进行研究得到作为认识论意义上的关心。从20世纪90年代中期开始，学术界的研究涉及对关心的认知成分的分析。认为关心是“具有价值倾向的一种认知”[①]，有研究者甚至将关心思维（caring thinking）列为继创造性思维和批判性思维（Creative Thinking and Critical Thinking）之后的第三种思维方式。[②]研究者提出了关心的以下四个成分，分别代表了四种不同的子过程。这是一个认识论及认识过程方面的详尽解释。

第一，“关心什么”。在道德性关心中，关心并不指向那些值得重视的自然品质，而是指向与特殊他人相联系的品质。这种品质的关注，被称为“关心什么”。这样，对某些人而言，一些品质和特点可能是特殊的、重要的，而对其他人而言则不是这样。“关心什么”，是与人的价值观联系在一起的。

第二，“关心谁”。“关心谁”直接指向受到重视的那种品质属性的人，这是关心的最初也是最重要的转化，凸显了被关心者。可以用“模仿启发式”来说明这个过程，它指的是当代通过一种照做的过程将心理状态归属到他人身上。关心者在进行“想象性的认同中”，假想自己正处于那些情境中，将之放入到自己的内部认知机制中，产生进一步如何行为方面的推理。“关心谁”在这种态度上的卷入是模仿了被关心者，进而进入了被关心者的世界。

第三，关心接受。重视关系的推理（吉利根的观点）肯定了对方的反馈的作用，关心接受是考虑到关心要“按被关心者的要求做出一些行为”。

---

① Brunt J. Caring Thinking: The new intelligence ［J］. Australasian Joural of Gifted Education, 2003, 130 : 13 − 25.

② Webb K, Blond J .Teacher knowledge: The relationship between caring and knowing［J］. Teaching And Teacher Education, 1995 , 11 (6).

但是在生活的实践中，关心者逐渐意识到，关心在一些特定的事件中可能存在有内部的不一致性（例如，按照主体自己的一些意愿为吸毒者做一些好事，同吸毒者自己所认为的好是不同的）。“好”不能简单等同于欲望的满足。关心接受的过程可以检查通过关心者单方面的认知而产生的两种类似关心的行为。一种是移情型关心的过度反应（指的是不考虑对方的接受而产生的过度移情），另一种是专制型关心的行为（指不顾对方的意愿而进行强制性干涉）。关心者对关心接受条件的敏感，会使他调整自己对关心的认知。

第四，元关心。元关心可被定义为对关心行为本身的关心，如关心自己行为的动机和过程，等等。研究者引用一个例子来说明这个问题，例如，我们应该关心孩子，但是，孩子可能属于与你的国家相互仇视的一个民族。然而，既然关心相对被关心者来说是相对独立的，关心孩子的动力使得在这个过程中，关心者被迫放弃他自己的种族仇视的观点。然而，如果停止关心那个孩子是可以的，那么，每次我们遇到我们不喜欢的事情时，就会产生停止关心的想法。这样就存在一个两难，要么我们只关心那些我们喜欢的，要么我们把某些价值观收回而保持关心的普遍性。而元关心是指一个过程或推理，关心自己进行或停止关心行为的过程。在对被关心者的关心过程中，关心者也关心自己的关心行为。

总的来说，第一个成分，“关心什么”同个人的价值观相联系，是关心的起始；而“关心谁”是在关心的情境中，在模仿启发式的作用下产生的，启发式说明这个过程是自动进行的；关心接受是一个分辨关心是否深入的标准，在关心的具体过程中，这种相互作用始终存在、不可避免；对关心的关心过程是一种反思的形式，考虑关心本身的过程是判断一个人的关心行为是否成熟的标准，这个过程的存在使他不仅考虑到了关心行为本身，而且更深入意识到关心背后的动机和本质。应该说，这四个方面的描述是一个成熟的关心者所经历的认知成分，也是教育者对学生进行关心之道德教育时必须要参考的方面。

三、“学会关心”——国内学校关爱教育的研究与实践

道德认知中的关心倾向超越了性别差异，也就为之后从伦理和教育的角度反观关心提供了逻辑上的必然性。在教育学领域，20 世纪 80 年代，以吉利根理论为基础的诺丁斯关怀伦理成为研究热点，甚至远超吉利根在道德发展领域内的影响力。它对国内德育实践产生了极大的影响。然而不得不提及的是，与科尔伯格理论相比，关于学生关心发展的研究甚少，研究者多从教育角度展开这一“关爱教育热潮”，学生“关心水平”的发展特点多间接隐藏在不同时期的其他研究热点和主题之中，如移情发展、观点采择能力发展等，读者可参阅本书相关部分。

（一）诺丁斯的关怀教育理论——观照我国德育实践

20 世纪 80 年代，美国学者诺丁斯受到吉利根研究的影响，将“关系”视域从两性关系扩展到全面的伦理学。她从历史和哲学角度考察“关系”，创立了关怀伦理，其引发了我国大规模的关爱教育实践，此处简要述及。

她理论中的“caring”在国内一般被翻译为“关怀”，与我国传统思想中的“少者怀之”、孔子“成人之美”、教人爱人等教育理念类似。诺丁斯将“caring”的论述重点放在伦理性关怀（ethical caring）而非自然性关心（natural caring）。她强调“caring”的行动性以及隐而未发的意向性，而在这两个特点中，关怀的行动性超越关怀的意向性，因此在关怀关系中呈现了特定的关怀者和被关怀者的关系，因而也就具备了特定的伦理意义。侯晶晶（2004）对其关怀伦理做了非常完整的结构分析。[①]

在关怀动机方面，诺丁斯认为每个人都有自然关怀的天性。这种自然

---

① 侯晶晶 . 关怀道德教育理论研究：源起，问题和所得［J］. 内蒙古师范大学学报（教育科学版），2004 (12)：16 － 18.

关怀本身是伦理关怀的基础。伦理关怀具有两个环节：接受与动机移置。

接受指接受对方，而不是将自己投射到对方身上，以己度人的可能结果便是操纵和控制。所谓接受，不是把他人作为一堆客观的数据来分析和“接受”，那只是一种伪“同感”。接受出自两个主体之间的平等性，关怀者和被关怀者之间是马丁·布伯（Martin Buber）所说的“我—你”关系，而不是分析者（主体）和被分析者（客体）之间的“我—它”关系或人与物的关系。关怀性同感是和对方一同观察、感受，这样关怀者在关怀的过程中就成了“duality”，即二位一体的人。“接受不是强加于人，而是与之交流，共同努力。”① 关怀的第二个环节是动机移置。如果被关怀者的目的不正确，关怀者不应盲目地关怀，而应给予理性的关怀，帮助他调整到正确的目的上来。处在关怀状态时，我们有可能因为他人及自己而受到伤害，换言之我们的受损性潜在地增加了。但是，我的力量和希望也同时得到了提升，因为被关怀者作为二位一体的我的一部分，他的力量与希望的增长便是对我的易损性的弥补。诺丁斯并不赞同极端的动机移置，其典型的例子是许多父母“为孩子而活着”，显然在这种情形下，父母和孩子都有失去自我的危险。所以，动机移置的具体适切性是动态的，与被关怀者的回应互为条件。

这样，关怀关系需要满足下面两个条件时才能成立：W 关怀 X;X 承认 W 关怀 X（诺丁斯）。被关怀者必须通过积极回应承担自己对关怀关系的责任,诺丁斯将关怀关系的建立和维持需双方的努力称为“关怀的相互性”。这可以解释现在许多教师进行教育关怀时感到身心俱疲，一个重要原因是相当多的学生不能和老师一起致力于有意义的发展，无法让教师看到自己一段时间的教育关怀促成了学生的成长。

诺丁斯的关怀伦理引发了道德教育中的关怀德育。在她看来，在这个

---

① Noddings N. Caring: A Feminine Approach to Ethics & Moral Education［M］. California: University of California Press, 1986 : 30 − 31.

高竞争的时代，只有建立关怀型的教育关系，教育才可能是道德的、成功的，教育出来的学生也才可能是道德的。因此，学会关心一度成为世界范围内的道德教育主题。1989 年，在北京举办的联合国教科文组织会议提出了“学会关心”的口号，更是直接引发了国内学者的热切关注。

（二）国内关爱教育实践

可以用“遍地开花”来形容“关心”主题在十几年前所引发的德育实践活动。在 2000 年到 2010 年期间，先后有百余篇“学会关心课题实践报告”“学会关心案例与实践研究”等研究报告和文章，作者多以一线教师为主，研究报告汇总式成果是两本书，均以《“学会关心”研究》命名（尤仁德，黄向阳，2001；贾莉莉，2001），构成了关爱教育的思潮。

在研究教育之关怀性关系的文章中，鲁洁先生的《关系中的人：当代道德教育的一种人学探寻》的引用率很高，她在文中指出：“当人把他者当成与自我同样的存在，特别是与自己共生的一种存在时，人与他者的关系便摆脱了占有式、对抗性的关系，而成为一种共生性的关系。”[①] 班华在《学会关心：一种重在道德学习的德育模式》中强调道德教育应从“培养论”到“学习论”，学会学习就是一种道德学习，学习成果是“具有关心的品质”[②]，这两篇文章为关爱教育提供了理论指导。

2000 年之后的十余年，全国涌现出一批冠以“关怀”之名或与关怀教育有实质联系的教育试验基地和课题项目。华东师范大学的黄向阳老师与江苏省无锡市扬名小学进行了“从助人为乐到学会关心”的课题研究。他在著作《德育原理》中总结的七种情境应用于该课题研究，这七种情境是：说明情境、实验情境、体验情境、道德两难情境、体谅情境、后

---

① 鲁洁．关系中的人：当代道德教育的一种人学探寻［J］．教育研究，2002 (1)：3 − 9.

② 班华．“学会关心”：一种重在道德学习的德育模式［J］．教育研究，2003 (12)：37 − 43.

果情境和冲突情境。[1] 其中，道德两难问题情境适于激发学生进行道德探究，发展道德思维的能力；后三种问题情境适于激发学生的道德想象力，培养和增强学生的人际—社会意识或道德敏感性，不同的情境教材服务于不同的教育目的。该项目实际是将“关怀”作为德育目标而进行的全面的德育实践研究，富有创造性。此外，在“八五”期间，南京师范大学的班华教授与江苏吴江实验小学合作进行了以关心健康、关心他人、关心环境、关心学习为主要内容的相关课题研究。而在“九五”期间，班华教授继续进行以“关心”为中心的研究，他与江苏扬中实验小学合作，与班级教育模式研究结合，进行了“学会关心”的教育。另外，上海师范大学的刘次林老师指导江苏江阴市峭岐实验小学开发的班组串换制教学法也是别具一格的关怀教育实例。这些实践具有一定的实践效果，卢家楣等在 2010 年对青少年道德情感的大规模调查中发现，“关爱感发展可喜”。[2]

第三节　学生品德发展的领域理论研究

特里尔的社会认知领域理论被誉为“道德认知建构主义的第三代”，与皮亚杰和科尔伯格相同之处是持有建构主义观点，不同之处是他持有“儿童是社会活动家”的假设，以区别于科尔伯格“儿童是道德哲学家”的假设，强调个体依据事件和规则的社会属性而建构其认知结构，因而其理论将社会事件与个体经验视为个体品德的来源。领域理论对中国学者的启示主要体现为“与领域相适应的教育”，这对我国的“大德育”模式具有重要启示，可基于该理论改善德育中的泛道德化与无道德化问题。

---

① 黄向阳 . 德育原理［M］. 上海：华东师范大学出版社，2000 : 130 − 145.

② 卢家楣，袁军，王俊山，等 . 我国青少年道德情感现状调查研究［J］. 教育研究，2010，31 (12) : 83 − 89.

一、领域理论的基本观点

领域理论，又称领域取向、社会认知领域理论，是由美国心理学家特里尔所首创，并由 Larry Nucci、Judith Smetana、M. Killen、M.S.Tisak 、Charles Helwig 等人进行理论拓展，被誉为是后科尔伯格主义最重要的代表理论之一。领域理论的核心观点可以总结如下：（1）个体本就具备理性对不同问题进行推理，能够对不同问题进行不同思考（强调理性是道德判断的基础，具有“理性人假设”）；（2）基于哲学家 Gewirth 所提出的道德问题和习俗问题的区分标准，个体在条件（1）的情况下形成对道德和习俗的不同概念；（3）个体在（2）的基础上相应形成了道德判断、习俗判断等具有领域特殊性的社会认知和判断。

（一）三种领域认知的认定

经过研究，特里尔提出道德领域判断的“标准”以及“内容”。“标准”规定了道德判断的“形式”，指的是符合道德领域认知需要具有三条标准：规则一致性（因为某规则存在，所以某行为才是错误的吗？）；规则可变性（废除或改变现有的标准，对不对？）；规则普遍性（另外一个社会或另一种文化下没有这样的规则，对不对？）。而习俗领域的标准则具有武断性和可改变性标准。领域判断的“内容”指的是具体内容，领域理论持有普遍主义价值观，认为对“福祉、权利和公正”等内容进行的判断才能称之为道德判断，而习俗判断的内容是那些可以改变、权威说了算的内容。其后 Nucci 又添加了个人领域（考虑到个人领域对个体确立个体心理边界，以及发展自主性和自我认同方面的重要性，之后的研究中更多称之为“心理领域”），主要判断“标准”是该问题是否可以由自己作出决定。其内容与自我判断、人格认同和个人选择等自我问题有关。

个体对领域问题进行不同领域认知的结论在许多文化下得到验证，被称为“心理学最有生命力的现象之一”。后期心理学研究者无论在领域认知的不同类型，还是在跨文化以及与领域相适应的教育等方面都进行了广泛的研究。

（二）领域认知的发展与相互作用

1. 道德领域认知的发展

在领域理论者看来，道德发展是一个逐步建构和成熟的过程，但并非如皮亚杰和科尔伯格所述，由非道德阶段发展到道德阶段。领域理论认为，既然儿童在幼儿时期就可以区分出道德领域问题，那么道德领域认知就可以从其他领域中分化出来，具有自己的独特特点，并体现出与外界不同的相互作用形式。通过多年的研究，领域研究者多认可道德领域内存在三种主题：福祉、公正和权利。领域认知自身的发展就表现为对这三个主题意义的不断深入理解。所以，特里尔并没有给出道德认知之“形式”的发展，而是化约到“内容”。

有一些学者超出了发展的角度而研究其特定性。例如研究者发现道德违规会引发“热”的情感，而习俗违规并不会如此；个体认识到事件的道德性质会更愿意去做出行为。例如告诉一名喊老师名字的学生，那位老师很受伤、感到不被尊重，学生接受其道德意义后，一般就不会继续这么做。因此道德领域认知研究更重视如何对道德领域认知的内容加以认识，而不是探讨道德领域认知的结构如何发展。

2. 习俗领域认知和个人领域认知的发展

在特里尔看来，个体道德发展不仅限于道德领域认知的发展，还包含了习俗领域和个人领域发展，这说明个体道德发展“仅有一个‘好’是不够的”[①]。相对于道德领域认知，习俗领域认知和个人领域认知表现出相对

---

① 檀传宝. 仅仅一个“好”字，远远不够：道德领域区分的探索及意义［J］. 全球教育展望，2018，47 (2)：88 − 96.

明显的发展性过程。

个人领域认知的内容包括确立个体心理边界，以及发展自主性和自我认同等方面，这对个体的自我发展非常重要，因此也被称为心理领域。其个人领域认知的发展见表 3–3。[①]

表 3–3　个人领域认知的发展

年龄	发展特点
初等教育早期（Early Elementary）	对个人的控制与可观察到的个人身体和行为方面有关。认同感和自主性从外表的着装打扮显现出来。自主性主导和控制着一个人的“自我”。
初等教育中期（Middle Elementary）	自我包括相对于其他人而言，更具有典型性的行为所体现出来的个性。对个人的控制会顾及行为解释和个性的发展。
初中教育时期（Middle School）	这个阶段的自我主要就个人的想法、信仰、价值观和思想而言。为不同于别人，对个人的控制是必不可少的，但是意识缺乏深度。成为独特的个体往往意味着与众不同，有不同的理念和信仰等。
高中教育时期（High School）	自我以核心理念和价值观的内部本质为基础，这种理念和价值观通过控制个人隐私、个人决定和行动而体现出来。对个人的控制会考虑到自我发现以及外部表现与真实的自我之间的协调一致。

习俗领域认知也随着个人领域认知的发展而发展，存在不断从接受到否定，再到接受的过程。见表 3–4。[②]

① 檀传宝．仅仅一个“好”字，远远不够：道德领域区分的探索及意义［J］．全球教育展望，2018，47（2）：88 – 96.

② 刘春琼．领域理论的道德心理学研究［M］．上海：上海教育出版社，2011：86.

表 3-4　社会习俗领域的发展①

习俗认知的发展表现	大概年龄
阶段 1：习俗是关于社会一致性的概念。	6—7
习俗是行为一致性的描述，并没有社会交往的结构和功能，习俗存在的目的主要是为了避免对一致形式的破坏。	
阶段 2：否定习俗作为社会一致性的描述。	8—9
否认采用实践中的一致性来充分说明习俗的基础。习俗行为是武断的。习俗并不具有社会交往结构和功能。	
阶段 3：习俗是对规则系统的肯定，是社会系统的早期具体化体现。	10—11
习俗是武断的,可变的。个体基于具体的规则和权威的期待而遵守习俗，习俗行为的概念与规则概念并不一致。	
阶段 4：否认习俗作为规则系统的一部分。	12—13
无论规则存在与否，习俗都是武断的，可变的。对习俗规则的评价与对习俗行为的评价相协调。认为习俗只不过是一些社会期待。	
阶段 5：习俗由社会系统加以仲裁。	14—16
出现了社会结构的系统化概念。习俗是社会系统的一致化的管理方式，包括一致性，固定的角色，以及静止的社会阶层。	
阶段 6：否定社会习俗作为社会标准。	17—18
习俗作为法典化了的社会标准。习俗中的一致性并不具有维持社会系统的功能。习俗不过是通过习惯化而存在的社会标准。	
阶段 7：习俗是社会交互作用中的协调者。	18—25
习俗是一些惯例，具有协调社会交互作用的功能。共享的知识，以习俗的形式存在，可以有助于社会成员的交往以及社会系统的运作。	

个人领域认知的发展与习俗领域认知的发展提供了儿童道德发展的更

---

① Turiel, E. The development of social knowledge: Morality and convention. Cambridge, UK: Cambridge University Press, 1983 : 103.

广泛视角，个体的道德认知也将处在一种相对复杂的个人认知框架和社会事实之中。一方面会以道德领域思维来认知非道德领域事件，另一方面也会以非道德领域思维来认知道德领域事件。因此，了解领域认知间的相互作用将变得非常必要。

3. 领域间交互作用

领域理论认为，领域认知是相对独立的，而且具有异时性，因而彼此之间不可避免会产生相互作用，会发生三种形式的交叠。第一种称为“领域内混合”，表现为习俗准则具有一个特别的组织结构，不会与道德相冲突，也不会完全为道德考虑而设。例如，很多人会排队买电影票，显然这种行为是一个社会习俗问题，但人们也可想象用其他替代的形式来满足这个目的，例如，发放排号券来规定先来后到的顺序这一做法并不影响道德成分。另一方面，排队的人只有在有人插入时，才会认识到排队实际上建立了一个依次进行的程序，以此来维护公平分配这一道德功能。第二种形式的交叠被称为“第二秩序现象”（second-order phenomenon），主要指的是文化和社会给习俗行为以道德意义，从而成为在道德领域和习俗领域之间所发生的一种交互作用，它一般会在严重违反习俗规定时给习俗遵守者带来心理上的伤害（受到侮辱，感到难过）时发生。例如在中国文化里，穿着红衣服出席葬礼不仅仅只是不遵守习俗，而且一般认为这样的行为对逝者不敬，对伤心的家庭麻木不仁，具有不道德的成分。在越传统的社会文化中，第二秩序现象越普遍，因为传统国家更容易给属于习俗领域的规定加以道德意义，并进而促进该习俗规定的稳定性。第三种相互作用的形式被称为“冲突”。个体可以具备多个领域的思考，但是，不同领域的思考往往具有冲突，个体还没有办法解决这种冲突。一般认为，个体的发展水平决定他还没有发展到可以处理这个问题的时候，冲突是个体进一步发展的不平衡力量所在。所以，领域间交互作用一方面肯定了道德领域认知所具有的动力作用，另一方面也把道德领域认知发展置于复杂的现实中。

除此之外，领域理论还涉及背景、文化等主题，也引发了北美“与领域相适应的教育”的广泛实践，该理论已经得到我国学者的广泛关注。

二、领域理论的学生道德发展与德育研究

领域理论视角下，研究者一方面对学生领域认知的发展特点进行了研究，另一方面对与领域相适应的学生德育方式也进行了研究。

（一）领域理论的中国学生发展研究

在中国，心理学研究者从儿童社会性发展的角度进行了实证研究，研究儿童是否能够区分道德和习俗问题并进行相应的领域认知。研究既涉及不同年龄儿童，如对3—6岁儿童[①]、6—14岁儿童[②]的研究，也涉及特定群体，例如对听障生[③]、自闭症儿童[④]、留守儿童[⑤]等群体的研究。在研究内容方面，既涉及具体领域规则，如衣饰规则[⑥]，也涉及领域区分的思想如何影响了其

---

① 冯天荃，刘国雄，龚少英．3–5岁幼儿对社会规则的认知发展研究［J］．教育研究与实验，2010 (1)：79 − 83；孙崇勇，杨斯童，刘丽丽，等．4–6岁儿童自我概念与社会规则认知的发展及其关系［J］．学前教育研究，2017 (9)：45 − 55.

② 张卫，徐涛，王穗苹．我国6–14岁儿童对道德规则和社会习俗的区分与认知［J］．心理发展与教育，1998 (1)：21 − 25.

③ 冯天荃，叶浩生，刘国雄．中学聋生对道德和非道德规则的认知［J］．中国特殊教育，2008 (4)：15 − 19.

④ 冯源，苏彦捷．孤独症儿童对道德和习俗规则的判断［J］．中国特殊教育，2005 (6)：65 − 69.

⑤ 刘建金，杨韶刚．留守儿童的道德判断及其对道德教育的启示：基于社会认知领域理论的视角［J］．开放时代，2017 (3)：148 − 162 + 8.

⑥ 曹书阳．学生衣饰准则新探：社会认知领域理论的启示［J］．教育科学研究，2008 (5)：57 − 62.

他道德心理，包括基于领域理论的家庭纪律教育的跨文化比较研究[①]、对领域区分下的儿童义务推理的研究[②]等。

对我国3—5岁的幼儿，研究者通过临床访谈法考察道德和习俗两种社会规则领域，幼儿是否可以依据允许性、可变性、权威依赖性、规则依赖性等四种判断标准对同伴以及成人主人公的行为进行判断并归因。研究结果揭示出年幼儿童对不同领域规则的区分能力，在一定程度上支持认知发展的领域特殊论。[③]而对6—14岁儿童的研究也发现，6岁的中国儿童已表现出对道德规则和社会习俗的直觉区分，但研究认为对二者的深刻理解则需到8岁左右才能达到；儿童对道德规则的理解，强调公平原则、他人幸福和义务责任等因素，而对社会习俗的认识，则强调社会习俗传统。[④]

除了领域认知的一般儿童发展，冯源和苏彦捷对自闭症儿童的研究[⑤]解释了道德领域的领域认知特点，为理论本身进一步的发展提供了参考。对自闭症儿童和正常儿童的比较研究发现，两组儿童在习俗判断上的表现没有差异，但是在道德判断上表现不同。研究同时测定了自闭症儿童错误信念理解成绩低于正常儿童（心理理解能力弱），因此可以合理推论道德判断更需要心理理解能力，而习俗判断则与训练和社会化有关。研究为道德领域的特殊性提供了一定的解释。

对留守儿童的研究则揭示了个人领域认知的“心理健康意义”。研究

---

① 杨韶刚，刘春琼，张倩．中加儿童青少年对家庭纪律教育方式的道德判断：基于跨文化研究的道德反思［J］．教育研究，2014，35 (6)：148 − 154.

② 刘国雄．道德和习俗领域幼儿义务推理的发展［J］．心理学报，2013，45 (3) 310 − 319.

③ 冯天荃，刘国雄，龚少英．3–5岁幼儿对社会规则的认知发展研究［J］．教育研究与实验，2010 (1)：79 − 83.

④ 张卫，徐涛，王穗苹．我国6–14岁儿童对道德规则和社会习俗的区分与认知［J］．心理发展与教育，1998 (1)：21 − 25.

⑤ 冯源，苏彦捷．孤独症儿童对道德和习俗规则的判断［J］．中国特殊教育，2005 (6)：65 − 69.

发现，跟非留守儿童相比，留守儿童理解的个人领域范围更小，并且更容易将习俗理由泛化到个人领域，更频繁地使用惩罚理由，更少使用个人成长理由，[①] 说明其行为动力更多来自外在约束。研究者据此得出要关注留守儿童的主体性和道德责任感并通过发展个人领域来增强留守儿童的心理安全感，这对非留守儿童同样适用。

而对听障生的研究也显示了个体领域认知发展中的一些变量。研究发现，初二到高三的大多数听障生都接受同伴、老师或学校制定的道德规则和社会习俗，并且还没有认识到个人事件主要依从于个人决定而不是权威。说明听障生的个人领域认知发展可能滞后。多数听障生认为要反对不道德规则，但这一认识还不成熟，认为权威制定的习俗规则、安全规则和个人规则都不可违反。[②] 这说明听障生的社会性发展因其生理特征而具有不同于正常学生之处。反推正常学生的领域认知发展，可能得益于充分的信息通道和交流。

总之，心理学层面上的中国儿童研究支持了个体存在不同领域认知，且基本符合领域认知各项标准。对留守儿童、听障生和自闭症儿童的研究一方面显示了特殊儿童的特点，另一方面也可以反推正常儿童发展领域认知的条件。

值得提出的是，领域理论在研究过程中出现了三个主题：领域、背景与文化。[③] 就我国目前的研究而言，多属于第一主题，对第二主题也有所涉及，但是对文化主题的研究多停留在跨文化普遍性的验证研究。文化主题的缺乏不仅与该理论内在发展逻辑不一致，而且也导致相关道德教育研

---

① 刘建金，杨韶刚．留守儿童的道德判断及其对道德教育的启示：基于社会认知领域理论的视角［J］．开放时代，2017 (3)：148 − 162 + 8.

② 冯天荃，叶浩生，刘国雄．中学听障生对道德和非道德规则的认知［J］．中国特殊教育，2008 (4)：15 − 19.

③ 刘春琼．领域理论的道德心理学研究［M］．上海：上海教育出版社，2011.

究缺乏文化特定性内容，这是后续研究需要关注的主题。

（二）基于领域理论的学校道德教育研究

国内心理学层面对领域理论的学生发展研究早于相关道德教育研究，虽有《道德领域内的教育》（2003）等译著，但并未引起学术反响。近些年，德育研究者从道德教育的角度相对集中性地关注了这一主题。

基于领域理论心理学研究而发展具体德育方法的研究略早，如对特殊教育[①]的启示、对青少年群体和留守儿童的道德教育[②]的启示。德育学界对其关注始于檀传宝在2017年全国德育年会上的会议论文，论文引发了德育研究中的“领域理论”热潮，涌现了一系列的基于该理论的德育探索[③]。

其共同的强调在于倡导与领域相适应的教育。有研究者将之界定为“领域德育论”，给出“不止于‘好’，不囿于‘德’”[④]的界定，既考虑了与品格教育相比该德育模式强调习俗和个人领域问题的个人学习和成长，也考虑了不同领域之间的相互作用。刘次林等[⑤]（2018）根据领域理论对领域划分的标准，对碎片化的学生行为规范进行了合并和归类，所使用的材料为

---

① 杨韶刚．从科尔伯格到后科尔伯格：社会认知领域理论对特殊教育的德育启示［J］．中国特殊教育，2013（10）：17－21＋59.

② 刘建金，杨韶刚．留守儿童的道德判断及其对道德教育的启示：基于社会认知领域理论的视角［J］．开放时代，2017（3）：148－162＋8.

③ 檀传宝．仅仅一个“好”字，远远不够：道德领域区分的探索及意义［J］．全球教育展望，2018，47（2）：88－96；刘次林，钱晓敏．领域理论与学校德育文化的改造［J］．教育研究与实验，2018（3）：23－28；林可．不止于“好”，不囿于“德”：拉里·努奇“领域德育论”对我国德育工作的启示［J］．中国德育，2018（2）：7－11；张帅．拉里·努奇领域理论的思想内核及其德育价值［J］．教育评论，2020（9）：158－162.

④ 林可．不止于“好”，不囿于“德”：拉里·努奇“领域德育论”对我国德育工作的启示［J］．中国德育，2018（2）：7－11.

⑤ 刘次林，钱晓敏．领域理论与学校德育文化的改造［J］．教育研究与实验，2018（3）：23－28.

《小学生日常行为规范》（2004）和《中学生日常行为规范》（2004）。研究发现，除了极个别不能确定归属的条文，基本认定共计 38 款的中小学行为规范中，道德领域规范占 21 款，习俗领域规范占 6 款，个人领域规范占 11 款。其中道德领域包括人际道德、群体（公共）道德、环境道德方面的内容；习俗领域包括礼貌、仪式、待人接物的方式等；个人领域包括身心健康安全、生活习惯偏好、衣着打扮等。基于此分析，研究者提出了“学校德育文化改造”的问题。

但在这些教育探讨中，研究者的视角多从“问题所属领域”角度入手，而不是从“学生认知领域”入手。学生有可能对家长和老师所认定的习俗领域问题做出个人领域思维。以穿校服为例，有些学生接受穿校服的习俗规定，接受它作为习俗问题的规约，但是在裤腿处做了自己的个性化处理（如在中学校园流行不同挽裤腿的做法），并将之视为个人领域问题。陈国清在《领域理论的取向及其批判》中提出，尽管领域理论区分了道德领域和习俗领域，但他认为存在两个问题，一是对普遍主义的追求，二是脱离传统的取向，二者一体两面。所以他认为从普遍主义出发的道德教育注定贫乏，因而需要回归传统。[①] 这种从个殊的传统出发进行道德教育的观点，从某个角度看也是一种文化层面上的个体性回应。因此，中国文化“与领域相适应的教育”应该落脚于学生主体性的领域认知而不是外在的规则领域所属。

---

① 陈国清 . 领域理论的取向及其批判［J］. 教育科学，2018，34 (5)：8 − 13.

第四章
道德情感研究

情绪具有德育价值。学生处在积极情绪状态下，会更愿意帮助别人；在外界接纳和支持的情绪氛围下，学生也会减少攻击行为。但情境化的、即时的情绪本身是中立的，可以与道德无涉。而某些社会化的次级情绪才具有道德意义，如内疚、羞愧、移情、责任感等，它们是“道德化了的”情绪，是“道德开端”边界内的主题。与道德认知清晰的理论脉络不同，道德情感研究更多是主题式的。基于长久以来的研究传统，本章选择了获得广泛研究的四个主题：移情、内疚、羞愧、责任。在介绍相关主题时，会从品德整体视角切入，并不仅限于其情感成分。其中，鉴于对道德情感是否为责任的核心成分尚有争议，因此它被放置在“特定品德德目”一章加以介绍。

如朱小蔓教授所说：“道德情感是一个动态的复合结构，内含三个不可分割的运动过程。大脑、神经系统的活动过程是结构的物质本体，社会道德生活的实践过程是结构的整体，个性心理基质的建构过程是结构的导体。”[①] 本书在介绍相关道德情感主题时会介绍其神经机制、心理影响因素，也会在心理健康系统、社会文化系统下加以考察，给予其生理、心理以及

① 朱小蔓. 道德情感简论［J］. 道德与文明，1991 (1)：31.

社会三个层面上的考量。

第一节 国内道德情感研究总论

一、从情绪情感看道德情感

道德情感来源于普通心理学意义上的情绪情感，但学界多认可二者并非简单类属关系。将道德情感作为整体进行研究，可以解释它在概念界定水平上的特点。

情绪情感是心理学的基本概念之一，是人对客观外界事物与主观需要之间满足与否关系的反应。道德情感是个人道德意识的构成因素，指人们依据一定的道德标准，对现实的道德关系和自己或他人的道德行为等所产生的爱憎好恶等内心体验。[①]二者都是自我与外界关系的内在反应，只是后者限于道德领域。那么道德情感是情绪情感的一种分类还是具有根本不同性质的另一类情感？

首先，二者之间存在密切联系——都是一种主观心理形式。人有各种各样的基本情绪，如喜、怒、哀、乐、惧。而道德情感则是从基本情绪中衍生出来的，比如羞耻、愧疚与痛苦的情绪密切相关；勇气与恐惧的情绪密切相关，它是由人们如何对待恐惧衍生出来的情感；自豪则是由快乐派生出来的一种情感，等等。情绪情感的重要特点之一就是主观性，“我感受到……”而不是“我应该感受到……”因此，衍生而来的道德情感本质上也是一种主观的心理形式。这种主观性决定了道德情感教育主要是基于

① 时蓉华．社会心理学［M］．上海：上海人民出版社，1986：26.

体验的（刘惊铎，2003）。[①] 同时，鉴于道德情感是基于基本情绪的衍化，因此道德情感教育也需要建立在基本情感基础之上。

其次，虽然研究者大都认同二者互有联系，但也支持道德情感并非情绪情感的一种类属。它有别于情绪情感的重要维度是其明显的社会性。从情绪情感的性质上看，并不是所有情绪情感都与社会性道德有关联，基本的情感（如喜、怒、哀、乐、惧）在性质上都很难用道德或不道德来衡量，也很难时刻与他人相关。但道德情感与此不同，从社会学意义考察，其来源是人的各种基础性社会情感，如归属感、安全感、自我认同感等，它们与社会和他人存在不可分的联系。

从目前相关研究看，这种社会性多从利他性、对象性、是否激发道德行为等角度来说明。海特从情感利他性的角度来区分道德情感与一般情感。在他看来，道德情感就是与作为整体的社会和作为个体的他人之利益、福祉相关的情感。[②] 也就是说，一种情感如果是关系到社会与他人福祉的，具有利他性，就可以称之为道德情感。这是一种较为宽泛的定义。也有研究者从情感的投注对象来区分道德情感与一般情感。比如愧疚的对象是自己的错误行为，是对自身错误的否定，此时它就是道德的，如果是对自我的苛刻，则很难说是道德的；愤怒表现为对伤害行为与不正义事态所进行的反抗情绪时也是道德的，即所谓“义愤”，而如果是对自我遭受侵犯的反抗则很难说是道德的。还有学者从能否激发道德行为的角度来判断情感的道德性，能激发道德行为的就是道德情感，反之则不是道德情感。利他、对象性和是否激发道德行为尽管角度不一，或静态、或动态，但都关涉到人的社会属性，关涉到人的伦理生活。

除此之外，随着社会的发展，伦理生活内容也会发生变化。不同社会

① 刘惊铎．道德体验论［M］．北京：人民教育出版社，2003.

② Haidt J. “Dialogue between My Head and My Heart”: Affective Influences on Moral Judgment［J］. Psychological Inquiry, 2002, 13 (1): 54 – 56.

时期，个体产生道德情感反应的内容也会不同。例如对待环境伦理，就出现了儿童产生高浓度道德情感，其程度甚于成人，并对成人进行反哺的现象。因此，道德情感虽然与基本情绪相关，有生物性或者神经科学基础，但它主要是社会性的。

二、从知—情—行心理整合系统看道德情感

在个体的伦理生活中，道德情感作为品德心理的开端之一，在知、情、行相互作用的动态过程中得以发展。随着道德心理研究的深入，更多的研究已不再将道德知、情、行视为完全独立的品德成分而存在。

（一）品德的知—情—行整合研究趋向

可以从品德心理认知研究、行为研究的后期理论发展上看到这种趋向。

首先，从道德认知传统研究看。早期皮亚杰认为个体的道德发展是以道德认知的发展为主，其后科尔伯格更是将这种重视道德认知和判断的观点进一步推进，创立了道德认知学派。尽管如此，皮亚杰在其关于认知与情感的关系研究中也曾涉及情感，认为智力和情感作用的二分法是人们为了解释的方便作为一种通用的程序人为分析提取，他充分肯定实际情况是一个缺少了另一个就不能起作用。另外，科尔伯格在后期理论中也做出了道德判断的道义判断和责任判断的区分。对责任的强调，使科尔伯格冷冰冰的理性取向得以缓和，借由责任的情感性解释了道德行为发生的动力。

其次，从道德行为研究传统看。行为主义者在对道德行为的后期研究中也充分肯定了特定道德情感的参与。以新行为主义者阿朗弗里德（J.Aronfreed）的研究为例，他认为道德行为内化为某种内在结构，他称之为良心（与中国传统文化的良心强调情感不同，其良心来自于道德行为习惯的内化）。但他认为“良心并不适合于所有的内化标准……通过情感的

标准对其意义加以缩小，良心的内涵就可以比较准确地传承下去，我们会把良心的范围限制到某些行为领域，在那些行为领域中，社会经验使儿童对其行为的认知表征和评价带有实质性的情感价值”[①]，由此将道德行为与道德情感结合起来。

再次，从道德情感研究传统看。霍夫曼是较早从心理学意义上研究移情的心理学家。他通过研究刚出生不久的婴儿发现，这些婴儿不会对自己的哭声做出反应，但会因为别的孩子哭而哭。由此他提出每个人都有先天的道德移情存在。但他对移情的研究没有停留在道德情感层面，而是提出了道德心理的信息加工理论。该理论强调需要充分利用个体的先天移情倾向，并在个体发展中通过诱导的方式来加强这种倾向。诱导教育方式的主要作用是启发儿童对其行为后果的认知，这种认知可以同个体的移情、内疚等道德情感相结合，形成道德文本[②]，其道德文本不断扩大，以及不断抽象化和概括化的过程，就是个体的道德发展，直至生成个体的道德原则的过程。可见，如果没有文本（认知）的支撑，个体仅凭借移情等道德情感无法完成道德的发展。因而，霍夫曼的理论一般被认为是道德认知与道德情感相结合的理论。

可见，各种道德发展理论在发展后期均认识到单一成分所带来的局限，不断做出理论上的修正。使用多成分结合来解释道德心理，明显提高了道德心理研究的外部效度。在现实生活中，只有通过各种心理成分的综合分析才可以对道德心理进行完善的解释，最近二十年的品德心理研究已经充分表现了这一特点。所以，如何构建多心理成分的理论模型是品德心理学研究者的重要任务。诚如研究者所指出：“道德是一种综合性极强的实践智慧，对道德发展状况的理解必须是整体性的、综合性的，不能只考虑单

---

① 陈会昌．道德发展心理学［M］．合肥：安徽教育出版社，2004：248.

② 文本是计算机专业词汇，相当于程序一词，道德文本同时包含道德情感与道德认知。

一因素或者将各因素简单相加。”①

（二）品德建构中道德情感的作用

结合近二十年对道德情感的研究，可将它在品德建构过程中的作用概括如下：

首先，道德情感对道德行为具有启动与想象性启动作用。普通心理学意义上，情绪对行为来说具有重要的“启动效应”，其生物学上的解释：处在情绪状态下机体会暂时失衡，而机体同时具有重新获得平衡的需要，去行动本身可以帮助恢复平衡，因而情绪可以成为一种动机。国内很多学者研究了道德情感对道德行为的启动。②这种启动具有多个层次。第一，直接激发道德行为。诸多助人行动，包括勇敢、救急、慷慨、慈善都受到道德情感（同情）的驱动——“于心不忍”进而施以援手。第二，借助“道德想象力”③间接进行。当我们有做坏事的冲动或者遭遇道德困境时，道德想象力就会介入，就会想象各种后果，在头脑中预演进而感到愧疚、羞耻、后悔或者荣耀、自豪等，进而启动行为或者增强行为预期。

其次，道德情感与道德认知相互影响。如前所述，皮亚杰和科尔伯格所开创的理性研究一直以来把道德情感视为道德认知的“附庸”，作为个体做出道德判断的背景而存在。但他们均在后期理论给道德情感以不同程度的承认，后继研究者也不断探索二者相互作用关系，最近二十年，已渐

---

① 孙彩平．中国儿童道德发展报告(2017)［M］．福州：福建教育出版社，2018：4.

② 迟毓凯．亲社会行为启动效应研究：慈善捐助的社会心理学探索［M］．广州：广东人民出版社，2009；宋仕婕，丁凤琴．不同移情能力大学生亲社会行为的道德启动效应［J］．教育学术月刊，2016(3)：71－76＋84；王盛楠，李小平．移情与权力感启动对道德思维方式的影响［J］．应用心理学，2016，22(3)：227－234.

③ 薛晓阳．道德想象：一种新的德育方法论［J］．高等教育研究，2007(7)：25－30；杨慧民，王前．道德想象力：含义、价值与培育途径［J］．哲学研究，2014(5)：104－109；高德胜．道德想象力与道德教育［J］．教育研究，2019，40(1)9－20.

渐形成某种共识。这种共识得益于心理学基础研究层面上的知情关系的“双过程模型”，该模型从认知神经科学角度强调了情绪在认知加工过程中的铆合作用。道德心理研究与此呼应，学界产生了道德认知与道德情感之间的深层关联研究。这种关联如此紧密，以至于学界不断提出一些新主题，如道德认同、道德敏感性等（详见“品德心理整合研究”章节），来揭示二者之间的不可分割。加之，近二十年的研究也在“因素与变量”“中介效应”“结构模型”等统计方法下实现对二者之间关系的描述和刻画，二者相互影响甚至相互铆接的互动格局已成学界共识。

除此之外，我国德育学者还从教育学角度提出道德情感本身可以积淀为道德品质。一个人的道德品质经由一次次道德情感的哺育而得到生长、发育，而同样，道德情感本身的沉淀、净化与调适，也可以成为道德情操和道德品质。[①] 例如，在谈及道德想象力主题时，高德胜指出道德想象的隐喻与叙事文本还可以完成对经验的生成，这会促进个体精神层面上的成长。精神成长是品德培养的高级目标，朱小蔓称之为“情操”——道德情感的高水平发展，该过程可类比于中国道德文化的“德性修养”。

三、国内对道德情感的分类研究

（一）从形而上的分类到形而下的分类

目前，我国学者多采用朱智贤在《心理学大词典》中的分类，将道德感分为：直觉的道德感、想象的道德感与伦理的道德感。这种分类首先从“情绪与情感”的特点出发，从具体的、情境化的因素所激发的道德感（直觉的道德感），到个体心理加工能力发展带来的脱离具体情境的道德感（想

① 李建华，向征，袁建辉．论道德情感的升华［J］．现代大学教育，2001 (5)：99－103.

象的道德感），一直到能够脱离情境，道德内化之后所形成的道德感（伦理的道德感）。这种分类力图在具体道德内容之外对道德感的形式进行划分。“形而上”的区分具有跨情境性和发展心理学意义上的价值，但真实生活中的道德情感同时包含社会性，同时关涉自我和他人，这种区分缺乏对他人和社会维度的关注。因此很多学者关涉了真实生活因素，对道德情感进行了不同的分类。

有研究者关注了社会层面上的价值判断，用积极价态与消极价态作为标准对道德情感进行分类，比如内疚、羞耻、同情等都属于消极价态的道德情感，而自豪、感恩、崇敬都属于积极价态的道德情感。目前得到国内外学者广泛接受的是海特的分类。他将道德情感分为四类：第一类主要指他人遭受道德谴责（other-condemning）形成的各种道德情感，主要指的是道德个体因为他人道德言谈举止违背了人类社会基本道德规范后自然产生的道德情感的心理体验，如鄙视、义愤、厌恶；第二类为自我意识（self-conscious）道德情感，主要指的是这类道德个体由于自我意识感受到自己的各种道德行为给他人或整个人类社会的各种利益群体带来不利或有利的各种行为结果，而后所自然产生的道德情感上的心理体验，如羞愧、尴尬、内疚、自豪；第三类为因他人遭受道德苦痛（other-suffering）而产生的道德情感，主要指的是这类道德个体由于通过道德感知他人的不幸或苦难经历，而后所自然产生的道德情感心理体验，如同情、怜悯、移情等；第四类为因他人接受道德赞颂而产生的（other-praising）道德情感，主要指的是这类道德个体由于通过见证他人的各种道德行为善行与伟大，而后所自然产生的道德情感心理体验，如感戴、崇高、敬畏等。海特的分类不仅关注了道德情感的社会性，还考虑了道德情感的主观性以及人际相互性，是对道德情感分类的深化。

（二）我国学者的立体分类

高德胜（2021）最近所进行的分类更为立体，他按照对善恶的好恶反应，对各式各样的道德情感进行归类。他认为道德情感有三种类型，一种是对善的认可反应与态度；一种是对恶的不认可反应与态度；一种是善恶混合所引发的混合反应与态度（表 4-1）。[①]

表 4-1　以善恶好恶为标准的道德情感分类

好恶反应	对他人	对自己
称赞（认可）	崇敬	勇气
	感恩	自豪
指责（不认可）	愤怒	愧疚
	恶心	羞耻
	勇气	后悔
	蔑视	
混合（认可╱不认可）	同情	自爱
	宽容	原谅
	原谅	

对善的认可反应，既可以指向他人，也可以指向自己，也就是说我们对善的认可与称赞是不分人己的，既“赞人”也“赞己”，不会因为人己之别而不去认可善本身。赞人的道德情感主要是崇敬与感恩，而赞己的道德情感主要是勇气与自豪。同时，人也会对恶产生否定反应与态度，同样不分人己。虽然在恶的问题上，我们对人、对己会有宽严区别，多少都有“严人宽己”的倾向，但只要还有基本的是非观念，对自身之恶也会有否定性反应与态度。对他人之恶的不认可或者说指责反应，包括愤怒、恶心、勇气、蔑视等；对自身之恶（说轻一点，是错误、缺陷、不足）的不认可反应包

① 高德胜．道德情感：本质、类别与意义［J］．当代教育与文化，2021，13 (6)：1－10.

括愧疚、羞耻、后悔等。

该分类存在两个优势。一是弥补了自我维度上的分裂。很多研究者把与自我相关的道德情感称为自我意识道德感，包含了自豪、勇气、羞愧和羞耻等，它们同为自我维度，前者昂扬，后者消极。当把善恶好恶反应这一维度纳入，高德胜提出“自豪、勇气是对自身之善的认可，而愧疚、羞耻、后悔则是对自身之恶的否定，对善的认可也就是对恶的否定，对恶的否定也就是对善的肯定”[①]。从辩证的意义上消解自我意识与道德情感之间的分歧。二是这种分类把自我—他人、好—恶作为区分维度，呈现立体的区分。但是诚如其所言：“如果只是赞善与责恶，即使有人已区分，道德情感也会相对清晰明了。问题是，很多情况下，善恶是纠缠在一起的，无法截然分开……在一个伦理事件中，我们要同时面对作恶者和受害者，在这种情况下，我们对两种不同处境的道德主体的情感反应也就会混在一起。因此，也就存在着很难用单一的赞善或责恶来标定道德情感类型，在这类混合性道德情感中，往往是既有认可，也有不认可。”[②]但在这种立体分类下，这些混合的道德情感却有迹可循，既复杂又清晰。因此这种分类既可以更好地分析真实生活世界中复杂的道德情境，也为道德情感的主观性提供了解释空间。

四、中国学生道德情感整体发展状况

在国内品德发展研究领域内，研究者对我国不同年龄阶段学生的整体道德情感发展状况做出过系列研究。

从目前所得资料看，对小学阶段道德情感发展总体情况的研究多集中于 20 世纪 90 年代到 2005 年前后，主要采用故事情境法进行。研究

---

① 高德胜．道德情感：本质、类别与意义［J］．当代教育与文化，2021，13（6）：1－10.
② 同①.

发现，三、四年级是道德情感发展的关键期[①]，爱国主义情感发展的研究也得到类似结论[②]。总体来看，道德情感发展存在一个关键期，集中在8—9岁。

对10—18岁儿童，研究者使用量表等研究工具进行了大规模调查。卢家楣、袁军和王俊山（2010）对117座城市和郊县11—18岁的25485名同学进行了大规模调查，研究采用《中国青少年道德情感问卷》，该问卷具有四个维度：同情心、责任心、自尊心和羞耻感。研究发现四个维度上的整体表现如下：关爱感发展良好，责任和正直感堪忧。[③]研究者使用相同工具研究了特定儿童——留守儿童，研究发现其道德情感水平远低于常模。[④]孙彩平对77953名10—18岁儿童的道德发展情况进行了大规模调查，其中道德情感维度主要涉及爱国感、关爱感、集体责任感、自尊感和羞耻感五个方面。研究发现虽然存在中西部地区、性别、年龄、生活满意度等方面的差异，总的来说当前儿童在道德情感方面整体表现良好。[⑤]

也有学者从情感现象学角度或者心理学角度揭示了儿童道德情感发展

① 儿童品德心理研究协作组.中小学生道德情感发展研究［J］.心理发展与教育，1989(3):1－6.

② 陈会昌.道德发展心理学［M］.合肥:安徽教育出版社,2004;顾海根,梅仲荪.爱国情感教育心理学研究［M］.北京:人民教育出版社,1999.

③ 卢家楣,袁军,王俊山,等.我国青少年道德情感现状调查研究[J].教育研究,2010,31(12):83－89.

④ 汪海彬,田晶晶,王刚,等.留守儿童道德情感的现状调查研究[J].集美大学学报(教育科学版),2016,17(3):30－36.

⑤ 孙彩平.中国儿童道德发展报告(2017)［M］.福州:福建教育出版社,2018.

的一些困境，主要有“同情失落”现象①、道德伪善②、冷漠现象③等。概括来看，目前中国儿童的道德情感整体发展情况呈现出一些特点，“既令人欣慰，又令人担忧”④，研究需要更为细致地、深入地推进，需要从多学科的角度探索促进儿童品德发展的多维度、多层次的机制。

值得提出的是，这些调查提供了当代中小学生道德情感的整体状况，并不适用于对学生个体道德发展状况的评估、诊断与个体化理解。对本章以下所选主题的介绍将凸显这一方面。

第二节　学生移情研究

移情（也被称为共情，共感）是品德发展的个体来源，此时它既可以与道德有关，也可以与道德无涉；移情又是道德情感开端的基础构成，它参与了其他道德情感的体验，甚至有时是发展其他道德情感的基础，此时它充满着道德意蕴。

一、移情的界定、辨析及神经机制

移情的研究具有多学科视域，其发展也充满着跨学科的意味。

---

① 左群英 . 同情的失落：一种教育现象学视角的儿童情感观察［J］. 上海教育科研，2011 (11) : 36 － 39.

② 施利承 . 怎样才是有道德的人：从“道德伪善”反观学校道德教育［J］. 教育科学研究，2008 (4) : 47 － 49; 沈汪兵，刘昌 . 道德伪善的心理学研究述评［J］. 心理科学进展，2012，20 (5) : 745 － 756; 高德胜 . 道德伪善的教育学思考［J］. 全球教育展望，2018，47 (11) : 28 － 43.

③ 唐涛 . 道德冷漠现象的心理学解读［J］. 求索，2008 (2) : 77 － 79.

④ 卢家楣，袁军，王俊山，等 . 我国青少年道德情感现状调查研究［J］. 教育研究，2010，31 (12) : 83 － 89.

（一）处于多学科视域下的移情

“移情”一词最早出现在德语中，意思是“把情感渗进里面去”。到20世纪初，再由美国实证心理学家转译为“empathy”（移情，共情，共感——基于不同学科视角存在不同译法）。虽然移情这个名词的历史比较短，但是移情所表达的这种心理现象在亚里士多德那里就已被提到：我们可以体验到一个觉得害怕的人的感受，即便害怕的对象并不存在。之后，18世纪的道德情感主义者大卫·休谟和亚当·斯密将移情进行了更加充分的阐释。他们所说的“同情”，其实已经包含着移情的意味，指的就是一个人对他人情感的转移与共鸣。

20世纪后期，移情代替了之前的同情，成为心理学、美学、伦理学、社会学乃至哲学的热门话题。在现象学家胡塞尔那里，移情本身可以作为通向共在的方式。海德格尔认为移情是我与他者共在的非本真状态，表现为自我完全取代他者或自我完全在他者中消失。20世纪80年代以来兴起的关怀伦理学也重视移情的作用。以诺丁斯为代表的关怀伦理学家重视移情在关怀态度和关怀关系中的作用，认为某个人要关怀他人就得设身处地处在他人的情境中，开放地接纳他人的思想、渴望、恐惧等。当人们的行为出于关怀他人的动机，则不会把自己关于何为善或者自认为将如何有益于被关怀对象的想法强加给对方。哲学家斯洛特在诺丁斯等人提出的关怀伦理的基础上，吸纳了移情研究的理论成果，于2007年出版著作《关怀伦理与移情》。与诺丁斯等关怀伦理学家相比较，斯洛特更加重视移情在关怀伦理中的作用，他明确指出关怀是以移情为基础的关怀，也就是移情关怀。

心理学领域有关移情的研究已经持续了一个世纪。弗洛伊德就是其中的开创者，他认为移情在帮我们理解他人身上较我们自我而言异质性的内在特征时作用重大。移情不仅在诊断心理学、精神分析学里受到重视，20世纪60年代后社会心理学和发展心理学领域的学者们也对移情表现出极大兴趣，他们通过各种研究方法进行有关移情的实验。霍夫曼更是将之引入了道德发展研究领域，其研究产生了广泛的影响。

与这一脉络类似，虽然“移情”一词在我国的运用较晚，但中国却早有类似“移情”概念的运用，孔子“己所不欲，勿施于人”的忠恕之道，孟子提到的恻隐之心，其实就具有移情的意味。随着中西方学术交流的深入，1987 年，研究者就发展出共情量表，将移情分成 4 个因素：观点采择、想象力、同情关心、个人痛苦，共有 22 题，大大促进了之后移情的影响因素研究。

概而言之，移情最初出现在心理学、美学领域。在移情的研究中，心理学家往往把移情定义为一种情绪的反应能力，主体既能对他人的处境感同身受，又能客观公正地理解他人的情感。当然主体的这种情绪体验既可以是真实的感知，也可以是想象后的感知。直到 20 世纪末，随着对道德问题的关注，在国内外掀起一股针对道德领域中移情的研究热潮，此时移情才最终作为一种道德内化力量被大量用于社会道德教育领域，至今仍然起着至关重要的作用。

（二）移情相关概念辨析

鉴于移情的复杂性，日常研究中有必要澄清以下混淆的两组概念。

1. 移情与情感感染

移情与情感感染经常被混淆，但这二者存在较大差异。首先，情感感染是被动、无意识的过程，而移情则是一种主动、有意识的、反思性的过程。情感感染的运作方式类似一种感知形式，感染的主要过程由直接的感官知觉启动，不涉及想象，也不基于任何认知评价。移情的广义概念通常将情感感染定义为一种子类型，因为它涉及观察者感知到对象并与其经历相同情感状态。我们通过无意识的模仿，自动对他人的情感表达做出反应，最终自己也经历同样的情感。其次，情感感染是一种情感在个体间自动传播的现象，其特点是自我与他人的不分化。相反，移情意味着观察者明确自我和他人的区别。最后，情感感染是一个与道德行动没有紧密关联的概念，而移情常常伴随着利他动机与利他行动的产生。

2. 移情与同情

移情与同情的区别和联系也受到了广泛的关注。首先，移情必须和对象之间有情感的分享，重视行动者与对象的感同身受。而同情是一个行动者对于对象所表达的一种相应的情感反应，这并不意味观察者就真的感觉到对象的心理和情感状况。移情是与对方的感受相一致，而同情是观察者自己的感受。其次，同情通常是对他人消极情感的反应，但是移情不仅仅是分享对方的消极情感，还能够分享对方的积极情感。最后，移情存在利他动机的一部分原因是移情与同情之间是存在关联的。当观察者在情感上分享他人痛苦的感受时，同情也往往会产生。但也有研究发现，一个人的移情被过度唤起，就容易产生“同情疲劳”[①]，因此，只有在适当的条件下，移情才会导致同情，进而产生利他动机。许多道德心理学家，如霍夫曼等人都认为同情是移情加认知过程的产物，认为移情是同情的前兆。当然，由于情感经历的复杂性，人们同时同情和移情于一个人也是完全可能的。

（三）移情的神经机制

随着脑神经科学的发展，国内很多心理学院设置了脑神经科学实验室，以核磁共振、ERP 等工具来研究个体心理的神经机制。对于移情的神经机制研究，大量研究认为镜像神经元是共情发生的重要机制。但是我国学者徐晓惠、胡平（2019）发现仅仅用镜像神经系统不足以解释共情发生机制，认为其是包括镜像神经系统、情绪系统、运动系统以及与社会认知相关脑区在内的脑网络共同作用的结果，所以提出了神经网络概念模型，为移情的

① 陈华英，王卫红．中文版同情疲劳量表的信度、效度研究［J］．中国护理管理，2013，13 (4) : 39 − 41.

神经生理机制提供较为完整的框架。[①] 中国科学院心理研究所的研究者用模拟的视角来整合具身认知和社会认知神经科学的研究成果，并通过以镜像神经元为基础的共享表征理论阐释了人们如何通过模拟来理解他人情绪的神经过程。[②] 这些研究都走在了世界的前沿。

除了对情境化的移情进行即时研究，研究者也将移情作为个人特质加以研究，即研究那些生活中富有同情心、善于理解他人的个体所具有的脑神经机制特点。岳童（2016）探讨了积极共情特质的神经基础。[③] 通过 VBM 技术，研究发现个体的左侧前扣带回、右侧脑岛、右侧的背外侧前额皮层、右侧的内侧前额叶等脑区灰质体积与其特质同积极共情的水平成正比。当然，由此就确定移情的神经基础还为时过早，很难断定移情特质与这些脑回路是怎样的相互作用与发展关系，但至少证明二者彼此相关。

二、移情的理论与分类研究

（一）移情的分类研究

我国伦理学家和心理学家都大致认为移情有两种基本的含义：其一是与他人共情的心理能力，即对他人的思想、情感和境遇感同身受的能力；其二是指表现出以上移情能力的反应过程或现象。在许多情况下，“移情”往往既指一个行动者移情的能力，也指这个移情反应的过程或移情现象。国内关于移情概念的分析主要可以分为如下三类理解和界定方式：

---

① 徐晓惠，胡平．情绪模仿的神经生理机制：从镜像神经系统到神经网络［J］．生物化学与生物物理进展，2019 (4) : 386 − 397.

② 孙亚斌，王锦琰，罗非．共情中的具身模拟现象与神经机制［J］. 中国临床心理学杂志，2014，22 (1) : 53 − 57.

③ 岳童．积极共情的认知神经机制研究［D］．重庆：西南大学，2016.

第一种方式，也是比较主流的方式，是将其分为情感性移情、认知性移情以及整合式移情。持有这种观点的有姬慧和乔建中[①]（2004）、张凯和杨立强[②]（2007）、徐凯文[③]（2010）等人。其中的代表人物张凯、杨立强在《国内外关于移情的研究综述》一文中将移情基于心理学进行了划分。他们根据心理学中不同的认识角度和侧重点，将移情的内涵做了以下三种界定：第一种是情感性界定方式。这类方式认为移情是一种对于他人情感状态的认同，也就是说要与他人产生类似的情感状态。第二种是认知性界定方式。这类方式强调移情具有的认知特征，也就是强调通过个人的知觉、想象或角色扮演等方式来认知他人的情感。最后是整合式界定方式。这种观点认为移情包含认知成分和情感成分，并且这两种成分互为前提和基础，行为者的认知水平和被唤醒的情感程度共同影响着移情的内容、方式和强度。

对于移情的第二种界定方式是将其界定为两种不同的理论模型，分别为理论论和模拟论。持有这种观点的有熊哲宏和李其维[④]（2001）、黄家裕[⑤]（2009）、许远理、李艳杰[⑥]（2011）等人。其中代表人物为许远理等，他们在《移情理论的整合模型及其脑机制》一文中介绍了理解移情这种心理现象的两种比较流行的理论模型：理论论和模拟论。理论论认为，一般情况下，行动者想要认知他人的心理状态必然要经历以下过程：首先要观

---

① 姬慧，乔建中．关于移情发展与道德发展关系的思考［J］．教育探索，2004 (6)：111 − 113.

② 张凯，杨立强．国内外关于移情的研究综述［J］．社会心理科学，2007，22 (5)：5.

③ 徐凯文．Empathy：本源，内涵与译名［J］．中国心理卫生杂志，2010，24 (6)：407 − 408.

④ 熊哲宏，李其维．模拟论、模块论与理论论：儿童“心理理论”发展的三大解释理论［J］．华东师范大学学报（教育科学版），2001 (2)：70 − 77 + 90.

⑤ 黄家裕．模拟理论的综合进路［J］．哲学动态，2009 (9)：76 − 80.

⑥ 许远理，李艳杰，赵贞．移情理论的整合模型及其脑机制［J］．心理研究，2011，4 (5)：10 − 14.

察对象的语言、行动等具体信息，然后再根据相对应的心理理论，通过理性推理的方式来得知他人的心理状况。而模拟论则认为，当人们想要得知他人的心理状况时，第一反应不是理性分析，而是首先进行自我想象，把自己置身于被模拟者所处的情境中，随后产生被模拟者当时的心理和情感状态。

第三种移情的界定方式是将其分为认知性移情、情感性移情以及意动性移情，这种区分包含了移情有助于行动者产生关怀他人或者为集体做贡献的行动倾向。与第一种分类相比，虽然包含了类似的成分，但这种分类强调行动性与社会性。持有这种观点的有廖策权[①]（1998）、余宏波和刘桂珍[②]（2006）、齐贵云[③]（2012）等人。其中代表人物为齐贵云，他在《西方道德情感主义视野中的移情问题研究》中将移情大致分为三种成分：情感性成分、认知性成分、意动性成分。认知性移情着重于移情的认知成分，主张行为者对他人情感的认知以及对于社会的认知等在移情过程中产生的积极作用。情感性移情着重于在情感上产生认同他人情感状态的反应。意动性移情是指行动者通过移情能够产生某种利他动机或利他行动的反应。例如，当我们在对某个人或某个群体产生移情后，可能会为了实现这些人或群体的信念、福利给予实际行动上的支持。

对移情进行的多维分类是对移情研究的深入，一方面为移情理解提供抓手，另一方面为进一步的研究提供来自不同角度的支持。因而这一主题也深入到各个研究领域和学科之中。但仍有一些基础性问题：移情是一种个人品质吗？是一种间断性变量（有、无之分），还是一种连续性变量（高、

---

① 廖策权 . 移情是亲社会行为的重要促动因素［J］. 四川职业技术学院学报，1998 (3)：19 － 21.

② 余宏波，刘桂珍 . 移情、道德推理、观点采择与亲社会行为关系的研究进展［J］. 心理发展与教育，2006 (1)：113 － 116.

③ 齐贵云 . 西方道德情感主义视野中的移情问题研究［D］. 济南：山东大学，2012.

低之分）？这些问题都需要对移情继续深入研究，甚至进行跨学科研究。

（二）移情的理论研究

关于移情的理论研究，国内学者介绍了霍夫曼的移情理论、移情—利他主义假说以及移情的多因素理论。

霍夫曼与我国学界联系较多，他从道德心理学角度研究移情，在很大程度上积极促进了道德移情在国内的推广与研究。常宇秋和岑国桢[①]（2003）、乔建中（2006）、霍夫曼（1996）都对之做出了介绍和研究。霍夫曼认为，移情就是一种与他人所处情境更适应的情感反应，这个反应常常发生于个体对受害者的观察过程，来自受害者本身或者受害者情境线索使得个体产生替代性体验。[②]所以他认为移情通过移情忧伤引发了人们做出亲社会行为的动机。对于移情、道德原则和亲社会行为之间的关系，霍夫曼演绎出了一个推理，即移情直接引发了亲社会行为的动机作用；移情又可以激活道德原则，于是移情与道德原则共同作用，导致亲社会行为的发生。[③]对于移情的儿童发展阶段，霍夫曼认为可分为四个阶段。第一阶段，普遍性移情，指在婴儿期，个体还不能区分别人和自己，即可通过简单的情绪唤起移情体验。第二阶段为自我中心移情，约在两岁。这个阶段，幼儿能分清自己与他人的区别，但对他人的内部心理状态是不清楚的，认为是与自己一样的。第三个阶段，对他人情感的移情，约在2—3岁，儿童开始意识到别人具有与自己不同的情感、需要及对事物的理解。这使得个体能更多地对涉及他人真实情感的诸多线索做出反应。第四阶段是对他人生活状况的移情，在童年晚期，认识到自己和他人的不同个性和历史背景，

---

① 常宇秋，岑国桢.6-10岁儿童道德移情特点的研究[J].心理科学，2003 (2)：219－223.

② Martin. L. Hoffman. Empathy and Moral Development [J]. The Annual Report of Educational Psychology in Japan, 1996.

③ 同②.

这时个体唤起的移情性情感会与他人遭不幸或被剥夺的心理表象结合，会促使个体去重视不幸者的困境。目前国内对移情的理论研究大多依照霍夫曼的理论来开展。

同时，国内学者还对移情—利他主义假说进行了介绍。该假说认为个体的帮助行为由处于困境中的他人的移情或个人忧伤所唤起，但两条助人路径的机制不同：移情通过引发利他动机而激发帮助行为，个人忧伤则通过引发利己动机而引发帮助行为。移情所引发的帮助行为以解除他人困境和提升他人福利为终极目的，所以是利他的。移情—利他主义假说经过了一系列实验的证明，说明利他主义是存在的。基于该理论我国学者周念丽编制了《中小学生移情量表》① (2001),赵会青编制了《大学生移情量表》② (2010)，都把"帮助他人意愿"、助人倾向作为维度之一。

Davis 提出移情的多因素模型也得到了国内研究者的关注，他认为移情是由移情性关注、观点采择、与虚构特征的一致性以及移情忧伤四种成分所组成。移情性关注测量的是以他人为中心的同情感和关注不幸者的行为倾向，观点采择指个体能够采纳他人心理观点的倾向，与虚构特征的一致性测量的是将自身移入到一些虚构人物的感受和行为中的倾向，移情忧伤则是指以自我为中心产生的焦虑感和在紧张的人际背景下产生的不适感。国内学者将之视为移情的心理成分进行了充分的研究,潘孝富等(2010)发展的共情模型分为共情识别、共情理解、共情应对三个维度，其中共情理解和共情识别对应"观点采择"成分。③ 更多的研究将观点采择这一因素独立出来，与不同工具测量下的移情水平进行相关研究。前者为认知因

---

① 周念丽.中小学生移情量表编制研究[J].心理科学, 2001 (5) : 610 − 611 + 635.

② 赵会青.大学生移情问卷的编制及其与感戴的关系研究[D].石家庄:河北师范大学, 2010.

③ 潘孝富,孔康,赵斌强,等.大学生共情能力结构及其问卷编制[J].心理研究, 2010, 3 (5) : 73 − 78.

素，后者为情感因素，研究得出二者高度相关的结论。[①]

三、学生移情的影响因素、品德发展功能与移情训练

国内对学生的移情研究主要为大量实证研究，其主题集中在影响因素、对亲社会行为的影响、移情训练等方面。

（一）学生移情的影响因素研究

国内学者对从幼儿园到大学生群体移情的影响因素进行了大量研究，大体归为：家庭、性别、年龄、人格、认知等方面。

移情是一种社会化情感，家庭则是儿童社会化的第一场所，所以家庭环境对个人移情能力的发展尤为重要。父母对子女的教养方式、亲子间的沟通方式、家庭经济压力、家庭氛围也会对儿童的移情能力产生影响。研究发现在家庭环境中感受到温暖和积极热情氛围的孩子，移情水平更高。对高中生的研究发现，家庭教养方式不仅能直接预测共情能力和自我接纳能力，并且家庭教养方式还可以通过自我接纳对个体的共情能力产生间接的预测作用[②]。对大学生的研究也发现，父母的情感温暖、理解的养育方式与大学生移情能力呈正相关，并有显著的正向预测作用；父母的惩罚、严厉等消极的养育方式与大学生移情能力呈负相关，并有显著的负向预测作用。[③]除家庭教养方式之外，周庚秀（2013）研究发现家庭环境中的知识性、组织性、控制性也直接影响青少年的认知移情；家庭环境中的亲密度和知

---

① 佘宏波，刘桂珍．移情、道德推理、观点采择与亲社会行为关系的研究进展［J］．心理发展与教育，2006 (1)：113 − 116.

② 纪晓琳．高中生家庭教养方式、共情能力与自我接纳的关系研究［D］．天津：天津师范大学，2015.

③ 胡文彬，高健，康铁君，等．大学生共情与父母教养方式的关系及影响因素研究［J］．中国健康心理学杂志，2009，17 (9)：1050 − 1055.

识性直接影响青少年的情感移情。[①]

在性别与年龄方面，常识认为女性在移情水平上会普遍高于男性。但从已有研究来看，学前阶段的儿童在移情上不存在性别差异。[②]进入学龄阶段以后就表现出了性别差异，女性的情绪移情水平开始高于男性。例如一项对 15738 名中学生的研究发现，女生的移情水平高于男生，且移情关注得分存在性别和年龄的交互作用。[③]这与以往的研究一致。同时，一项关于移情性别差异的元分析具有一定的价值，研究对 175 项研究和 186 个独立效应量，共包含 179546 名被试进行了元分析，发现了发展阶段对移情总分的调节效应。[④]从发展阶段来看，在学前期无论是共情总分，还是认知共情或情绪共情都不存在显著的性别差异，而青春期个体的共情总分、情绪共情得分与性别之间的关系最强。因此研究认为，青春期是移情发展中性别模式开始加剧的时期。

在个体人格方面，研究者利用人格问卷来研究基本的人格因素和移情能力之间的相互关联。例如，青少年的移情特质和大五人格的关系研究显示，移情和大五人格中的宜人性的正相关最高；其次是责任感、能量和开放性，而且移情与情绪稳定性无关。此外，周念丽（2001）对中小学生移情的研究发现，移情能力与外向性和情绪不稳定性之间无明显相关。[⑤]但是，闫志英和卢家楣（2011）却发现移情与内外向的交互作用对助人倾向

---

① 周庚秀 . 家庭环境、学校环境与中学生共情能力的关系研究［D］. 长沙 : 湖南师范大学 , 2013.

② 李丹 , 李燕 , 宗爱东 , 等 .2 岁幼儿移情反应的特点 : 与自发帮助 , 气质 , 亲子互动的关系［J］. 心理科学 , 2005 (4) : 961 － 964.

③ 李小芳 , 卞晨阳 , 陈艳琳 . 青少年移情发展特点及其与攻击行为的关系［J］. 中国心理卫生杂志 , 2015 , 29 (9) : 708 － 713.

④ 颜志强 , 苏彦捷 . 共情的性别差异 : 来自元分析的证据［J］. 心理发展与教育 , 2018 , 34 (2) 129 － 136.

⑤ 周念丽 . 中小学生移情量表编制研究［J］. 心理科学 , 2001 (5) : 610 － 611 + 635.

具有显著的预测作用，[①] 即外向与否不影响个体移情，但是外向且产生移情的个体更易具有助人行为。另外，从积极人格与消极人格的区分看，彭秀芳（2006）发现积极人格与移情呈正相关。[②] 房绍霞（2010）则提出女生的移情识别能力高于男生，可能与女性个性中的敏感、依赖性等特质及人际交往方式有关。[③] 这些研究力图寻求移情的人格因素，仅从如上研究看，移情似乎不能称之为一项人格特质，二者之间的研究有待深入。

除此之外，对幼儿的研究也支持认知能力对移情产生了影响。移情产生于对他人所处情境、想法和情绪情感状态的理解和解释，不是简单地复制，所以个体认知能力的发展对个体的移情起调节作用。其中，个体对他人所处情境和情感感受感知和理解越深刻，个体越容易产生对他人的移情反应；以往发生在自己身上的痛苦和快乐的经验记忆越深刻，越容易使个体产生对他人在类似情境下的移情；个体可以通过想象他人讲述的经历或想象他人正在感受的情绪情感体验，从而产生相同或相似的情绪性反应。[④]

（二）学生移情的品德发展功能

自 20 世纪 90 代开始，我国已有李辽[⑤]（1990）、吴晓红[⑥]（1993）、丁

---

① 闫志英，卢家楣．移情对助人倾向的影响：人格的调节作用［C］// 中国心理学会．增强心理学服务社会的意识和功能：中国心理学会成立 90 周年纪念大会暨第十四届全国心理学学术会议论文摘要集，2011：574.

② 彭秀芳．大学生的移情结构及其与积极人格、亲社会行为的关系研究［D］．北京：首都师范大学，2006.

③ 房绍霞．重庆高校大学生共情能力对人际关系的影响研究［D］．重庆：西南大学，2010.

④ 肖琼华．幼儿移情影响因素的研究［D］．长春：东北师范大学，2006.

⑤ 李辽．青少年的移情与亲社会行为的关系［J］．心理学报，1990（1）：72－79.

⑥ 吴晓红．城乡小学生移情发展的比较研究［J］．心理科学，1993，16（1）：55－56.

芳[①]（1996）、王景英[②]等人（1998）联系道德心理和儿童的亲社会行为对移情进行研究，肯定它在学生个体道德发展中的积极作用和功能。例如，李福芹等（1994）认为移情是自我与亲社会行为之间的一个重要的中介变量，认为儿童在道德情境中的这种能力是他们履行道德行为的一个必不可少的条件。[③]大量的研究证实了认知移情、情感移情与亲社会行为之间存在正相关关系。此类研究持续到最近，如宋仕婕等（2016）的研究结果证实，移情能力影响大学生亲社会行为，高移情能力的个体捐助任务水平显著高于低移情能力的个体，移情能力作为影响亲社会行为的重要因素得到了验证。[④]这说明大学生移情能力越高，其亲社会行为表现就越好。

寇彧和徐华女（2005）将移情对亲社会行为的影响总结为两大功能：动机功能和信息功能。[⑤]其信息功能表现为激发霍夫曼所提出的道德原则或者阐释移情—利他主义假说中所涉及的移情关注，而动机功能表现为移情性忧伤的激发与利他动机，两种功能均能促进亲社会行为。可见，移情与亲社会行为之间存在高度相关的关系。

除此之外，移情还能激发学生进行道德判断。移情通过激活人头脑中特定的道德准则从而影响道德判断。当他人的权益受到侵犯时，个体会深感不公平或愤怒。当他人处于不幸和身心痛苦时，个体也会产生发自内心的同情，或者会因为不能提供帮助而感到内疚。这些移情情绪会使一个人

---

① 丁芳．儿童道德判断与亲社会行为的关系及教育［J］．山东师大学报（社会科学版），1996（4）：65－67.

② 王景英．盖笑松．小学生对不同类型情感的移情水平发展的研究［J］．心理发展与教育，1998（3）：20－23.

③ 李福芹，叶文君，陈丽．移情训练对幼儿分享行为的影响的实验研究［J］．心理科学，1994（3）：150－154.

④ 宋仕婕，丁凤琴．不同移情能力大学生亲社会行为的道德启动效应［J］．教育学术月刊，2016（3）：71－76＋84.

⑤ 寇彧，徐华女．移情对亲社会行为决策的两种功能［J］．心理学探新，2005（3）：73－77.

意识中的与当前问题有关的道德准则更为突显和活跃，随之就更有可能把它作为在思考道德问题时的重要依据，并最终得出相应的道德判断。

另外，移情也能促进学生进行道德内化。从移情对道德价值观、道德判断以及道德行为的影响可以看出，移情在整个道德内化过程中起着重要作用。同时，从移情情绪本身来看，对受伤害者或弱者产生移情并因此而产生的痛苦、同情、愤怒、自责、内疚、不公平的感受都是道德行为的动机力量。尤其在亲社会行为中，因移情产生的痛苦和同情会促进人们去帮助处在痛苦和需要帮助的人，以减缓他们的悲伤，并在助人后感到愉快。而由他人不公正的行为引发的移情性愤怒会促使人们对他人进行谴责甚至惩罚，进而维护了公正。情绪—动机—行为—缓解情绪这一完整循环自然地促进了个体道德价值观的内化。另外移情使人们更重视关爱、公平等体验，这种自身体验也可以促进学生形成相应的价值观，且以自身体验为基础的价值观更容易内化。

（三）学生移情训练研究

移情训练指的是通过一定的方式和方法来增强受众的移情水平，是一种有效的教育干预。在众多研究中，由于移情训练的不同设计而呈现出各自的特点。在国外的研究中，普遍重视认知和情感之间的交互，认为认知成分是本质。从国内研究来看，从 20 世纪 90 年代以来的移情训练更多强调提升儿童觉察别人的情绪、领会他人的感觉，进而形成共鸣的培养方法。例如重视移情的情绪特征，认为移情训练的核心在于能否与他人形成类似或相同的情绪状态[①]。当然也有研究者从认知的角度出发，强调移情训练促

① 赵会青．大学生移情问卷的编制及其与感戴的关系研究［D］．石家庄：河北师范大学，2010；合露露．移情训练促进留守小学生亲子关系的干预研究［D］．昆明：云南师范大学，2017.

进个体理解他人情绪情感[①]。并且二者产生的教育效果存在年龄差异。研究发现，对幼儿园、一年级和三年级学生来说，情境讨论法（认知因素为主）的作用逐渐提高，而角色扮演法（更多激发情感因素为主）的效果逐渐降低。[②]可见，随着年龄的增长，激发移情性情绪所起的作用会逐渐降低。这一点在著名的芬兰反校园霸凌计划——KiVa 计划里也被旁证。这一计划将防治校园霸凌的主体转移到旁观者，对这些旁观者的认知性移情训练起到了预防校园霸凌的显著效果。但就此得出认知性移情训练优于情感性移情训练的结论还为时过早，但至少可以承认二者均有好的效果，可基于学生的不同情况和特点予以选择。

第三节　学生内疚研究

一般认为移情在情感层面上没有正性与负性的区分，与此不同，内疚被认为是一种负性情绪，且是“一种有益的负性情绪”[③]，有利于个体道德品格的发展，增加亲社会行为，进而提升人们的社会适应性。国内对内疚的心理研究涉及以道德情感特征为主的多个侧面，包括其产生过程、影响因素、相伴随认知过程、行为特点与行为结果、学生发展特点以及特定学生群体儿童内疚研究等方面的内容。这是个相对完整且包含多个心理成分的系统。

① 郑秀芳．移情与暴力倾向的关系研究［D］．南京：南京师范大学，2012.

② 魏玉桂，李幼穗．不同移情训练法对儿童分享行为影响的实验研究［J］．心理科学，2001，24（5）：557－562＋638.

③ 何华容，丁道群．内疚：一种有益的负性情绪［J］．心理研究，2016，9（1）：3－8.

一、内疚的界定、理论与神经机制

一直以来对内疚的界定观点各异，这种差异本身也同时提供了对内疚的丰富性解读。

（一）内疚的界定

《心理学大词典》对内疚的定义是个体因为意识到自己违反了道德准则时产生的一种自责、悔恨的情感体验，①强调内疚的体验和原因。当下国内对内疚的研究都强调内疚作为一种负性情绪参与了社会生活，存在负面感受、内疚情绪理解以及内疚引发行为等方面。在国外研究成果的基础上，国内有些研究者更多关注负性情绪体验本身，认为内疚是个体觉得他们的真实或者假想的行为产生了不良的后果，并且违反了自我的道德标准而产生的痛苦的情绪体验。也有研究者关注自我意识情绪的界定及内疚引发的相关的行为后果，如杨丽珠等（2014）认为内疚是一种负性自我意识情绪，是当个体察觉到自己做错了事情或伤害了别人时，感到局促不安，同时倾向于向受害者道歉或采取某些措施来弥补自己犯下的错误时所产生的情绪。②也有的研究者更关注“内疚理解”，如张晓贤、桑标（2014）认为内疚是个体理解到他们的真实或者假想的行为产生了不良的后果，并且违反了自我的道德标准而产生的痛苦的情绪体验。也有研究者强调内疚作为道德情绪在个体的道德准则和道德行为间的调

① 朱智贤．心理学大辞典［M］．北京：北京师范大学出版社，1989：451.

② 杨丽珠，姜月，陶沙．早期儿童自我意识情绪发生发展研究［M］．北京：北京师范大学出版社，2014.

节作用[①]、内疚的行为补偿[②]、内疚的现象学表现等。

概括来说，科学心理学视域下的内疚是一种有益的负性道德情感，包含情绪理解的认知层面和随之的行为趋向，是一个整合的心理系统。当然，从弗洛伊德最早对内疚的关注开始，内疚同时也被赋予了更深层的解读。人格发展与动力取向下的内疚被赋予了深度心理学解释，弗洛伊德认为它来自于个体的俄狄浦斯期的发展焦虑。人本主义学者罗洛 · 梅（Rollo May）认为内疚与焦虑也存在密切关系，进而提出了“存在内疚”的概念，认为当人否认潜能且不能实现这些潜能时，其状态就是内疚。这些研究是在人格以及心理健康视域下的研究，作为品德系统的基础和背景而起作用，同时这些界定也都为内疚的持续深入研究提供方向。

（二）内疚的理论

国内关于内疚的理论最广为接受的是霍夫曼的移情—内疚理论。他将移情行为与认知发展联系起来，在移情的基础之上提出人际内疚理论。他认为内疚是当个体看到他人痛苦时会产生移情反应，在这个过程中，个体进行归因解释，与己有关的归因会产生良心上的反省，从而产生内疚感。为了减少或消除这种内疚感带来的不适，个体就会避免做出伤害别人的不良行为。但是，个体归因可能符合实际情况，也可能不符合。因此，霍夫曼就此提出虚拟内疚和违规内疚的区分。违规内疚是个体确实伤害或意图伤害他人而产生的内疚体验；虚拟内疚是个体认为自己做了错事或是与伤害事件有关联而产生的内疚体验。他认为虚拟内疚是个体道德发展的内在机制之一，在道德准则的内化、道德自我的建构等方面具有

---

① 任俊，高肖肖．道德情绪：道德行为的中介调节［J］．心理科学进展，2011，19（8）：1224－1232.

② 钱铭怡，戚健俐．大学生羞耻和内疚差异的对比研究［J］．心理学报，2002（6）：626－633.

独特的作用。他提出了四种类型的虚拟内疚形式：关系性虚拟内疚（把关系亲近的对方的责任归为自己责任而感到的内疚）、责任性虚拟内疚（肩负责任的个体对他人的意外伤害感到内疚）、发展性虚拟内疚（因为自己的优秀致使他人“相形见绌”而感到内疚）、幸存性虚拟内疚（大灾难中的幸存者为自己生存下来而他人去世而感到的内疚）。虚拟内疚产生的机制如下（见图 4-1）。

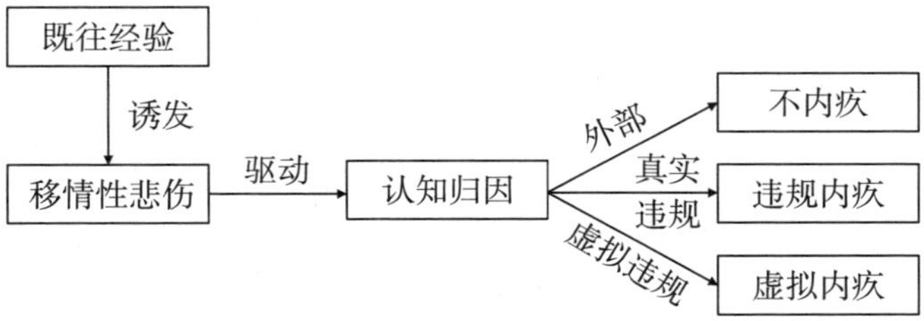

图 4-1　霍夫曼内疚机制图示

不论是违规内疚还是虚拟内疚，都是移情性悲伤和认知归因相结合的产物。基于该理论进行的内疚研究关注了归因方式、情绪理解、移情启动等主题。

与移情—内疚理论不同，精神分析理论视角下的内疚观为儿童品德发展提供深度心理学解释。弗洛伊德提出人格结构由相互作用的本我、自我、超我三部分组成。超我是人格结构中代表社会和文化规范的部分，大约 5 岁开始出现。在弗洛伊德看来，超我实际上是社会权威的一种内在延伸，以父母或教育者为原型。一旦形成，超我扮演了惩罚和奖励自己的角色，如果违背了自己内化的价值观，成熟儿童用内疚、羞愧和恐惧来惩罚自己；如果遵守了自己的道德价值，则会用自我正义、自我赞扬和自豪感来奖励自己。这样，弗洛伊德认为内疚的产生有两个根源，先是源于幼年时被父亲抛弃或受到惩罚后所产生的焦虑，其次是因而产生的超我的影响。埃里克森则主张内疚会在幼儿期（4—7 岁）出现，该阶段儿童需要解决自主对内疚的发展，如果幼儿的父母对其要求过高，就会促使幼儿将父母的控制进行转化，成为对自己的过度控制，一旦达不到父母的要求，就会产生内疚。以上属于内疚的精神分析视角，以此出发可用来解读人格发展中的动力问题，异常发展问题，因此一般应用于心理咨询领域，来对个体过度或者不足的内疚发展进行个性化理解和解读。不能简单地将该视角下的内疚用以线性地、具体地解释个体的道德行为。

伊扎德的情绪分化理论主要包括情绪分化与人格系统的关系、情绪与个体意识的关系、情绪系统及其过程、面部反馈假说四部分。伊扎德将情绪视为主要的动机系统，他认为情绪包含着神经生理、神经肌肉的表情行为、情感体验三个独立的子系统。内疚和其他基本情绪一样，是先天就有的，它在生物进化的过程中产生，不需要后天的学习。他认为内疚包括两种成分：一种是体验，一种是认知，两种成分相互作用就组成了复杂的内疚情绪。[①] 该理论适用于解读内疚的先天机制，为内疚认知神经科学研究提供了基础理论指导。

鉴于心理学研究的多流派，对内疚的这些理论倾向包含了知情系统、深度心理学、进化论等各个取向。一般认为心理学理论是中等效度理论，因此理论之间的差异可视为内疚研究的不同侧面，不必将不同理论对立。

（三）内疚的神经机制

越高级的心理现象，其产生的神经机制也越高级。但是由于内疚的复杂性、抽象性且难以诱发，所以很难设置实验情境对其探索，也比较难以采用生理测量法进行测量。不过，仍有研究者进行了尝试。

首先，研究者找到了“消极情绪”的脑区证据。Shin 等人（2000）让被试自己书写曾经经历过的内疚事件，同时使用正电子断层扫描（PET）

---

① 傅小兰. 情绪心理学［M］. 上海：华东师范大学出版社，2015：50－54.

技术来研究内疚情绪体验过程中的区域性脑血流(RCBF)变化。[①]结果发现，相较于中性条件，内疚情绪状态下旁边缘系统前区脑血流活动增加，其中包括双侧前颞极、前扣带回和左侧脑岛前叶和额下回，但是并不包括眶额皮层旁边缘系统前区。这说明内疚属于消极情绪，但是这可能只是证明了内疚情绪调节的神经机制，而不能说内疚产生的神经机制，所以也不能就此推论出内疚有特定的神经基础。

其次，研究者找到了内疚的认知参与证据。研究发现内疚与心理理论(theory of mind) 有类似的脑区。Takahashi 等人 (2004) 曾利用技术比较内疚和尴尬的区别，被试的任务是看一些分别含有内疚、尴尬和中性情绪的语句。[②]结果显示，内疚和尴尬情绪都激活了内侧前额叶、颞上沟和视觉皮层，这些脑区都与心理理论相关。同样，这只能说明内疚的产生有认知的参与，只能说明内疚产生过程的神经机制和心理理论的神经机制有关，但不能由此推论出这就是内疚的神经机制。

以上研究说明了内疚不同的神经机制，这也可能恰恰说明了内疚的复杂性，内疚本身可能具有非常复杂的神经机制，它的产生过程、内疚体验本身以及内疚的自我调节等可能都涉及更加精细的不同神经机制。这需要更多的相关研究去验证。

二、内疚的产生过程

内疚心理产生的过程包含诱发情境和启动、心理过程性成分，以及行为表现和行为结果三个部分。

---

① Shin L. M., Dougherty D. D., Orr S. P., et al. Activation of anterior paralimbic structures during guilt-related script-driven imagery [J] . Biolgical Psychiatry, 2000, 48 (1) : 43 － 50.

② Takahashi H. Brian activation associated with evaluative processes of guilt and embarrassment: an fMRI study [J] . Neuroimage, 2004 , 23 , 967 － 974.

（一）内疚诱发情境和启动

内疚是一种高级的情绪，一般被认为是发生在一定情境中的人际情绪，所以对于内疚的研究一般都置于一定的情境中，这种诱发情境具有启动内疚情绪的效应。基于情绪心理学的研究，情绪的成分之一是生理唤醒，如双眼朝下看或者斜视，呼吸变化和肌肉紧张颤抖等，内疚启动也包含内疚情绪生理启动。

为保证内疚启动，研究者一般都是先收集内疚诱发情境，再编制问卷，很多内疚问卷其实都是情境性问卷。① 研究者在收集情境时都注意到，内疚在不同的情境下存在一定的差异，诱发情境的内疚发生概率存在着个体差异。对学生群体而言，研究发现中学生在违背规则的情境中内疚感最强烈，而大学生则在人际情境中内疚体验最强烈。② 韩玺英（2008）以新疆地区的被试进行研究，发现 76.09% 的中学生被试的内疚源于责任情境。③ 对故事中的责任情境进行二次分类，分为对父母、对同伴、对老师、对他人 4 种情境，其中同伴关系情境最多，约占 47%，其次是父母。孙少英（2011）综合已有的文献，将初中生内疚的相关研究中涉及的内疚诱发情境总结为同伴关系（是青少年人际关系中最重要的部分）、学业、规则（包括社会习俗规则、社会群体规则等）、家庭四种情境。这些诱发情境与儿童生活与发展特点密切相关。④

---

① 杨玲，樊召锋．中学生内疚与羞耻差异的对比研究［J］．中国心理卫生杂志，2008 (7)：485 － 489.

② Ishikawa T., Uchiyama I., The Relations of Empathy and Role-Taking Ability to Guilt Feelings in Adolescence. ［J］. The Japanese Journal of Developmental Psychology, 2002, 13：12 － 19.

③ 韩玺英．中学生自我意识情绪理解能力及相关因素研究［D］．北京：首都师范大学，2008.

④ 孙少英．初中生的内疚诱发情景及内疚心理过程［D］．上海：华东师范大学，2011.

（二）内疚的心理过程性成分

大部分心理学家都认为内疚的产生经过了一些心理过程，已有的文献中涉及的内疚心理过程性成分主要有以下几种：结果评价，即对事情结果的评价，事情发生后个体会先意识到事情带来了不好的结果或者有人受到了伤害。自我觉察，即在事件发生后，个体意识到事件与自己有关。规范违背，即个体意识到自己违背了某些规范，如道德准则或者是个人准则。责任评估，即个体会将所造成事情后果的责任归到自己身上，对自我进行责备。自我评价，即个体会进行自我形象、自我同一性的判定，一般会对自我进行贬低性评价。行为归因，即个体倾向于认为是因为自己的所为或者无为而导致了事情的不良后果进而导致内疚体验的产生。补偿倾向，即个体为了减少内疚感倾向于采取一定的补偿行为。

这些心理过程往往并不独立，而是相互之间存在联系，因此可称之为心理的过程性成分。这种相互联系表现如下：

规范违背和自我评价在意识里往往是重叠的，比如说当没有履行自己的承诺时，个体会感到内疚，可能会想到“我不是一个诚信的人”，这句话中既包括了对自我形象的评价，也在一定程度上包含了违背“人要诚信”的规范。所以规范违背也可以看作是自我评价。

同样，责任评估也可以看作是行为归因，比如说“都怪我忘记了”，一方面是对事件的后果进行行为归因，同时也是自我责任的承担。大部分研究都是证明内疚的归因是内部的、不稳定的、可控的[①]，个体越倾向于外归因，内疚感就越少[②]。

---

① 樊召锋，俞国良．自尊、归因方式与内疚和羞耻的关系研究［J］．心理学探新，2008，28 (4)：57 － 61 + 79；高学德，周爱保，宿光平．反事实思维与内疚和羞耻的关系：以大学生和青少年罪犯为例［J］．心理发展与教育，2008 (4)：113 － 118.

② 樊召锋，俞国良．自尊、归因方式与内疚和羞耻的关系研究［J］．心理学探新，2008，28 (4)：57 － 61 + 79.

关于补偿倾向的研究是最多的，已有的研究普遍认为，内疚必然会引发补偿倾向。比较起羞耻，内疚更倾向于趋近，即采取一定的补偿行为修正事件，而且内疚感越强，越倾向于采取一定的补偿倾向。

虽然对内疚的定义总会涉及事情产生了不好的结果或者伤害到了他人，可是对结果评价的研究并不多，但有研究证明所评价结果的严重性对内疚强度有直接的影响，并通过内疚对补偿倾向具有间接的作用。[①] 另外，虽然规范违背、自我评价、责任评估、行为归因等都首先要求自我觉察，但对自我觉察进行研究的文献较少，这可能是因为自我觉察过短，难以研究。

（三）内疚理解的学生发展

结合内疚的诸多过程性成分，我国研究者进行了关于儿童“内疚理解”的系列研究，为内疚的这些过程性成分之相互作用与个体发展提供了有益的结论。

研究者一般采用临床访谈法，向儿童提供故事并就故事进行提问和访谈。徐琴美、张晓贤（2003）对 5—9 岁的儿童进行了关于内疚情绪理解的研究，经过研究他们将儿童的内疚理解分为三个层次：（1）心里感到难过；（2）为自己的想法和行为感到难过；（3）为自己的行为和想法感到难过，并随后会采取一定的弥补行为。[②] 结果发现，即使是 5 岁的儿童也能根据一般的社会规则对带有侵犯性的行为做出成人式的评价，这表明 5 岁的儿童已经获得了理解内疚的认知能力。研究同时发现，儿童对于内疚情绪的推理并不存在年龄差异，但年龄差异会对儿童对于内疚的后继弥补

---

① Blake M. Riek. Transgressions, Guilt, and Forgiveness: A Model of Seeking Forgiveness [J]. Journal of Psychology and Theology, 2010, 38 (4) : 246 − 254.

② 徐琴美，张晓贤 .5–9 岁儿童内疚情绪理解的特点 [J]. 心理发展与教育，2003 (3) : 29 − 34.

行为认知产生影响。这表明儿童的认知能力可能会首先作用于行为，其次才会作用于情绪情感的推理。此外，结果还发现，即使是9岁的儿童也无法很好地理解内疚，这表明儿童对于高级情绪的认知还处于发展阶段。其后，研究者进一步验证了9—11岁儿童对于内疚情绪的理解能力。[①]研究发现，虽然9—11岁的儿童对内疚情绪的理解能力不断提高，但儿童到了11岁仍然无法很好地理解内疚的第二、第三层次，研究认为这可能与儿童无法从内化了的道德出发来理解内疚情绪有关，而内化关乎一个人的品德整合，不会在11岁就发展完成。

关于内疚理解的影响因素方面，张晓贤、徐琴美（2010）研究了人际因素（此处指权威的评价，例如老师过来说“你这样做可不好”）是否会影响儿童对内疚情绪的理解。[②]结果发现，在引入了该因素后，儿童均表现出了对于内疚情绪更进一步的理解。基于该研究结果，他们提出了儿童对于内疚情绪的理解能力发展的三个阶段的假设：完全不能理解内疚情绪阶段，借助一定的外界线索能理解内疚情绪阶段以及不需要外界线索就能理解内疚情绪阶段。这三个阶段其实质是内疚理解的进一步发展，也是道德进一步内化的表现，不需要外部线索就能够理解内疚时，内疚就成为个体品德进一步发展的内源性情感力量之一。

（四）内疚的外在行为表现与随后行为结果

从目前的研究来看，研究内疚发生时的行为表现比较少，目前看到的研究多是关注幼儿的。文静（2018）专门研究了幼儿内疚情绪发生时的行为特征，从言语来看，主要有道歉、不说话、喊叫，解释原因、小声自言

---

① 张晓贤，桑标，洪芳.9–11岁儿童对社会性害怕和内疚情绪的理解[J].应用心理学，2010，16(4)：349 – 355.

② 张晓贤，徐琴美.人际因素促进5–9岁儿童内疚情绪理解的研究[J].心理科学，2010，33(4)：942 – 945.

自语、询问，绕开话题、叹气；从动作来看，主要有低头、看对方、手部动作、笑、拥抱、躲闪、什么也不做、打人、捂脸、伸舌头。[①] 阶段不同，这些行为表现出现的频次、持续时间的长短也不一致。

这些外在行为随着个体年龄的增长而逐渐从外显走向内隐，年龄大的儿童和成人更多会通过以下方式来表达内疚之感：道德补偿与亲社会行为、自我惩罚、清洗效应等。

1. 道德补偿与亲社会行为

何华容和丁道群（2016）表示，内疚并非先天具备，而是人类在同他人进行交往过程中逐渐进化出来的。[②] 它有益于人们道德品质的提升，对于人们社会交往能力的提高至关重要。当个体处于内疚情绪中，其往往会选择做出诸如赔礼道歉、帮助他人、对受害人进行物质补偿等亲社会行为。国内有很多研究者展开实证研究探讨内疚与亲社会行为的关系，从研究的结果来看，都支持内疚与亲社会行为之间存在正相关。这些研究的对象分不同阶段和类型，如幼儿[③]、大学生[④]、中学生[⑤]、高职院校学生[⑥]等。对幼儿的相关研究聚焦在具体的分享行为，指的是个人拿出自己拥有的物品让他人共享从而使他人受益的行为。研究者认为随着儿童区分自我和他人能力的增强，他们开始能够感知到自己所感受到的痛苦状态是由他人的痛苦状态引起的，并且能够把这种消极的情绪状态转化为以解决问题为导向的行

① 文静 . 3–6 岁幼儿内疚情绪研究及其对心理健康教育的启示［D］. 长春：长春师范大学，2018.

② 何华容，丁道群 . 内疚：一种有益的负性情绪［J］. 心理研究，2016，9（1）：3 – 8.

③ 孟妍菁 . 幼儿内疚的发展及内疚与分享行为的关系［D］. 大连：辽宁师范大学，2019.

④ 吕琳 . 大学生内疚的特征、相关因素及其对亲社会行为的影响研究［D］. 重庆：重庆师范大学，2017.

⑤ 毛静思 . 中学生道德判断能力、内疚与亲社会行为的关系研究［D］. 成都：四川师范大学，2012.

⑥ 康家慧 . 高职院校学生道德判断能力、内疚与亲社会行为的关系研究［D］. 石家庄：河北师范大学，2014.

为，即内疚情绪诱发会促进个体的分享表现。

道德补偿行为是指个体在做了不道德行为之后，偏爱通过利他行为（或利他倾向）来减轻自己的不道德感。因此，内疚能加强有利于人际关系的行为模式，违规者会产生补偿行为。补偿行为的实施不仅能促进人际关系的修复，而且有利于个体建立良好的自我形象。Zhong 等人（2010）提出的道德补偿理论认为：个体的道德决策是一个动态平衡的过程，即如果个体先前做出道德的决策，这时他们就会形成一个积极的自我形象，那么，在之后的决策中个体就会做出更不道德的决策；而如果先前做出不道德的决策，在随后的决策中就会补偿性地做出更道德的决策。① 此时，即使他们后来做出了不道德的决策也可以保护他们的自我形象不受威胁，个体可以告诉自己（以及他人）："即使我这一次做出了自私的行为，但我先前已经做了更道德的行为，所以我仍然是个好人。"个体总是依据他们先前的道德决策来动态调整后面的道德决策。

2. 自我惩罚

当内疚者没有机会对受害者进行补偿时，可能通过自我惩罚的方式来缓解心中的内疚。研究者提出了"多比效应"（Dobby effect）来解释。② 多比是《哈利・波特》系列小说中的一只家养小精灵，作为主人的小精灵他必须听从主人的命令，而每次他违背了主人的命令后他都会用某种方式进行自我惩罚，我们将这种自我惩罚的行为或倾向称为"多比效应"。在 Nelissen 的一项研究中，研究者发现在第一轮中诱发内疚情绪体验的个体，在第二轮中都会表现出强度更大的自我惩罚。研究者认为这种内疚导致的

---

① Zhong C. B, Ku G., Lount R. B., Murnighan J. K. Compensatory ethics [J]. Journal of Business Ethics, 2010, 92 (3) : 323 – 339.

② Nelissen R, & Zeelenberg M When guilt evokes self-punishment: evidence for the existence of a Dobby Effect [J]. Emotion, 2009, 9 (1) : 118 – 122; Nelissen R. M. Gilt-induced Self-Punishment as a Sign of Remorse [J]. Social Psychological and Personality Science, 2012, 3 (2) : 139 – 144.

自我惩罚具有自我确认和自我肯定的功能，内疚的个体通过自我惩罚可以重建良好的自我形象。[①]因此，内疚通常会导致亲社会行为，而自我惩罚是亲社会行为无法实现时“不得已的”选择。

3. 清洗效应

另外，具身心理学视角下，身体干净和道德的纯洁有某种心理上的联结，这被称为“麦克白效应”(Macbeth effect)。莎士比亚的名剧《麦克白》中，麦克白夫人在谋杀之后总是不停地洗手，以期能洗掉手上想象出来的血迹。许多宗教也将清洁身体作为一种净化心灵的象征性仪式，认为身体的清洁可以净化灵魂。研究发现，罪恶感不仅能促使人们去清洗自己，而且这种清洗真的可以“洗掉”人们过去的不道德行为。[②]研究者让被试先完成回忆任务（启动情绪），然后将被试随机地分成两组，其中一组在完成回忆任务之后洗手，而另一组则不洗手，随后让他们对自己当前的情绪进行评估，最后询问他们是否愿意完成另一项研究以帮助一个绝望的毕业生。研究发现，洗了手的被试更少去施加帮助，研究者解释为他们在洗手过程中已经将道德污渍洗掉了，重建了一个恰当的道德自我。同时，研究表明洗手行为降低了道德情绪，而对非道德情绪没有影响。研究者进一步提出，物理上的清洗行为不仅可以清除我们过去的不道德行为，而且可以清除我们对过去决定的负面评价。这种“清洁效应”不仅是针对道德评价的，而且对心理感受有普遍的作用。

这些方式都是产生内疚感之后，加以自我情绪的方法，没有善恶之分，教育者一方面借由这些心理效应来更好地理解儿童，另一方面对它们适当地利用也可以产生好的教育效果。

---

① Nelissen R M. Gilt-induced Self-Punishment as a Sign of Remorse [J]. Social Psychological and Personality Science, 2012, 3(2):139-144.

② Lee, S. W., & Schwarz, N. Washing away post-decisional dissonance [J]. Science, 2010, 709.

三、影响学生内疚产生的因素研究

内疚作为一种道德情绪，在儿童社会化过程中不断得到发展，自然会受到心理理论、气质、自尊等自身内部因素和家庭教养方式、文化等外界诸多因素的影响。

（一）内部因素

从个体内部来看，个体在早期就表现出了稳定的独特的气质，因此自身的气质类型也会影响到内疚情绪的发展。国内学者刘文、杨丽珠和邹萍(2004)将儿童气质分为情绪性、社会抑制性、专注性等五个维度，[①]并通过实证研究发现，社会抑制性气质的3—9岁儿童表现出更高水平的内疚情绪，气质类型与内疚情绪水平呈现高相关。

另外，自尊是自我评价的结果，归因方式是认识和评价自我及他人的重要方面，所以自尊、归因方式与内疚情绪有着密切联系。樊召锋、俞国良（2008）研究表明中学生的自尊与内疚呈显著正相关，中学生对内疚事件更倾向于内归因，对羞耻事件更倾向于外归因。[②]

（二）外部因素

影响内疚的外部因素有家庭关系与人际关系。由于家庭关系是儿童最早接触到的社会关系，所以父母的教养方式是非常关键的影响因素。Koestner，Zuroff 和 Powers（1991）的追踪研究结果发现，对受到父母拒绝

---

① 刘文，杨丽珠，邹萍.3–9岁儿童气质类型研究［J］.心理与行为研究，2004(4)：603－609.

② 樊召锋，俞国良.自尊、归因方式与内疚和羞耻的关系研究［J］.心理学探新，2008，28(4) 57－61＋79.

性抚养方式的 5 岁儿童能够显著地预测出其 12 岁时的内疚情绪水平。[①]

在学校，学生也会发展更广泛的人际关系，因此人际因素也发挥了重要作用。张晓贤、徐琴美（2010) 采用临床访谈法研究发现，教师评价能够促进 7 岁和 9 岁儿童对违规者的违规行为进行恰当的情绪归因及采取弥补行为，同时也能促进儿童对内疚不同层次的理解。[②] 吕琳（2017）让被试自己评价自己的学习位置和朋友数量，试图进一步探究学业成绩以及人际关系与内疚关系。[③] 经过分析得出结果，学业成绩较高的个体内疚水平更高，更容易引发内疚；人际关系越好的个体，在“辜负群体”这一维度上表现出更多的内疚。这是因为，学业成就较高的个体拥有较强的自我效能感和自我控制能力，当个体面对可能会引发内疚的情境时，这种自控会让个体产生内疚，这是自我控制的一种体现。而人际关系好的个体会维护集体利益，为了符合和满足群体行为而产生的内疚有助于个体提升人际关系。

四、内疚发展的学生群体差异研究

对内疚的差异性研究包括群体差异、性别差异和地域差异等。

（一）性别、文化和地域差异的研究

学校情境中，一般认为女生移情能力更强，因此认为女生的内疚感强于男生。不过研究发现，移情对内疚作用力的性别差异具有情境性。比如在不作为情境中，女生移情对于内疚的作用更强；而欺骗情境中，男生移

① Koestner R.,Zuroff D.C., Powers T A . Family origins of adolescent self−criticism and its continuity into adulthood. [J] . Journal of Abnormal Psychology, 1991, 100 (2) : 191 − 197.

② 张晓贤，徐琴美 . 人际因素促进 5−9 岁儿童内疚情绪理解的研究［J］. 心理科学，2010，33 (4) : 42 − 45.

③ 吕琳 . 大学生内疚的特征、相关因素及其对亲社会行为的影响研究［D］. 重庆：重庆师范大学，2017.

情对于内疚的作用更强。另外，女生的家庭内疚诱发情境显著高于男生，这一方面可能因为女儿和母亲的冲突更多，另一方面也是因为女生的内疚阈限更低，在亲子冲突中更易体验到内疚[①]；而规则情境上，研究认为初中男生较多规则内疚情境，这可能是因为初中男生更易冲动，自我控制能力更差，虽然明知道不应该违背规则，但依然做出了违背规则的行为，而正因为如此有更多的内疚体验[②]。另外，也有研究者发现内疚在青少年期存在的性别差异到了成人期之后就会消失。以上说明两性关注的是不同的道德方面，内疚的性别差异不能简单定论。

文化和地域差异方面，国内研究者发现，尽管研究同一阶段的学生，但选取不同地域的学生，则会有不同结果。比如在研究初中生的内疚诱发情境中，孙少英（2011）基于开放性问卷调查了上海地区的初中生，发现初中生的同伴关系诱发内疚情境不仅很多，而且居于主导地位。[③]而王美萍等（2007）的研究证明亲子冲突诱发居多。[④]这一差异可能与地区性亚文化有关：王美萍等人的研究被试是山东的学生，山东学生比上海学生可能更容易在家庭情境中产生内疚体验。地域性差异进一步说明了内疚是受到从个人因素到文化因素的系统性影响，宏观与微观环境等因素可能共同对它起作用，只是如何在起作用还需要进一步的研究。

（二）正常学生群体与特殊学生群体的差异

从所得文献看，内疚情绪研究关注了两个特殊学生群体：听障生与工

---

① Smits, Dirk J. M, De Boeck, & Paul. A componential IRT model for guilt［J］. Multivariate Behavioral Research, 2003, 38 (2) : 161 − 188.

② 丁海燕，罗艳珠．儿童自我控制发展特点及其制约因素探讨［J］．长沙民政职业技术学院学报，2005，12，19 − 25.

③ 孙少英．初中生的内疚诱发情景及内疚心理过程［D］．上海：华东师范大学，2011.

④ 王美萍，张文新．青少年期亲子冲突与亲子亲合的发展特征［J］．心理科学，2007，30 (5) : 1196 − 1198.

读生，形成两类与正常群体对比的研究对象。

一是对听障生与健听生的对比研究。通过与健听生的比较发现，中学听障生的内疚理解分数显著低于健听生。[①] 其中的原因可能是，中学听障生的认知水平低于健听生，加之中学听障生的生活和学习环境不及健听生丰富，抽象思维发展受到一定限制，道德发展可能相对缓慢，故而其内疚情绪的发展受到一定制约。性别差异方面，中学女听障生的内疚分数显著高于中学男听障生。[②] 而且王志琳等（2018）发现，佩戴助听设备且时间较长的中学听障生的内疚与亲社会倾向的相关更为显著。[③] 这实际上揭示了人际互动在听障生社会性发展中的重要作用。研究表明，中学听障生在朋友交往情境中的内疚情绪理解能力高于与父母交往的情境。所以，要积极鼓励中学听障生的人际互动，尤其是与同伴的交往；并且客观分析中学听障生与父母互动中存在的问题，为之提出建设性对策。这些研究与上述“内疚理解”相关研究结论一致。

二是工读生与普通生的对比研究。工读生是指在工读学校中就读的具有情绪或行为等方面问题的学生，长时间反复出现违反与年龄相应的社会道德准则或纪律，侵犯他人或公共利益的行为的学生则患有品行障碍。工读学校收容 13—17 岁，有严重不良行为但并未达到违法犯罪程度的少年。学生住校周末回家，一般年限为 2 年。研究发现工读生的亲社会行为、移情水平以及整体水平都低于普通学生。[④] 在同伴情境、规则情境、家庭情境、学业情境四个情境中，工读生和普通生的内疚情绪理解在同伴、家庭和学

---

① 刘烛烛 . 听障儿童与正常儿童内疚情绪理解能力发展的比较研究［D］. 杭州：杭州师范大学，2016.

② 王志琳，朱诗婕，王云强，等 . 中学听障生内疚的特点及其与亲社会倾向的关系［J］. 中国特殊教育，2018 (8)：36 − 40 + 54.

③ 同 ①.

④ 商庆高 . 工读学校学生与普通中学生亲社会行为、移情的比较研究［D］. 上海：华东师范大学，2008.

业情境中都是有显著差异的，工读生情绪理解明显低于普通生，但在规则情境下没有差异。[①]原因可能与工读生面孔识别方面存在问题有关。工读生具有不同程度的心理和行为问题，他们与普通中学生在情绪面孔识别方面存在不同，难以寻找他人的情感线索、识别他人的情绪行为。因此，工读生能够理解的内疚情绪明显少于普通生。同时，他们的移情能力较低，因此大部分情境中对情绪归因时，工读生不能进行恰当的情绪归因，因此大部分都认为攻击性行为是合理的[②]。在内疚这一复杂的心理过程中，个体能感到难过内疚是前提条件，之后进行恰当的情绪归因，并意识到因为自己的行为造成了不好的后果，随后他们会出现补偿倾向或弥补行为来消解内心的负性体验。而工读生不能感到难过内疚，也就不能恰当地情绪归因，在内疚情境中有很多人都选择继续自己的错误行为。但是在规则情境中，工读生和普通生的内疚情绪不存在差异。因为相比较而言，规则情境明确而稳定。

第四节　学生羞愧研究

羞愧，在品德发展大部分文献中也被称为羞耻，是一种参与到个体品德发展中的自我情感力量，培养学生与儿童具有“廉耻之心”是中国文化下个体品德成长的重要开端和路径。中国文化重视羞愧，汉字里就有羞愧、羞耻、羞辱等程度上的细微区分，这与重视集体文化、重视德性修养的文化传统有关，而英语则以“shame”一以贯之。Benedict(1946）提出“羞愧文化”和“内疚文化”的差异后，羞愧成为具有文化心理学烙印的词汇。

---

① 周晓优．工读生的内疚情绪理解与干预研究［D］．杭州：杭州师范大学，2019.

② 李闻戈，方俊明．工读生和普通生攻击性行为归因方式的比较研究［J］．中国特殊教育，2004，51 (9)：81－85.

但随着文化的交流和国内个人主义的盛行，中国文化下的羞耻兼具两种文化含义，已经成为“双刃剑”。因此在维护学生身心健康发展的目标下，羞耻应该与自尊等其他道德情感和道德认知协同起作用，共同参与到儿童的品德建构过程之中。

一、羞愧的中国文化传统与当前研究取向

（一）羞愧的中国文化背景

中国儒家文化非常重视个体是否具有羞耻感、羞耻心，“知耻”是道德上的褒义词。这种羞愧感不仅被视为一种情绪，更显示了一个人的某种承受能力（知耻近乎勇——《礼记 · 中庸》）、是非观念和反省精神（无羞恶之心，非人也——《孟子 · 公孙丑上》），是培养良心与良知的基础（王阳明认为羞耻构成了一个中国人社会道德观的发展和树立良心的重要基础[①]，如“诛心公案”所示），甚至是国家兴衰的标志（礼义廉耻，国之四维，四维不张，国乃灭亡——《新五代史 · 冯道传》）。因此结合文化渊源和历史可以发现，中国文化更多强调羞耻的社会功能，强调羞耻作为社会道德对个人品德修养的推动、引导与精神引领的作用。因此，对中国人来说，羞耻感不仅仅是一种社会情绪，还是“一种非常值得我们追求的高尚的社会道德情操”[②]。这与我们重视道德修养的文化一脉相承。

文化具有惰性，即便在当代，这种羞愧文化也对我国学生与儿童的发展产生了重要影响，在中国文化下长大的父母会将羞耻感继续传递。研究者比较中国和美国母亲对她们蹒跚学步的孩子的错误行为归因，发现中国

---

① 竭婧，杨丽珠．羞愧感文化差异研究综述［J］．中国健康心理学杂志，2007 (6)：574 – 576.

② 盛洁，严从根．儿童羞愧感及其对家庭教育的启示［J］．小学德育，2010，399 (19)：15 – 17.

母亲比美国母亲更容易责怪自己。这表明在中国文化中，羞耻是父母和孩子之间的共同经历。同时，Fung 在访问台湾家长有关孩子养育中纪律的信念和价值时，发现所有家长都明确地把羞愧感归到道德范围。① 而西方人几乎都消极地看待羞愧感，认为它是一种需要治疗的疾病。因此西方父母不愿激发儿童羞耻，但是中国文化下父母会积极激发儿童的羞耻。日常生活中常可见到这样的情形，当儿童出现不当行为或是做了错事之后，成人的一个最为经常的反应之一就是问“羞不羞”，促使儿童因自己的行为而产生一种“羞”的情绪，以阻止类似行为的发生。按照情绪分化理论的观点，久而久之，便会使儿童在特定行为和羞耻之间形成条件反射。一旦意识到犯错或违规，通常都会反射性地产生羞耻之情。

中国传统文化重视“羞耻”感的文化烙印还表现在对羞耻感的细微分类上。就情绪感受程度由弱至深看，存在害羞、羞愧、羞耻、羞辱等程度上的区分。我国学者江峰（2015）甚至从教育学和教育现象学角度区分了中国儿童的“羞感”和“耻感”，支持了羞感作为人性价值意识起源，作为“转向自我”意识，出于保护弱小自我的自然和自发的反应，而耻感是为了维护社会自我和自尊的反应，且“耻感教育要以羞感为基础，蹂躏羞感的耻感会导致儿童的反常人格”②。但这方面的文化心理学研究还停留在现象学层面，还需要进一步深化。在中国文化下，儿童产生的这种耻感是如何学习而得？羞感成为自适应性行为的文化因素有哪些？羞耻文化对个体人格其他方面产生影响的前提条件、表达方式与发展结果是什么？这些文化心理问题都需要更深层次的探索。

---

① Fung H. Becoming a moral child: The socialization of shame among young Chinese children [J]. Ethos, 1999, 27 (2): 180 – 209.

② 江峰. 儿童的羞感与耻感教育 [J]. 教育学报, 2015 (4): 49 – 54.

（二）羞愧的个体心理学研究

西方发达国家对这种羞愧感普遍定义得比较狭隘，通常认为只有那些软弱或根本没有承受能力的年轻人才可能会有时产生十分羞愧的感觉。比如 Lewis（2000）就认为这种羞愧感其实是一系列复杂性的认知心理活动的必然结果，是某一个体通过运用某种内化了的认知标准、规则、目标对现实情境和人的总体自我进行严格评估后从而产生的一种消极心理感受。①

国内学者基于这种取向和这些研究主题进行了广泛研究：关注羞愧的应对方式②；羞愧对自尊、抑郁等心理健康问题③和对人际信任④的损伤，羞愧对社交焦虑的影响⑤等方面的主题；其他心理机制如心理控制源⑥等对羞愧的影响，等等。

总而言之，西方国家的心理学家们对产生羞愧感的心理机制，影响因素和羞愧感的作用都已经进行了较为系统深刻的理论阐释。但是就其实际

---

① Lewis M. Self-conscious Emotions: Embarrssment,Pride, Shame and Guilt［C］// Lewis M& Havil J. Handbook of emotions.New York: Guilf ord Press, 2000 : 623 − 636.

② 丁欣放，高隽，张祖贤，等．中学生羞耻应对在羞耻与抑郁间的中介作用［J］．中国心理卫生杂志，2012，26 (6) : 450 − 454.

③ 钟杰，李波，钱铭怡．自尊在大学生人格、羞耻感与心理健康关系模型中的作用研究［J］．中国临床心理学杂志，2002 (4) 241 − 245; 陈英敏，李亮，刘晓然，等．大学生羞怯与抑郁的关系：多重中介模型检验［J］. 中国特殊教育，2018 (10) : 76 − 82; 周颖，刘俊升 .3-8 年级学生羞怯与心理适应之关系：一个有中介的调节模型检验［J］．心理科学，2015，38 (4) : 861 − 869.

④ 雷励，王建峰．医学生人际信任与羞耻感、社会支持的相关研究［J］．中国健康心理学杂志，2015，23 (2) : 246 − 249.

⑤ 李波，钱铭怡，马长燕．大学生羞耻感对社交焦虑影响的纵向研究［J］．中国临床心理学杂志，2005 (2) : 156 − 158 + 152.

⑥ 王登峰，王燕，张雨新．心理控制源倾向与抑郁，羞耻，及自尊的关系初探［J］．中国心理卫生杂志，1992，6 (5) : 207 − 210 + 238.

作用来说主要还是在强调羞愧感的消极性。一致地认为羞愧感其实是一种与自我意识紧密联系的负面心理情感，过多的羞愧感往往会直接导致个体自我适应不良。

值得提出的是，尽管中国文化下作为道德情操的羞愧和西方研究中会对心理健康产生伤害的羞愧，看似是两种羞愧，但研究者一般认可其中所涉及的“羞愧”的感受类同。但是鉴于羞愧与自我意识、自我概念相联系，而自我又是很重要的文化心理学概念，所以羞愧因文化不同而表现出不同。随着文化的交流以及个体主义文化的盛行，现在关于羞愧的研究一般不做文化上的过度区分。羞愧的跨文化研究也多支持现象学层面、认知神经基础层面，自我意识和感受等方面并不存在文化差异。[①] 因而，国内关于羞愧的研究整合东西方文化的研究传统，既强调了积极意义（教育学领域居多），也强调了消极意义（心理健康领域居多）。

（三）羞愧的双刃剑作用

从儿童发展心理学的角度解释，羞愧是由与自我相关的厌恶事件引起的，羞愧感本身没有积极与消极的区分，但羞愧感所联动的自我系统本身会受到影响。因而羞愧是个体自我意识的一部分，是一种重要的社会情绪，对儿童的发展可能既有消极影响，也有积极影响。

1. 积极作用

在学校教育中，羞愧感的积极意义主要在于通过教育建立一个较为现实恰当的自我意识评价，保护自我，防止学生产生过于咎我自恋的不良情况，并使其发展表现出谦虚、谦让和谨慎等优良品质。[②] 因为处在成长过程中的这些学生需要了解自己应该严格遵守的自我限制在哪里。在这一过

---

① 汪智艳，张黎黎，高隽，等.中美大学生羞耻体验的异同[J].中国心理卫生杂志，2009，23 (2)：127 － 132.

② 盛洁，严从根.儿童羞愧感及其对家庭教育的启示[J].小学德育，2010 (19)：15 － 17.

程中，家长的恰当的期待、家庭充满爱的关系、儿童与父母的深入沟通和理解，都会促进儿童将羞愧感与自我感充分整合。将之整合到品德系统的过程避免了对儿童自尊方面的伤害，反而使得这些学生能更好地去分辨、容忍自身的各个方面。这样，羞愧感对于发展儿童的谦让与谦虚、尊重他人与自我尊重等方面的品质必不可少。

也正是羞愧的这一积极意义，社会对产生羞愧是鼓励和支持的。在面对错误时，一个人知道羞耻才会使得其更容易被原谅和接纳。有研究表明，若是个体在做出不良行为后并没有体现羞愧，而是及时采取了弥补的行为，人们原谅的可能性小于表达羞愧的情境。这都表明羞愧与品德完整与完善的积极期待有关。

2. 消极作用

羞愧的消极作用并非否定羞愧这一社会情感，其消极之处指的是在儿童的社会化过程中，持续、过多和人格化的羞愧影响了自我系统的价值判断、功能等，从对自我情境化的羞愧到人格化的羞愧，甚至自我憎恨和嫌恶，心理健康系统因而失衡，当然这也会一定程度上造成儿童整体品德系统的失衡。

从心理健康领域看，羞耻与童年时期的内化和外化问题有着广泛的联系。心理治疗临床上发现，羞耻通过加剧消极的自我评价来促进内化抑郁；而可耻的羞耻形成了“羞耻—愤怒”的外化循环，这种循环是将对他人的排斥理解为敌意造成的，敌对的归因偏见促进了攻击行为。同时在社会交往中，羞耻反应会形成一种不信任他人的敌对人际关系类型，倾向于认为他人有敌对意图，以敌对的方式解决人际关系问题。因此，羞耻通过加剧对他人负面评价的恐惧来加剧社交焦虑。这些外化和内化心理问题成为一种压力源，过多的压力会增加压力反应系统的负荷，影响身体健康。

另外，过多的羞耻也会干扰个人自我评价的形成。许多研究已经确定羞耻与心理健康密切相关。容易羞耻的人，心理健康水平相对较低，自我效能感和自尊心也低于不容易羞耻的人。对于负面事件，容易蒙羞的人往往会归因自我否定。当遇到困难和问题时，他们用否认和回避问题的方式来处理。[①]太多的羞耻，或者太突然的羞耻，会产生一种自我无力感。埃里克森在他的人格发展理论中提出，当孩子开始有自主选择和决定的意愿时，他们的父母过于限制和嘲笑他们，他们会感到羞愧和自我怀疑。但是，当孩子有自发自主行动的意愿时，如果父母对孩子的自制力要求过高，经常批评孩子，就会导致过度的控制和退缩行为。当羞耻发生时，如果学生缺乏内部力量或资源来对抗这些自我导向的破坏性攻击，这对他们的健康成长将产生不利影响。

最后，人格化的羞耻会体现整体的偏差。高强度、高浓度的羞耻反应会产生人群中的“易羞耻者”，施承孙，钱铭怡（1998）分析了其归因方式上易羞耻者对消极事件倾向于作自身的、持久的、整体性的归因，在事件的可控性中等和高等时表现更是如此。[②]遇到困难和问题更多使用“否定问题逃避问题”而不是“分析问题采取行动”，在自尊[③]，以及人格健康和整合方面遇到困难，这些因素已经构成了个体人格方面的特质，这在一定程度上会影响品德的形成与完善。

二、与内疚比较视域下的学生羞愧研究

一般认为，羞耻和内疚都是社会化的、消极的复杂情感，由经常失败引起，体验到沮丧、痛苦，指向自我的批评。二者一度被认为是相同的情

① 施承孙，钱铭怡．易羞耻者的归因方式和应对风格［J］．中国心理卫生杂志，1998，12（4）：193－195.

② 同①.

③ 樊召锋，俞国良．自尊、归因方式与内疚和羞耻的关系研究［J］．心理学探新，2008，28（4）：57－61＋79.

绪——自我意识情绪，但后来研究者发现其实有诸多差异。鉴于将二者等同的历史，很多关于羞愧的研究必将内疚作为配对情感加以对比，因此二者经常成对出现。

（一）脑神经机制

我国学者对羞愧的脑神经机制研究通常与内疚进行比对。研究发现，内疚与羞耻是两种相似的道德情绪，它们都会给个体带来强烈的负性体验，但是它们在神经激活区域上存在差异。研究者结合脑电和磁共振技术研究发现，内疚和羞耻情绪的差异会产生在额叶的 N2 成分（160—240 ms）和颞顶区的 alpha 波（240—1000 ms）；同时，磁共振研究发现，相比于羞耻，内疚会激活颞顶联合区、眶额叶、背外侧前额叶。这些结果都表明，内疚相比于羞耻涉及更多的心理理论加工，并且内疚和羞耻在自我参照加工上存在差异，羞耻涉及更多的自我参照加工。

（二）现象学表现

研究发现，羞耻和内疚有相似的现象学表现，包括低头、目光回避、视线转移等。其中年幼儿童与成人基于自身情感调节与表现的能力不同而略有差异。但是，一般认为羞耻更加接近于基本情绪。这是因为羞耻跟对自我的强烈批评有关，人们在体验到羞耻时会感觉自己糟糕、差劲，情绪体验因而会更痛苦和强烈。跟内疚相比，羞耻表现出具有跨文化稳定性的、可识别的表情和姿势，例如脸红、身形缩小，更加接近基本情绪。[①]

（三）心理层面上的差异

在个体归因方式方面，Tracy 和 Robin 提出以评价为基础的自我意

---

① 谢波，钱铭怡．中国大学生羞耻和内疚之现象学差异［J］．心理学报，2000，32（1）：105－109.

识产生模型。自我意识情绪的产生需要个体对事件加以认知关注，激发自我表征系统。若事件与自我认知目标相关，个体对目标一致性的判断，归因的不同会导致最终的情绪类别不同。内部、稳定、整体的归因，引发羞耻感；外部的、不稳定的、非整体的归因，引发内疚感。我国学者对 1040 名中国中学生的研究证实了在归因方面内疚与羞愧的这种差异。①

在随之引发的反应方面，内疚指向他人，羞耻指向自我。研究发现个体感到羞耻是因为觉得自己受到了伤害，而感到内疚是因为意识到自己的言行伤害了其他人。羞耻者关注自身感受，试图隐藏或逃避，甚至攻击自己或他人，内疚者意识到对他人的伤害或冒犯，会进而做出补偿行为。但是也有研究表明文化因素的影响。研究者发现中国被试在羞耻发生时并不觉得自己低人一等，或者很渺小。此外，易耻者认为自己对事件负有更多责任，并更希望当时能有所弥补。②这种结果可能与对羞耻的积极性文化理解有关。

就个体的心理健康而言，内疚可能和精神病理学无关，甚至可以认为它是一种适应性情绪，而羞耻则跟心理疾病有更加密切的联系。羞耻往往引发自我贬低、无法胜任、尴尬、暴露等负面感觉。这跟羞耻个体倾向于把负性事件归因于整体的、稳定的、跟自己有关的原因有关。此外，羞耻是一种极度不愉快的体验，驱使个体采取回避、隐藏等应对方式，而这种回避、隐藏的应对方式会维持心理症状，形成羞愧—回避—羞愧的循环。这些都在一定程度上维持甚至加剧原有的心理健康问题。

---

① 樊召锋，俞国良．自尊、归因方式与内疚和羞耻的关系研究［J］．心理学探新，2008，28 (4) : 57 − 61 + 79.

② 汪智艳，张黎黎，高隽，等．中美大学生羞耻体验的异同［J］．中国心理卫生杂志，2009，23 (2) : 127 − 132.

三、学生羞愧的心理成分与心理过程研究

羞愧的心理成分研究较为突出的有情绪唤醒、羞愧理解与羞愧的应对和调节。

（一）羞愧情绪的生理唤醒

情绪心理学肯定生理唤醒是情绪唤醒的重要指标，研究表明，当人们感到羞愧时常表现出双眼朝下看、斜视，或者做着各种不安定的动作。个体体验到羞愧时，一般伴随着感觉热、脸颊发烫，出汗、手潮湿，呼吸变化和肌肉紧张颤抖等现象。[①] 马惠霞、薛杨和刘静（2016）的研究中选择皮肤温度、皮电反应、血氧饱和度、指脉率等作为情绪唤醒的指标，研究发现个体体验到羞愧后会有较多的这方面的生理唤醒。[②] 因此，这些研究证明羞愧感同时伴随多个层面的生理唤醒。生理唤醒是难以控制的，多层唤醒证明羞愧属于基本情绪，会通过自我意识影响自我的存在。

（二）羞愧理解

与羞愧生理唤醒不同，羞愧理解是心理—认知层面的操作。国内外关于羞愧理解的研究来自于情感理解这一研究主题。羞愧理解是指个体对与自身生活相关的羞愧故事情境的理解能力，包括对他人羞愧情绪的识别以及对羞愧情绪原因和结果的理解。最早关于羞愧理解的研究是 Berti、Garattoni 和 Venturini(2000)，研究让儿童解释虚拟的电影人物的羞愧情绪，

---

① 李建平，张平，王丽芳，等 .5 种基本情绪自主神经反应模式特异性的实验研究［J］. 中国行为医学科学，2005，14 (3)：257 － 259.

② 马惠霞，薛杨，刘静 . 中学生学业羞愧：测量、生理唤醒及其与学业成绩的关系［J］. 心理学报，2016，48 (5)：529 － 539.

结果发现5—9岁的儿童已经能够理解羞愧情绪。鉴于文化差异以及虚拟电影远离生活的考虑，我国学者对此加以验证。丁芳、范李敏和张琛琛（2013）采用自编测量材料来探讨300名1—6年级小学儿童的羞愧情绪理解能力的年龄发展特点，运用欺骗、公德、当众出丑、学习能力4个常见情境和10个情绪词（高兴、难过、羞愧、害怕、不安、害羞、内疚、惭愧、生气、其他）来开展研究。[①] 每个故事后都附有两个问题：主人公为什么会有这种感觉？主人公接下来会怎么做呢？研究发现：小学儿童的羞愧情绪理解能力随年级增长而发展，并且在2—3年级有一个快速发展阶段；在四种羞愧情境中，小学儿童在公德情境中的羞愧情绪理解能力最高，其次是当众出丑情境和欺骗情境，最低是学习情境；除在公德情境中的羞愧情绪理解能力男生高于女生之外，无其他显著性别差异。

（三）羞愧的应对与调节

如前所述，内疚和羞愧都属于负面的情绪，内疚指向引发内疚的事件，因此关注责任判断；羞愧指向自我，关注理想自我，因此在个体层面上个体在产生羞愧反应后会随之进行应对以进行自我保护。羞耻的罗盘应对模型是这方面的典型理论。

Nathanson等心理学家认为，个体对羞耻的应对方式通常可以分为以下四种类型：逃避、退缩、攻击他人、攻击自我，并从两个维度：逃避与退缩，攻击他人与攻击自我，将罗盘分为四个级，故称其为羞耻的“罗盘应对理论”（图4–2）。

---

① 丁芳，范李敏，张琛琛．小学儿童羞耻情绪理解能力的发展[J]．心理科学，2013，36(5)：1163－1167.

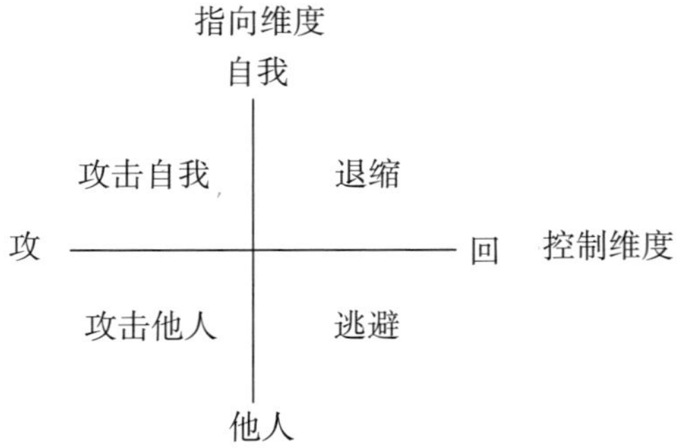

图 4–2 羞耻的“罗盘应对理论”模型

逃避应对方式通常产生于个体因那些由自己个性品质中（自认为）难以改变的不足所引发的羞耻情境中。具体包括两个方面，一是掩盖或掩饰那些可能给自己带来羞耻感的某些品质缺陷，而在其他可以引以自豪或受人青睐的方面过度补偿，以转移别人的注意指向。二是避开那些可能指出或发现其品质缺陷从而给自己带来羞耻感的人。但是，由于个体逃避的或是自己的缺陷，或是可能发现这些缺陷的人，因此采取逃避方式的个体往往很难真正地摆脱羞耻感的“纠缠”，并很容易产生社交障碍。

羞耻的退缩应对方式，是指个体在体验到羞耻之时，以行为的暂时性停滞甚至逃离当时的情境，来避开他人的注视，免受进一步羞耻的应对方式。尽管退缩的具体应对方式及其持续时间和程度会因具体的情境和主体而不同，但是与逃避相比较，它通常可以对个体的心理和行为产生两方面的积极影响：一是可以给个体提供一段自我反省的时间，使之对那个令自己感到羞耻的时刻进行审视和反思，以期找到自己羞耻感产生的根源，并努力改正之。二是可以给个体提供一段修复和重组自尊的时间，从而再次以他人所认可的方式融入集体性的社会互动之中。因此，许多心理学家将这种“退缩—反省”的应对方式看作是正确应对羞耻感的首要的行为，是自我成长和完善的必要途径之一。

羞耻的“攻击自我”应对方式，是指个体通过自责、自虐或者自嘲、自贬等方式，将他人的注意力从其先前的蒙羞行为转移到目前的行为上以减轻自己的痛苦体验并免受进一步羞耻的应对方式。这种应对方式的采用，是个体对自己所处的不利情境进行有意控制的一种努力，即试图通过攻击自我来保持与他人的情感联系。尽管在某些情况下，"攻击自我"确实是"应对令人难堪的羞耻体验的可取方式"，但是它是以牺牲自尊为代价的，经常性地使用很容易使个体陷入危险的"受虐"状态；而且，为了博得别人的好感而拿自己开玩笑，容易使个体忽视导致羞耻体验的深层次原因，即自己个性品质中有待完善的部分，而这一忽略只会在将来引发更多的问题。

羞耻的"攻击他人"应对方式，通常是个体在羞耻体验太过强烈时所采用的应对方式。此时，个体会对使自己蒙羞的人进行抱怨、斥责甚至施以暴力，通过使之蒙羞来减轻自己的羞耻体验，并以此显示自己的某种勇气。这种应对方式虽然在某种程度上可以将自己所不能承受的羞耻体验转嫁给别人，并使个体获得暂时性的力量感，但是它并不能真正解决问题，相反极有可能引发更深的羞耻感，并使个体在集体中陷入孤立状态。

受此启发，我国研究者对大中小学生群体的羞愧应对进行了大量研究。

对人格化的羞耻者，研究发现"羞耻敏感者"更可能使用回避、隐藏感情、祈祷和等待的应对方法，并较少积极寻求社会支持。①

对情境化的羞愧，其应对方式通过"羞愧唤起"的量表进行多因素的相互作用研究。汪启荣，安莉娟（2012）探讨过应对方式对羞耻感和抑郁的中介作用。② 研究采用经过中国文化修订的应对方式问卷（CSS）来开展，问卷在解决问题、自责、求助、幻想、退避和合理化六个因子的基础上分成羞愧的成熟型、不成熟型和混合型三种应对方式，成熟型应对方式包括

① 施承孙，钱铭怡．易羞耻者的归因方式和应对风格［J］．中国心理卫生杂志，1998，12 (4) : 193 － 195; 钱铭怡，刘嘉，张哲宇．羞耻易感性差异及对羞耻的应对［J］．心理学报，2003，35 (3) : 387 － 392.

② 汪启荣，安莉娟．大学生应对方式对羞耻感与抑郁的中介作用研究［J］．中国健康心理学杂志，2012，20 (9) : 1416 － 1418.

解决问题、求助两个因子，不成熟型包括自责、幻想和退避三个因子，合理化为混合型应对方式。对大学生的研究发现，羞耻感、应对方式对抑郁都有显著预测作用，且高羞耻感者多具有不成熟应对的方式。对中学生群体，丁欣放、高隽、张祖贤等（2012）也发现羞耻通过攻击自我和攻击他人的应对方式对个体抑郁具有不同的预测作用。①而敌意、愤怒攻击行为是羞愧的应对方式（杨坤，刘勇，2017）②，即更成熟的应对方式下，羞愧较少产生攻击性行为。另一项针对中专生的研究表明，羞耻感会导致个体人际信任的降低，并进一步削弱其自我控制能力，最终对中专生攻击行为产生影响，即具有人际信任到自我控制的链式中介。换言之，中专生体验到的羞愧让他们减少了人际信任，二者导致了自我控制力低，进而导致了更多的攻击行为。

值得提出的是，在羞愧应对中，人格化的羞愧韧性具有积极意义。它来自于 Turner 等（2002）对学业羞愧的研究，指的是学生面对失败能很快从羞愧情绪中恢复，产生更强学习动机，并改变学习策略，以期下次获得更好的分数的能力。我国学者的研究也发现，分数低的学生和分数高的学生都体验到学业羞愧③（俞国良，董妍，2006；马惠霞，薛杨和刘静，2016），但是分数低的学生其羞愧的消极作用大于积极作用，而分数高的学生则与此刚好相反。这说明后者有较强的羞愧韧性。因此，如何在教育中培养个体羞愧韧性是一个亟待研究的问题。

---

① 丁欣放，高隽，张祖贤，等．中学生羞耻应对在羞耻与抑郁间的中介作用［J］．中国心理卫生杂志，2012，26 (6)：450－454.

② 杨坤，刘勇．中学生敌意愤怒在羞耻倾向和攻击行为间的中介作用［J］．中国学校卫生，2017，38 (6)：879－881.

③ 俞国良，董妍．学习不良青少年与一般青少年学业情绪特点的比较研究［J］．心理科学，2006，29 (4)：811－814＋818；马惠霞，薛杨，刘静．中学生学业羞愧：测量、生理唤醒及其与学业成绩的关系［J］．心理学报，2016，48 (5)：529－539.

四、羞愧与学生道德教育

概而言之，内疚更多地与关注他人有关，个体更关注自己的错误行为，会积极弥补过错；而羞耻更多的与否定自我有关，甚至会攻击自己。所以从心理健康的角度，激发学生个体的内疚优于激发个体的羞耻感。而从学校道德教育角度看，尤其是考虑到东方的“耻感文化”，羞愧具有其特定的德育价值，但应关注羞愧的应对方式问题，合理引导个体，真正将羞耻感转化为完善自我的情感动力。因此，在教育过程中，教师要根据学生羞耻感的产生情境、应对方式、人格特质、氛围与人际关系等因素，有针对性地对学生进行教育和引导。

（一）有限度地使用学生的羞愧感

教育者应该正确认识羞愧所具有的功能和作用，视情况而决定是否激发学生的羞愧感：（1）如果学生做了他应该感到羞耻的事情但并没有羞愧体验，老师此时应该唤起他的羞耻感，羞耻的教育意义在于防止学生的道德堕落;（2）如果学生的羞耻感强烈或者教育感强烈，则不宜激发太多羞愧，如果他因而失去自信、不敢创新，那必然与教育目的背道而驰；（3）如果学生经常沉浸在羞耻的经历中并成为人格特质化，那么羞愧教育不仅不能帮助学生形成正确的是非观和耻辱感，反而可能让学生变得缺乏自信和畏缩，过于敏感和紧张，这显然不利于儿童道德品质的发展和人格的完善。因此，教师的很多教育措施要经过“是否过度激发羞耻感”的检验。例如，教育中惩戒是必要的，但是惩戒要尊重孩子的人格和自尊，不可挖苦、训斥、羞辱，长期如此，学生形成了对“差生”的认同，则会消磨掉他们的耻辱心，他就会习惯于自己的不良行为，此时惩戒与否对他来说意义不大，这与惩戒的真正目的相去甚远。

所以激发羞耻感只是道德教育的手段之一，仅仅以羞耻教育为基础是远远不够的，它只是启发道德发展的原材料，品德的发展和完善还需要多元情感相互影响，需要综合多元力量才能实现。

（二）理解学生的羞愧应对方式

“罗盘应对理论”告诉我们，尽管羞耻感是一种有益的道德情感，但是个体产生羞耻感的时候并不一定会采取积极、正确的应对方式，理解学生如何应对羞愧是进行羞耻教育的基础。

首先，要引导学生正确面对羞耻。在学校生活中，我们经常会看到这样的情形：一些学生明明做了不光彩、不体面的事情，却总是找借口、编理由，或者拿其他同学做挡箭牌、出气筒，甚至自嘲、自贬，给人以一种“不知羞耻”的印象。其实，他们的这种表现正表明他已体验到羞耻感，只是想借用“逃避”和“攻击他人”的方式来掩盖自己的尴尬，分散别人的注意力，以减轻自己的羞耻体验。对此，教师应有清楚的认识，不能为其“不知羞耻”的表面现象所迷惑，而应根据其心理采取有针对性的教育引导，即引导其如何正确面对羞耻感。教师应使其明了，其所采取的应对方式不过是“鸵鸟战术”，并不能真正解决问题，相反会使自己忽视导致羞耻体验的深层原因，进而极有可能引发更深的羞耻感，且易使其在集体中陷入孤立状态或产生社交障碍。“长痛不如短痛”，既然想摆脱羞耻，就应该勇于从根源上反省自己的不足，矫正自己的行为，这样才能真正摆脱羞耻感的“纠缠”。

其次，保护学生的退缩行为。同样，在学校生活中我们也经常会看到这样的情形：一些学生做了不光彩、不体面的事情后，会以行为的暂时性停滞甚至逃离当时情境的方式，来避开他人的注视。对于这样的“退缩”应对方式，教师不仅要鼓励，而且要保护。此时，教师切不要一再批评其刚才的错误，因为其已经为此感到了羞耻，正想找个“安静”的地方对刚才那个令自己感到羞耻的时刻进行审视和反思；同时，教师也要注意制止其他学生对其进一步指责、嘲笑，以便给其提供修复和重组自尊的氛围。

另外，教师还应对其给予适当的关心，一方面帮助其剖析导致羞耻的原因，鼓励其以他人所认可的方式融入集体互动之中；另一方面密切地关注其状况，以免其因“退缩”过度而引发病理性状况。

再次，引导学生建构理想自我。理想自我是一种“调节变量”，它在学生的心理发展中起着目标设立、认知过滤和行为引导等调节作用，并直接制约学生对什么敏感、对什么感兴趣、看重什么、向往什么等心理和行为倾向。同样，学生羞耻感的产生，与学生在社会互动中，对自己的行为是否符合自己的理想自我的评价和归因有着直接关系。正因为有了理想自我，学生才会关心自己的面子，才会在乎自己在社会互动中是“露了脸”，还是“丢了脸”。因此，在教育过程中，如果教师能够利用各种可行的方法，引导学生认识理想自我与社会要求之间的内在关系，进而引导学生将学校的德育要求转化为其对理想自我的某种追求，那么不仅可以在学生群体中建构起一种引发学生羞耻感产生的集体舆论机制，而且可以在学生心理上建构起一种促进学生道德发展的自我教育机制。

第五章
道德行为研究

道德行为是学生品德的外显和形成标志之一。一个人的道德认知哪怕再深刻，道德情感哪怕再丰富和强烈，但如果没有相应的道德行为表现，很难说他具有相应品德。当一个人实施现实的道德行为时，道德品质是作为一个完整的行为支配系统而发生作用的。正是由于道德品质的存在，人才得以在不同的时间、不同的情境中保持自己行为的一致性，形成稳定的行为方式。

道德行为开端研究之于学生品德发展的意义在于：个体做出的道德行为本身会在不同层面上反馈于道德认知，并激发道德情感，进而促进个体品德系统的发展和整合。因此，理解学生个体为何做出道德行为或者不道德行为进而通过各种方式鼓励道德行为与抵制不道德行为，具有不可替代的养成作用。这一过程实际上是在道德生活中实践“做中学”（杜威）、“致良知”和“事上磨”的功夫（王阳明）。国内外心理学研究都在多个层面上证实了认知与行为、情感与行为之间的相互作用心理机制。本章首先对道德行为传统研究及其引发的相关研究进行概论，并分析道德行为的整合研究趋势，之后分述学生亲社会行为（道德行为）与攻击行为（不道德行为）的相关研究。

第一节　道德行为的传统研究以及国内的验证与发展

以皮亚杰为代表的研究者强调个人发展的阶段性，阶段是个体在与外界的相互作用中通过同化和顺应等心理机制所形成的，具有质性差别的不同水平，持有这种观点的研究者被称为“发展主义者”。而以华生、斯金纳、班杜拉为代表的研究者关注具体行为的产生，尤其关注外界环境与个体行为变化之间的关系，认为内在的认知过程并不重要，认为个体不存在特定的发展阶段，只存在独立的行为。因而对儿童的教育主要表现为一个又一个的行为习得，他们被称为“行为主义者”。个体品德的传统行为主义视角关注奖励与惩罚、行为习惯与养成教育、榜样等主题。

一、经典行为主义及国内学生相关研究

行为主义是心理学中的一个重要派别，曾被称为西方心理学的第一大势力。它以实证主义为哲学基础，强调对可观察的行为的研究，重视环境和经验的作用。从发展来看，巴甫洛夫为行为主义的先驱，华生是行为主义的创立者，他们的理论被称作古典行为主义；斯金纳对学习和强化等问题进行了深入研究，他的理论属于新行为主义；而班杜拉对行为主义进行了认知心理学改造，其理论被称作新的新行为主义（又被称为社会学习理论）。行为主义心理学对道德心理研究和道德教育实践产生了长久而深远的影响。

（一）华生与斯金纳对国内研究的启示

华生的行为主义理论对道德教育的重要启示有二：一是重视道德行为养成。根据华生的基本观点，道德认知或道德情感是不可知的，只有发生

的道德的或不道德的行为才是可以观察到、可以控制的。有些情况下，个体的道德认知比较浅薄，或者道德情感比较淡漠。若想通过提高道德认知或增强道德情感来激发其自觉的道德行为，可能效果不明显，需要较长的时间。此时较为可行的一个办法是先从良好道德行为的养成入手。因此，良好道德行为习惯的养成就变得特别重要。二是明确道德行为是后天习得的。在华生看来，不管是良好的道德行为，还是不道德的行为，都是习得的。正如华生所做的恐惧形成实验所揭示的，只要条件具备，个体就会逐渐习得某种道德的或不道德的行为。认识到这一点，可以增强人们保持道德行为和消除不道德行为的信心。他认为既然道德的或不道德的行为都是后天习得的，那么应该大力加强行为规训。不难看出，华生的理论隐含着忽视道德情感、丧失主体能动性等危险。

斯金纳理论对培养学生品德方面最大的启发在于提出道德行为的强化机制。首先斯金纳强调应该多用强化尤其是正强化来塑造学生的良好行为。强化能够增加学生的同类反应在将来发生的概率，因此在道德教育的过程中，教师应根据学生的年龄特点和性格差异，采取恰当的程序来进行强化，以养成良好的道德行为。斯金纳认为，教育就是塑造行为，而所谓塑造就是通过强化每一小步的成功来帮助学生达到最终的目标。例如，教师可以分步骤来增加学生的助人行为：先引导学生进行关于助人和相关社会现象的讨论，再引导学生在家庭、本班和本校实施助人行为，再逐步扩展到社会生活中。在每一阶段，学生都有机会获得强化；在多次努力获得强化后，也就达到了总的目标要求。其次，斯金纳认为可以利用消退程序来消除不良行为。消退降低了某些行为将来发生的概率，可以有效减少不良行为和消除坏习惯。例如，有学生在课堂上不举手就大声说话，这是不遵守纪律的表现，其目的是引起同学和老师的注意。如果老师点名让他回答，这实际上是对大声说话的一种强化：只有大声说话或更大声地叫喊才能引起老师的注意。较为可行的方法是，老师要提醒学生讲话前要举手，并且对那些不举手就大声说话的学生视而不见，这样不良行为就会慢慢消退。但此过程要与强化良好的行为结合起来才能达到最好的效果。再次，斯金纳认为要慎用惩罚。在他看来,惩罚起到削弱行为的作用,但只能暂时抑制行为，而不能根除行为。惩罚只能让学生明白不能做什么，但不能让学生明确能做什么和应该做什么。因此，惩罚的运用一定要慎重。他认为惩罚一种不良行为应与强化一种良好行为结合起来，才能取得预期的效果。与华生理论类似，斯金纳的理论也忽视道德情感以及个体能动性，但强化程序让其在道德行为习得方面较华生理论更具操作性。

（二）基于经典行为主义的学生道德行为研究

经典行为主义视角下的道德行为研究在一开始就遭受了很多批评，它忽视道德情感、否定个体的主体能动性等,但是外显行为毕竟可观察、可控，也有其独有的德育价值。

早在 1989 年，董锋在《小学生道德行为习惯训练方法的研究》中提出了强化等习惯养成方法。之后，在道德教育领域出现了“道德行为习惯”“习惯养成”等核心词汇。从发表文章看，作者多为中小学一线教师和关注实践的研究者，多在经验层面上进行相关研究，涉及方法、策略、管理程序等内容，涉及幼儿园、小学生、中学生等群体，以及农村中学生、中职生等特定群体。除此之外，也有研究者从微观的心理学角度研究养成教育的心理机制，如培养习惯的强化程序、强化结果、如何促进内化、内化之后如何将行为外化等。[①] 这些研究具有较强的可操作性，但研究多囿于行为主义的机械论范畴，关注外界影响甚于个体内在状态，关注外界操作性程序甚于自我成长与个体自主意愿，且不给习惯不良以超出行为系统的个体化理解等。加之很少有研究者关注道德行为习惯与其他行为习惯相比的特殊性，因此表现为“泛德育倾向”。

---

① 顾锐萍. 学生道德行为习惯形成的机制探析［J］. 江西教育科研，1999 (2) : 29 − 31.

为试图弥补以上研究缺陷，学界在教育研究层面构成了德育实践中的“养成教育”思想。一般是指综合多种教育方法和途径对学生的学习、生活、劳动、卫生、审美、道德行为和心理品质等习惯进行强化训练的一种教养方式和过程。[①]不仅涉及具体习惯的养成还涉及品质的养成，不仅涉及道德问题还涉及生活与审美问题。但其界定过于大而全，可视为德育的某种替代，此时已非华生所谓“养成”的本意。以此推断，“强化训练”作为养成教育的心理基础已远不够充分，真正的学生养成教育需要整合品德心理研究的成果进行。

二、社会学习理论及国内学生相关研究

作为继华生和斯金纳之后的第三代行为主义研究者，班杜拉的理论承认个体认知参与，承认环境对个体的直接影响，这些都超越了对行为层面的唯一关注。

（一）班杜拉社会学习理论及其德育启示

班杜拉提出三元交互论，认为个体认知与行为、环境这三者存在两两交互作用，人的心理机能和行为正是通过这三者的交互作用机制而形成的。家庭、社会和大众传媒创设的良好道德环境属于环境因素，因此营造良好的社会道德环境和氛围具有积极作用。它会被青少年自动感知，对其产生潜在影响，并促成道德认知的发展和道德行为的实施。

个体认知因素中，他提出了一种学习理论——观察学习，来解释榜样为何对个体产生影响。其内在核心机制是替代强化，即榜样被强化可以被个体认知为自己如果这么做也会如此。替代强化较斯金纳的强化理论更具

① 王莉莉．小学生养成教育的实效性研究［J］．江西教育科研，1997（6）：53－56.

教育上的广泛性和主动性，教师要善于为学生提供可以学习的榜样。

可见，与传统行为主义不同，班杜拉的理论注重发挥学生在德育中的主体性和能动性。根据班杜拉的观点，人不仅是环境的消极反应者，而且是环境的积极塑造者。认知、情感、动机等个体内部因素在心理和行为中具有重要作用。在道德教育中，应注重并发挥学生的主体性和能动性，使他们在教育和日常生活中认识到自我的真实内心，产生自我成长的动机，体验到内在的快乐或较高的自我效能，在替代强化或自我强化中实现成长。

（二）基于班杜拉理论的国内研究

20 世纪 80 年代之后，国内学者对班杜拉社会学习理论的德育回应研究有很多，较为突出的两个主题是“榜样”与“道德氛围”研究。

1. 榜样研究

研究者首先对榜样学习的个体发展性特点进行了研究。陈欣银和时蓉华（1987）比较了教师榜样与同伴影响，研究发现教师榜样和同伴团体是影响儿童道德行为的两个主要因素。但研究发现在不同年龄阶段其作用不同：对教师榜样的模仿在儿童 6 岁左右时变得明显，小学高年级之后突然下降，而对同伴团体的从众在 13 岁以前一直占优势，到 17 岁左右才下降[①]。因此小学阶段可重视榜样教育（教师榜样和同伴榜样），而到中学阶段则应关注同伴等复杂因素。中学阶段榜样学习呈现某种复杂性，这被称为中学生的“榜样有效性”[②]问题。这一现象的可能原因在于以下几点：首先，学校榜样与青少年崇尚的榜样价值取向不一致，青少年崇尚的多为文体明星，而学校多会否定明星的榜样意义；其次，道德榜样教育由宣传“精神”

---

① 陈欣银，时蓉华．影响学生道德行为的两个因素的实验研究［J］．心理学报，1987(1)：57 － 62.

② 朱宁波，袁媛．青少年道德榜样教育现状的调查研究［J］．教育科学，2013，29(5)：64 － 69.

异化为宣传“人”，从全好或者全坏的角度分裂性宣传；再次，被动灌输式的榜样教育模式效果乏善可陈，学生无感，有时甚至会宣传什么反对什么，等等。

有研究者提供了应对思路。香港城市大学教授岳晓东（1999）区分了中学生群体的偶像崇拜与榜样，分别对应“以人物为核心的社会学习”与“以特质为核心的社会学习”。前者直接模仿，产生沉浸式依恋、虚荣满足等，后者综合模仿、选择性接受，并且起到个人成长与自我达成的目的等作用。[①] 之后，他打破了榜样教育等于道德教育的传统做法，提出了“偶像—榜样”的教育方式，将二者所引发的不同类别的心理需求均予以考虑，争取“化偶像为榜样”[②]。这是对中学生榜样有效性问题的超前回应。这种教育方式注重榜样的真实性、亲和性和可选择性，并且可拉近榜样和个体的心理距离。

在新媒体时代榜样也出现了一些如“泛偶像化”等新的偶像崇拜变化，体现为以碎片化、个人化、虚实交互等特点为主的偶像和榜样影响形态。[③]“饭圈文化”势必带来榜样教育新挑战和新机遇[④]，所以研究需要与时俱进。

2. 班级道德氛围研究

班级道德氛围、学校道德氛围都可以归于班杜拉三元交互作用中的环境因素。班级与学校是环境与空间，氛围强调其能为个体所感知，且对个体产生一定心理效应的特点。从行为主义的基本观点出发，道德氛围自身

---

① 岳晓东．青少年偶像崇拜与榜样学习的异同分析［J］．青年研究，1999 (7)：2 － 10.

② 岳晓东．论偶像—榜样教育［J］．中国教育学刊，2004 (9)：21 － 24 + 62.

③ 李勃，丁萍．新媒体时代青年“泛偶像化”现象解读［J］．中国青年研究，2013 (9)：14 － 17；梅琳．“泛偶像化”现象形成机制与应对策略［J］．人民论坛，2016 (17)：182 － 184；李慧芳．“泛偶像化”现象的反思［J］．人民论坛，2018 (4)：112 － 113.

④ 李济沅．“饭圈”文化现象的生成逻辑与青少年引导策略［J］．中国德育，2020 (16)：18 － 22.

就能直接对个体产生影响，是学生道德成长的精神环境。我国学者对其进行了研究，具体来看：

首先，研究者对道德氛围感知的内容和发展特点进行了研究。李伟强（2007）从内容方面编制了学校道德氛围调查问卷，问卷包括公正氛围、关爱氛围和宽恕氛围三个维度。[①] 李伟强、岑国桢和郭本禹（2009）以 663 名中学生为调查对象，结果发现中学生对关爱氛围的感知程度明显高于对宽恕氛围和公正氛围的感知。同时，研究还发现学生能感知的班级道德氛围程度随年龄的增长先下降再上升，初二时最低。[②] 这可能跟初二学生的其他心理发展特点有关，如反权威和自我意识普遍变强。

其次，研究者对道德范围的具体心理影响进行了研究。梁晓燕等（2012）研究发现学校道德范围感知中对关爱氛围感知程度越高，越不易卷入欺负行为。同时，道德氛围对学生的影响因人而异（如不同问题学生类别，外化问题学生还是内化问题学生）。[③] 李丹、宗利娟和刘俊升（2013）的研究发现，积极的班级道德氛围对外化行为问题学生具有一定的保护作用，有助于改善这些学生的社会适应能力。[④] 之后的研究可在此方面继续深化。

三、道德行为研究趋向：由开端走向整合

行为主义的研究在心理学的历史发展中具有重要意义。这些多经由动

① 李伟强. 学校道德氛围问卷的初步编制［J］. 宁波大学学报（教育科学版），2007 (2)：22－25＋29.

② 李伟强，岑国桢，郭本禹. 中学生对学校道德氛围感知的调查［J］. 心理科学，2009，32 (2)：278－280.

③ 梁晓燕，薛小婷，高虎，等. 中学生学校道德氛围感知与欺负行为的关系研究［J］. 中国健康心理学杂志，2012，20 (3)：380－382.

④ 李丹，宗利娟，刘俊升. 外化行为问题与集体道德情绪、集体责任行为之关系：班级氛围的调节效应［J］. 心理学报，2013，45 (9)：1015－1025.

物研究而获得的个体行为研究在当时具有严谨的科学精神，是心理学科学研究意义上的独立成分。但在传统行为主义取向下道德行为研究与其他行为类型没有不同，为加以区分，后期的道德行为研究更多关注人所特有的经验，研究自然延伸到个体心理的其他成分。如研究道德行为的情感激发、个体对道德行为发生时所处环境因素的认知与评估、知行相互影响关系等，这些研究形成了道德解约、行为模型研究，以及道德许可、说谎与道德伪善等涉及道德知行关系的新主题。

（一）道德解约研究

道德解约（moral disengagement），又称道德推脱、道德脱离，指的是个体产生一些特定的认知倾向，包括重新定义自己的行为使其伤害性显得更小，最大程度地减少自己在行为后果中的责任和降低对受伤目标痛苦的认同。① 为什么个体会存在道德解脱这一心理过程呢？班杜拉提出人类现代生活对主体性的侵袭，人与人之间“非人”的联系，都造成了道德生活中的这种异化和分裂，因此个体需要道德解约作为一种自我调节系统来应对这种分裂。高申春将道德推脱界定为“道德与不道德之间”②，形象地说明了道德行为与道德认知失调后的个体调整：做出不道德行为的个体通过这一调节过程而破坏原本的道德判断所带来的不适。

这些个体认知调整有：（1）道德合理化，指的是个体给予犯过行为以道德的理由，例如打架是为了义气和帮助朋友；（2）委婉的言辞修饰，例如做出行为之后冠以“都是为了你好”这种说法；（3）辩解性比较，将自己的错误与更不道德的事情相比较，如“这不算什么”之类；（4）责任推

---

① 杨继平，王兴超，高玲．道德推脱的概念、测量及相关变量［J］．心理科学进展，2010，18（4）：671－678.

② 高申春．道德与不道德之间：从道德解约机制看人类道德行为悖论［J］．吉林大学社会科学学报，2000（3）：35－38.

诿和责任分散，如盲目遵从权威的做法忽视自己的责任；（5）漠视或者歪曲，对造成的后果忽视或者漠视；（6）人性剥夺和罪责归咎，如“世界存在屠夫这一职业，所以我现在虐待小动物是很自然的事情”。

国内研究者基于该理论编制了道德推脱问卷，对这一心理机制进行了大量研究。[①]有研究者采用元分析技术，对所涉及 41 项研究的 44 个独立样本，包括 24536 名被试进行了分析。元分析结果显示：道德推脱与攻击行为之间存在着中等程度的正相关，即道德推脱自身就是攻击行为的有效预测变量。[②]不仅如此，更多的研究使用该工具研究了道德推脱对不道德行为的中介作用（详见“网络霸凌”部分），道德推脱成为道德行为研究的重要主题。

该主题研究具有符合时代特色的德育意义。当代学生的道德生活中也存在很多影响其主体性的道德挑战和难题，自我主体性要求、教师与家长的要求、社会要求都可能成为现实生活中相互拉扯的力量，因此培养学生品德应该充分正视这种调节机制，了解学生的道德解约过程是提供学生针对性道德教育的基础。

（二）行为模型研究

除了社会认知层面，道德行为研究还涉及情境因素、情感与价值观甚至意志过程，单一因素视野太过于狭窄，因此有研究者直接建立“行为模型”来统合各种影响因素，完成对道德或不道德行为的理解和扩展。

国内研究者早在 1990 年就提出了道德行为的四成分模型，认为道德行为的产生必定伴随四种主要心理过程或者心理成分：（1）解释情境，看

① 杨继平，王兴超，高玲．道德推脱的概念、测量及相关变量［J］．心理科学进展，2010，18 (4)：671 － 678；杨继平，王兴超，高玲．道德推脱对大学生网络偏差行为的影响：道德认同的调节作用［J］．心理发展与教育，2015，31 (3)：311 － 318.

② 杨继平，王兴超，杨力．观点采择对大学生网络偏差行为的影响：道德推脱的中介作用［J］．心理科学，2014，37 (3)：633 － 638.

看有哪些可能的行动过程及其对人们的可能影响；（2）做出关于哪种行动过程合乎道德的判断；（3）将道德价值观置于其他个人价值观之上，并做出按道德原则行动的决定；（4）克服困难，排除障碍，实施道德行为（王新玲，1990）。四成分不仅涉及个体对情境因素的认知、判断、选择，还涉及道德意志过程，共同促进了个体道德行为的产生。

同时研究者也提出，这些成分虽然具有逻辑顺序，但实际上彼此存在着复杂的相互作用，能产生相互影响。例如价值观会影响对情境因素的解释，同样，意志过程中遭遇的困难也可以反作用于认知和判断，例如前述道德解约机制就可做此解。还有研究者发展了具体行为的模型，例如旁观者效应模型①、亲社会启动效应模型②,甚至是“好人也会做坏事”的有限道德模型③,等等。当然,最近十几年的研究已经不限于理论上的思考和研究,还通过“模型方程”“中介效应”等统计手段给予科学上的证明。可以合理预测，模型研究将是未来品德行为研究的重要内容之一。

（三）道德许可、说谎与道德伪善研究

知行关系思考视角多是从认知角度开始，人们预设道德认知应该直接产生道德行为。但实际上,知与行是两个相对独立的心理成分,“知而不行”与“行而不知”并存，知行脱节、知行不一不应该是个体品德发展的难题，而应是需要去宽容、理解和研究的道德成长空隙。

从关系的范畴看，道德认知与行为具有两种关系：一致与不一致。传统道德知行关系的研究尤其重视知行关系的一致性，并以此作为知行之间

---

① 刘翔平．旁观者效应的道德决策模型［J］．北京师范大学学报（社会科学版），1996（4）：97－101.

② 迟毓凯．亲社会行为启动效应研究：慈善捐助的社会心理学探索［M］．广州：广东人民出版社，2009.

③ 王芃，王忠军，李松锴．好人也会做坏事：有限道德视角下的不道德行为［J］．心理科学进展，2013，21（8）：1502－1511.

具有因果关系的证据。例如，个体具有不该作弊的认知，同时也没有作弊行为的产生，那么传统研究者就认为“不该作弊”的认识导致了个体没有作弊的行为。如果情况相反，个体具有这样的认识，但是却有作弊的行为，那么研究者就从其他非认知性因素，如情境压力、非认知的人格力量、情感等方面寻找行为的原因。“知行一致的情况则被认为是不证自明的。”[①] 但从统计学的常识看，高度相关并不意味着二者存在因果关系，后者需要更复杂、更深入地加以研究和证实。同样，二者之间不存在相关也不能说明它们之间毫无关联。这样，知行关系可以在整合视角下做如下解释：第一，知行之间的协调是发展过程中不可或缺的过程。个体发展既来自于个体与环境交互作用，也来自于个体内部知行关系的协调。它们之间的相互作用表现为：认知可以影响个体的行为，而个体的行为也会成为关于社会环境的一种反馈信息，行为结果可以影响认知，为认知的转变提供条件。第二，行为情境中不同社会判断与情境因素相互作用，且共同影响个体的行为决定，成为知行关系格局的影响因素。在这样的情境中，道德判断与行为之间一致性的评估仅仅提供了儿童所有类型的判断和社会行为的部分信息。即便个体知行一致，这也并非不证自明的，同样需要刻画一种相互作用的格局。仍以知道不能作弊，也没有作弊的知行一致为例：有的学生是基于严格的考官、害怕惩罚，加之有基本的诚信；有的学生是基于对诚信的深切认同、个人的荣誉感等。同为知行一致，但并不类同。这种看待知行关系的方法可称之为系统观。

国内研究者在各个层面上认识到系统观，出现了很多新的研究和新的主题来解释知行不一的道德现象。

研究者关注了道德许可效应（moral licensing effect），它指的是想到自己之前做过的符合社会规范的、道德高尚的行为，个体会感觉他们可以做

① Turiel，E. The development of social knowledge: Morality and convention. Cambridge, UK: Cambridge University Press, 1983 : 193.

出不符合道德规范的行为。例如有人认为刚刚捐了款，就可以对当下这位乞丐视若不见。石伟（2011）通过综述认为，重要的个人认同和避免虚伪这两个因素可能阻碍道德许可效应的发生。[①] 其他研究也发现，象征化道德认同[②] 和表象视角[③] 都可以影响道德许可。象征化道德认同表征个体希望将道德品质展现出来的程度，高象征化道德认同的个体对道德行为的外部认可更加敏感，在获得他人感谢后会更可能具有道德许可效应。表象视角是指人们在回忆和想象时头脑中的视觉画面所呈现的视角，而个体使用第三人称视角看待自己有助于前后行为一致，减少道德许可效应。这些都是对道德（不道德）行为产生的非行为主义解读。

对儿童说谎的研究也是近二十年来心理学领域的一个热门研究课题。儿童说谎行为中存在典型的知行不一致。但很多研究者从心理能力[④]、社会认知发展[⑤] 等角度来理解儿童说谎的心理过程以及可能的积极意义。这些研究拒绝对道德行为进行简单的价值判断，采用价值中立的视角来考察儿童知行不一致的实然情况。

另外一个关于知行不一致的研究主题是道德伪善[⑥]，道德伪善指的是认

---

① 石伟 . 道德心理许可研究述评［J］. 心理科学进展 , 2011 , 19 (8) : 1233 − 1241.

② 魏晓雪 . 道德许可效应的机制探讨 : 象征化道德认同和认可的作用［D］. 杭州 : 浙江大学 , 2015.

③ 陶文雯 . 表象视角对道德许可效应的影响［D］. 上海 : 上海师范大学 , 2023.

④ 张文静 , 徐芬 , 王卫星 . 幼儿说谎认知的年龄特征及其与心理理论水平的关系［J］. 心理科学 , 2005 (3) : 606 − 610; 傅根跃 , 王玲凤 . 假想的道德两难情境下小学儿童对说谎或说真话的抉择［J］. 心理科学 , 2006 (5) : 1049 − 1052.

⑤ 徐芬 , 刘英 , 荆春燕 . 意图线索对 5−11 岁儿童理解说谎概念及道德评价的影响［J］. 心理发展与教育 , 2001 (4) 35 − 39 + 46; 张兢兢 . 马凤玲 , 徐芬 . 不同情景下小学儿童对说谎与说真话的道德评价［J］. 心理发展与教育 , 2007 (2) : 1 − 5 + 13.

⑥ 沈汪兵 , 刘昌 . 道德伪善的心理学研究述评［J］. 心理科学进展 , 2012 , 20 (5) : 745 − 756; 寇彧 , 徐华女 . 论道德伪善 : 对人性的一种剖析［J］. 清华大学学报 (哲学社会科学版) , 2005 (6) : 56 − 61.

为自己比他人道德，但在行为上却不如别人的倾向[1]，它是对道德知行脱离进行的反思和标定，反映了道德心理学和社会认知领域的最新进展。在传统负面印象的基础上，研究者甚至提出了道德伪善在诱导认知失调、塑造和培养亲社会行为以及促进组织发展等领域的积极作用[2]，甚至认为它是走向正直学习的一种方式[3]，这些都是对知行不一致积极意义的强调。从这些研究可以看到研究者对知行一致与不一致背后复杂因素的关注和强调。

鉴于此，有研究者从理论层面提出，不容反驳的知行一致要求不应是德育所追求的目标，至少不应是发展中的儿童所必须具有的道德要求。[4]从个体发展的角度看，小学低年级儿童或者道德发展不良的儿童都会具有知行不一的发展特点，这甚至具有一定的发展意义。当然，这并不能否定品德发展的整合与完善之后所呈现的知行一致（如王阳明的“知行一致”观），它是高水平的品德修养，是值得个体追求的境界。

第二节　学生亲社会行为研究

对亲社会行为的研究最早开始于20世纪20年代，但直至20世纪60年代美国发生著名的“吉诺维斯事件”之后，学界才开始对社会冷漠和责任分散的现象进行大量研究，同时与道德冷漠行为相反的亲社会行为研究也因而得到社会心理学家的重视。与其说它是行为主义研究的延续，不如说是受到外界社会事件激发后对特定道德行为进行的综合性研究。当时，以科尔

① 孙嘉卿，顾璇，吴嵩，等．道德伪善的心理机制：基于双加工理论的解读［J］．中国临床心理学杂志，2012，20（4）：580－584.

② 沈汪兵，刘昌．道德伪善的心理学研究述评［J］．心理科学进展，2012，20（5）：745－756.

③ 高德胜．道德伪善的教育学思考［J］．中国德育，2019（4）：6－6.

④ 刘春琼．领域理论的道德心理学研究［M］．上海：上海教育出版社，2011.

伯格为代表的道德认知研究和班杜拉的三元交互作用论证引起学术界广泛关注，社会生物学研究也开始出现，这些都成为亲社会行为研究的不同理论视角。当前所涉及的亲社会与攻击行为研究视角包含了进化论、情绪启动、认知与判断等，学生亲社会行为与攻击行为的研究也在此构架下进行。

一、学生亲社会行为界定、内容与工具开发研究

对亲社会行为的界定存在一个根本性问题：它是具有连续性的某种行为，还是不同行为的集合？关于这个问题学界有争议，也因此形成了亲社会行为界定的两种取向。有研究者将它看作是行为的连续体，从最大限度增加自我利益到最大限度增加他人利益。或者是自发与常规的两端，分别是完成行为的出发点是关心他人的自发行为或是为了期望得到好处或者避免惩罚的常规性行为。对前者，研究者关注亲社会行为的道德核心特征及其程度；对后者，研究者关注亲社会行为的具体内容和类型，并对之进行了归类。

（一）亲社会行为的界定

大多数研究者侧重于研究亲社会行为的助人和利他特性。例如南希·艾森伯格 Nancy Eisenberg（1995）把亲社会行为看作是个体自愿提供的、有益于他人的、能促进人际关系协调的行为；Aronson（2004）认为亲社会行为是那些以有益他人为目标的行为，等等。国内的心理学家们基本也都是侧重于研究亲社会行为的利他性，如周宗奎（1987）认为亲社会行为一般与援助行为、积极性社会行为和利他主义在同样意义上使用，指个体帮助或打算帮助其他个体或群体的行为或趋向[①]；白利刚（1997）认为亲社会行

① 周宗奎．儿童亲社会行为发展研究述评［J］．心理发展与教育，1987 (4)：38 − 41.

为是指一切有益于他人的行为[①];俞国良(1999)认为亲社会行为是指对行为者本身并无明显好处,而给行为的受体带来利益的行为[②]。这些界定都从利他的核心特征及其程度上标定其亲社会程度。目前被广为接受的界定来自于寇彧和张庆鹏(2006):亲社会行为是有益于他人或社会的行为意向或行为,这个行为更加倾向于获得社会对行为实施者的赞美。[③]从这一概念可以总结亲社会行为的如下特征:亲社会行为是符合社会要求和社会期望的行为,亲社会行为具有利他性和自利性(获得自我或他人的肯定),亲社会行为者存在自我牺牲等。从目前所搜索的关于亲社会行为的 96 篇国内文献看,共有 67 篇文献都使用这一界定,代表了学者对这一个概念的较为广泛的认可。

(二)助人、利他行为与亲社会行为的比较

国内的亲社会行为研究大多会将亲社会行为、助人行为和利他行为混同,三者的相同点在于:其行为的结果是相同的,都是有益于社会的。也因为这一点,许多学者会对这三种行为采取模糊定义,不论出于什么动机,只要行为的结果有益于他人或社会,都可以认为是这三种行为之一。

但这三种行为存在不同。首先三种行为的对象有所重叠但并不相同。助人行为(Helping behavior)特指以特定的人或群体为对象的亲社会行为。而亲社会行为的对象可以是更大范围的群体,甚至可以是整个社会中的人。其次,动机性质不同。助人行为的动机性质可以分为两类。一类是没有个人动机的、不期望任何回报的助人行为,即利他行为(Altruism)。例如:

---

① 白利刚. 亲社会行为研究中的几个问题[J]. 心理科学进展, 1997, 15 (1): 48 – 53.

② 俞国良. 社会认知视野中的亲社会行为[J]. 北京师范大学学报(社会科学版), 1999 (1): 20 – 25.

③ 寇彧, 张庆鹏. 青少年亲社会行为的概念表征研究[J]. 社会学研究, 2006 (5): 169 – 187.

日常生活中的慈善行为，舍身救人的英雄行为，等等。另一类是具有个人意图的助人行为，这样的行为一般是出于自己的利益实施的。例如学生纯粹为了获得奖品而做好事。因此也有研究者试图从动机来区分，其中一类学者认为这三种行为是一种行为连续体，总体为亲社会行为，一端是最大限度增加他人利益的行为朝向（利他行为），另一端是最大限度增加自我利益的行为朝向（助人行为）。但是国内学者更多的是将三种行为看作相互包含的关系，如我国学者覃伟合（1994）、白利刚（1997）均认为亲社会行为涉及个体内部的行为动机，既包括了无所图的利他行为，也包括有所图的助人行为。其中利他行为是最高层次的亲社会行为。研究者们将三者之间的包含关系概括为亲社会行为＞助人行为＞利他行为。

因此，从整体上看，三者都是对社会有利的行为的描述，但行为越向利他方向靠拢，个人目的就越少，社会目的就越多。其实一种行为表现出来之后，我们也很难科学地判断它的动机是利己成分多还是利他成分多，所以在相关内容的介绍中，很多研究者以亲社会行为为主，兼论利他行为和助人行为，本书持同样观点。

（三）学生亲社会行为的内容与表现形式

我国心理学家较早是根据亲社会行为的不同表现形式来下定义，比如朱智贤主编的《心理学大词典》中，亲社会行为是人们在社会交往中所表现出来的谦让、助人、合作、分享等有利于他人和社会的行为。之后，关于助人、分享这些主题也成为学生品德研究的内容。寇彧将之扩展为 8 类：调节、帮助、分享、包容、利他、习俗、公正、控制。之后，她带领研究组又从概念原型构成因素给出四个原型：遵规与公益性亲社会行为、特质性亲社会行为、关系性亲社会行为、利他性亲社会行为。[①] 这些原型既有

① 寇彧．儿童青少年的亲社会行为及其培养［J］．心理发展与教育，2005 (z1)：70 － 77.

个人层面，也有社会层面甚至进化层面，是亲社会行为研究的整合视角。研究者通过实验验证了儿童青少年群体中存在这些亲社会行为原型，并基于此编制了青少年亲社会行为问卷。①

就促进儿童品德发展的研究目的而言，目前得到研究者认同且深入研究的亲社会行为内容有以下四种：帮助行为、分享行为、合作行为和安慰行为。

帮助行为是指给他人带来益处或促进他人福祉的行为。正如其字面所体现的那样，帮助行为可以是搀扶年迈的老人过马路，可以是主动打扫公共卫生，也可以是为贫困山区的孩子捐款，参与帮助的主客体都不一定要见面就可以完成帮助行为。分享行为是指“个人拿出自己拥有的物品让他人共享从而使他人受益的行为”②。例如，和自己的同学或同事共同分享学习资源。分享的特点就在于让分享者与被分享者能够同时拥有物品的使用权，双方都能受益。合作行为是指“两个以上的个体为了共同的目标，相互协调，共同完成某一任务的行为”③。合作行为通常发生在两人以上的团体中，为了实现同一目标，共同努力，最终共同获得奖赏或利益。安慰行为是指个体察觉到他人的消极情绪，比如难过、失望、忧愁等，试图通过语言或行动让他人消除消极情绪状态，变得高兴起来的亲社会行为。实施安慰行为有两个要素。第一，要能够觉察到他人的消极情绪状态；第二，要掌握一些技巧让他人的消极情绪得到改善或缓解。不同年级学生对这一序列存在不同表现。研究发现4—6年级以及中学生最认同的亲社会行为依次是帮助行为、交往行为和安慰行为等，他们更关心发生在他们之间的

---

① 张庆鹏，寇彧．青少年亲社会行为测评维度的建立与验证［J］．社会学研究，2011 (4)：105－121.

② 耿希峰，马丽枝，隋光远．7—11岁儿童分享行为动机分析［J］．心理科学，2009，32 (6)：1355－1358.

③ 陈琴．4—6岁儿童合作行为认知发展特点的研究［J］．心理发展与教育，2004 (4)：14－18.

亲社会行为。①

除此之外，亲社会行为的分类标准随着时代的发展也在不断发生变化。在科技高速发展的21世纪，互联网带来了与现实世界相对应的网络虚拟世界，网络世界里也萌生出了另一种形式的亲社会行为——网络亲社会行为，其界定是在亲社会行为概念的基础上加入了网络这一媒介，即在网络环境中发生的符合社会期望的，对他人、群体或者社会有益，自愿实施的行为。② 网络亲社会行为的表现形式有很多种，比如免费的资源共享、无偿的信息提供、网上支持行为、宣传和发动社会救助，等等。这种特殊的亲社会行为的研究群体主要集中于青少年③和大学生④群体。同时，因网络主体的虚拟性与网际不对称性，网络亲社会行为表现有别于传统道德，因而被界定为一种新的道德形式：网络道德。⑤ 随着自媒体的发展，网络群体的增加，网络道德应成为学校德育的必要构成。

（四）亲社会行为的学生测量工具开发研究

为了测量不同年龄学生的亲社会行为，研究者们设计了很多测验量表，主要测量方式有两种：自陈测验和他评测验。

1. 自陈测验

自陈量表指的是测量被试自我报告的亲社会行为。例如问卷会测量被

---

① 寇彧，赵章留．小学4—6年级儿童对同伴亲社会行为动机的评价［J］．心理学探新，2004 (2)：48－52；寇彧，付马，马艳．初中生认同的亲社会行为的初步研究［J］．心理发展与教育，2004 (4)：43－48.

② 马晓辉，雷雳．青少年网络道德与其网络亲社会行为的关系［J］．心理科学，2011，34 (2)：423－428.

③ 宋洁，翁丽丽．大学生网络亲社会行为影响因素及培养策略研究［J］．现代教育科学，2013 (5)：99－104.

④ 郭敖鸿．“微时代”大学生网络亲社会行为有效路径探析［J］．山东社会科学，2015 (S1)：21－22.

⑤ 雷雳，马晓辉．青少年网络道德实证研究［J］．中国德育，2010，5 (5)：5－8＋16.

试发生利他行为的频率（从“从不”到“经常”4点中选择）。也有以情境故事的形式，要求被试回答故事中的相关问题。国内使用比较多的问卷是由马庆强编制的《青少年行为问卷》。量表针对现阶段初中学生生活学习的具体情境，要求被试回忆过去一年内某种行为的发生次数，采用7级行为频度评分。其中测量亲社会行为共有18个项目，其分数是由规范行为分量表和利他行为分量表的分数合成。该量表经众多学者研究使用表明，其信效度是令人满意的。

2. 他评测验

儿童的亲社会行为体评量表一般是由儿童的父母、老师、同学等对相关行为做出评价，因此研究者们设计的量表主要是从三个主体出发的：父母、老师和同伴。

Rutter 的《儿童行为问卷》是一份父母评定量表，他把儿童的行为问题分为A行为（Antisocial Behavior，即违纪行为和反社会行为）和N行为（Neurotic Behavior，神经征行为）。① 要求父母根据孩子过去6个月的行为表现做出回答。

教师评定量表使用得比较多的是《儿童行为教师评定量表》（CBS），要求教师使用不符合、有时符合、完全符合3点评定儿童的行为表现。其中包括攻击行为和亲社会行为，亲社会行为包括帮助其他儿童、对伤心儿童的关注等。

同伴评定量表用得最多的是同伴提名量表，影响最大的是Masten的“班级戏剧”量表，国内陈欣银等（1992）根据中国被试进行了修订，其测试基本过程是：先给每个儿童发一本小册子，其中有描述各种行为的30个角色（30个项目），以及全班同学的名单，当主试读完一个角色的描述后，每个儿童都在自己的小册子上勾选一至三个最能扮演这一角色的人。当所

① Rutter, M. A Children's behaviour guestionnuire for completion by teacher: Preliminary finding［J］. Journal of child Psychology and Psychiatry, 1967 (8) : 1 – 11.

有的角色被打钩后，每个儿童被同学提名的次数经标准化后就被用来计算该项目上的得分[1]。题目涉及亲社会行为、攻击—破坏行为、敏感—退缩行为等维度。这些量表在国内关于亲社会影响的实证研究中均有采用。

二、学生亲社会行为的理论研究

当某种行为出现后，人们总会去探究这样的行为是从何而来，是如何演变成这样的。在探究的过程中，研究者们通常会寻找一个理论去解释这种行为的产生和发展。被国内学者所关注的亲社会行为理论主要有：社会学习理论、社会交换理论、社会生物学理论以及亲社会行为推理理论，它们分别关注个体做出亲社会行为的外部影响、动机、遗传机制与认知推理。

（一）社会学习理论

社会学习理论的代表人物是班杜拉，该理论认为人类行为的产生有一部分是斯金纳所提出的直接强化的结果，但很多时候，替代性强化和自我强化对人的行为形成影响更大。替代性强化是指观察者因看到榜样受到影响而得到的强化，在日常生活中，通常是指榜样效应；自我强化依赖于社会传递，社会向个体传递某个行为标准，当个体的行为符合甚至超过这一标准时，他就会对自己的行为进行自我奖励。例如社会倡导的“学雷锋”，将雷锋作为一个榜样宣传时，很多学生被感召而做好事就是替代强化，同时也有一些学生会悄悄地做好事，此时起作用的多是自我强化。

---

① 陈欣银，RubinKH，李丹，等．中国和西方儿童的社会行为及其社会接受性研究［J］．心理科学，1992（2）：1–7.

（二）社会交换理论

社会交换论者强调，人与人之间的相互作用，本质上是个人试图尽可能获得最大利益，同时又尽可能少地付出代价的社会交换过程。格根等人认为，人们在实施亲社会行为之前，往往会先对自己、对别人、对社会背景做出估价，考虑助人是否能够给自己带来快乐或减少自己的痛苦。[①]按照这个理论，即使是最具有利他主体特征的行为，如捐赠、资助路边的乞讨者，也具有社会交换的色彩。这种观点过于强调“自私”的目的，与人们希望自己是好人的倾向是相违背的，也无法解释特定条件下自发救助的利他行为。但强调助人行为是一个双向互动的过程，既帮助了别人，也给帮助者回馈积极的自我观念，这一点具有合理性。

（三）社会生物学理论

社会生物学假设，助人行为是人的先天特性，来自遗传的基因。社会生物学家爱德华·威尔逊（Edward O. Wilson，1975）通过对动物的长期观察，发现利他行为是动物的一种以自我牺牲换取其他个体与群体生存机会的本能。因此得出利他主义是由“人之本性”中的基因决定的。[②]这个观点可以用来解释为什么我们更愿意帮助我们亲近的人以及与我们相似的人。

（四）艾森伯格的亲社会行为推理模式

美国儿童心理学家艾森伯格在科尔伯格研究的基础上，提出了亲社会行为的推理模式，比较全面、深刻地剖析了亲社会行为发生、发展的心理机制。该理论认为，科尔伯格的两难故事只是研究了儿童道德判断推理的禁令取向的推理，亲社会行为推理理论要设计亲社会道德两难情境来研究

① 金盛华．社会心理学［M］．第 1 版．北京：高等教育出版社，2005.

② 同①.

儿童的亲社会道德判断。其特点是一个人必须在满足自己的愿望、需要和价值与满足他人的愿望、需要和价值之间做出选择。例如，一个城镇的居民必须在是否与另一个城镇遭受洪水灾害的灾民分享食物之间做出选择，一个人必须在帮助一个遭抢劫的妇女和保护自己之间做出选择，等等。通过研究，提出亲社会行为产生的过程分为 3 个部分：对他人需要的注意，确定助人意图，意图和行为相联系。具体分为①：

阶段 1：享乐主义的、自我关注的推理。助人与不助人的理由包括个人的直接得益、将来的互惠，或者是由于自己需要或喜欢某人才关心他（她）。

阶段 2：需要取向的推理。当他人的需要与自己的需要发生冲突时，儿童对他人的身体的、物质的和心理的需要表示关注。儿童仅仅是对他人的需要表示简单的关注，并没有表现出自我投射性的角色选择、同情的言语等。

阶段 3：赞许和人际取向、定型取向的推理。儿童在证明其助人与不助人的行为时所提出的理由是好人或坏人、善行或恶行定型形象，他人的赞许和认可等。

阶段 4：分为两个阶段：

阶段 4a：自我投射性的移情推理。儿童的判断中出现自我投射性的同情反应或角色选择，他们关注他人的人权，注意到与一个人的行为后果相联系的内疚感或肯定情感。

阶段 4b：过渡阶段。儿童选择助人与不助人的理由涉及内化了的价值观、规范、责任和义务，对社会状况的关心，或者是提到保护他人权利和尊严的必要性等。但是，儿童并没有清晰而强烈地表述出这些思想。

阶段 5：强有力的内化推理。儿童决定是否助人的主要依据是他们内

① 王美芳，庞维国．艾森伯格的亲社会行为理论模式[J]．心理学动态，1997 (4)：37 − 42.

化了的价值观、规范或责任。尽个人和社会契约性的义务、改善社会状况的愿望等。此外，儿童还提到与实践自己价值观相联系的否定或肯定情感。

以上阶段在我国 7—16 岁儿童群体上得到重复验证，研究发现我国 6—10 岁儿童亲社会行为认知主要处于艾森伯格所说的 4a 和 4b 阶段，即移情取向阶段和向强烈内化阶段过渡的阶段，14 岁儿童主要处于第 5 阶段，即强烈内化阶段。①

该理论把可能影响亲社会行为的各种因素有机地统一在个体的道德判断中，但做出这些判断需要认知、情感和人格因素的作用。它为探讨亲社会行为复杂的心理机制提供了一条较新的思路，对亲社会行为的研究具有一定的实践指导意义。

三、学生亲社会行为影响因素研究及德育启示

在亲社会行为相关的大量研究中，绝大部分是关于影响因素的研究，且大多都是实证研究。这些因素本身包含主体因素、客体因素和外部因素等。从某个角度看，这些因素所具有的多样性和复杂性恰恰显现了亲社会行为背后的多层、多维影响，甚至可以说这种多层多维的格局具有超越研究具体结果的意义，因为整体来看它几乎囊括了心理的各个层面。这进一步说明亲社会行为是处于个体复杂心理系统之中，而非单一因素或者多个因素可以说明。其后研究或可采用新的认识论——系统论，来对学生的亲社会行为进行研究。

（一）个体心理因素

在亲社会行为发展的过程中，行为实施主体自身的一些因素，比如

① 王美芳.6–17 岁儿童亲社会道德判断的研究［J］. 山东师范大学学报(社会科学版), 1996 (2) : 58 – 62.

主体的认知、人格、情绪、动机、能力等都会对行为的倾向和实施产生影响。

1. 认知因素

认知是指人的观点、信念、价值观、态度等许多方面，或是某种行为的表象或再现，甚至是对未来事件的期待。众多的研究表明认知范畴内的很多因素都会对亲社会行为产生影响。有时这些认知因素也会以其他变量为中介，比如研究发现道德推脱会以移情为中介对亲社会行为发生作用[①]，道德认同是以移情为中介[②]，道德情感以主动性人格为中介[③]。还有一些因素是个体主观的认知，如主观社会阶层认知，即个体在与他人比较时所感知到的在社会中所处的位置也会对个体的亲社会行为产生影响。

2. 人格因素

人格是指个体在对人、对事、对己等方面的行为上的内部倾向性和心理特征。研究表明，不同的人格特质对亲社会行为有不同的影响程度，积极的人格特质对改善亲社会行为有重要作用。人格因素还包括自尊、自恋等。丁如一等人（2016）的研究表明自恋对于亲社会行为倾向的影响取决于情境的公开与否，公开情境下自恋程度越高亲社会行为越多。[④]

3. 情绪因素

情绪是人对客观事物的态度的一种反映。在情绪因素的研究中，主要是道德情绪。艾森伯格把道德情绪定义为“自我意识的情绪”，是个体对自我的理解和评价，包括移情、内疚、羞耻、共情、尴尬等。这些情绪具

---

① 卢永兰 . 大学生道德推脱、移情和亲社会行为的特点及其关系研究［D］. 福州 : 福建师范大学 , 2023.

② 戴倩 . 初中生道德认同与亲社会行为的关系 : 移情的中介作用［D］. 南京 : 南京师范大学 , 2016.

③ 程俊杰 . 大学生主动性人格在道德判断能力等因素对亲社会行为影响中的调节作用［D］. 石家庄 : 河北师范大学 , 2023.

④ 丁如一 , 周晖 , 张豹 , 等 . 自恋与青少年亲社会行为之间的关系［J］. 心理学报 , 2016 (8) : 981 − 998.

有驱动道德行为的功能，会影响个体亲社会行为的产生。

众多的研究表明羞耻情绪和内疚情绪可以促进亲社会行为，一些积极的情绪，如钦佩感、自豪感以及依恋等也对亲社会行为产生积极影响。而有些情绪，例如尴尬，既可以直接抑制个体亲社会行为的倾向，也可以通过认知共情与情绪共情间接对个体亲社会行为的倾向产生作用。[①]心境也属于一种情绪状态，它是一种比较微弱而持久的，使人的所有情感体验都感染上某种色彩的状态，它既可以直接发生作用，也可以借助个体认知判断来影响。研究表明积极心境促进亲社会行为，而消极心境对亲社会行为的作用不恒定，有时促进、有时减少。[②]

4. 动机因素

动机是激发和维持个体的行动，并使行动导向某一目标的心理倾向或内部驱力。自我决定理论根据行为是否出于个体的主观意志，将亲社会行为的动机分为自主动机和受控动机。自主动机是指个体出于自身的道德价值观和内在认同实施亲社会行为，受控动机则是指个体迫于内外压力，认为自己不得不帮助他人时实施的，例如个体为了避免羞愧或惩罚而顺从他人的要求。

5. 能力因素

个体的能力因素也会对亲社会行为的实施产生影响。目前研究中，对亲社会行为产生影响的能力因素主要有领悟社会支持能力、感恩水平、社会适应能力、移情能力、共情能力等。另外，研究也发现一些非道德类能力，如心理素质，不仅能显著正向影响亲社会行为，还能通过领悟社会支持和感恩的单独中介作用正向预测亲社会行为。[③]这样来看，能力所涉及因素

---

① 刘艳丽，陆桂芝，张守臣，等．大学生共情在亲社会行为与尴尬间的中介作用［J］．中国心理卫生杂志，2016，30 (10)：785 − 790.

② 寇彧，唐玲玲．心境对亲社会行为的影响［J］．北京师范大学学报（社会科学版），2004 (5)：44 − 49.

③ 刘笑妍．心理素质对大学生亲社会行为的影响研究［D］．长沙：湖南师范大学，2020.

可以从个体人格发展角度整体切入，而不见得限于品德范畴内。

（二）特殊学生群体因素

亲社会行为的实施与否、频率高低与个体在整个社会群体中所处的身份存在很大关系，并且对于不同的群体来讲，影响其实施与否的因素也是不同的。

首先是特殊教育层面的特殊儿童群体，这部分研究的主体有智障儿童、听障儿童、自闭症儿童、孤儿等。对于智障儿童来讲，除了智力水平、年龄和性别，病因是影响他们亲社会行为发展的一个重要因素，主要的病因有“小胖威利症”（PWS）、强直性脊柱炎（AS）、唐氏综合征（DS），等等。但目前除了唐氏综合征的研究之外，其他病因的相关研究并不多。智障儿童或许由于其认知水平的缺陷，不能对特定事件及时做出反应，表现不如正常儿童，但是在日常生活中，对于一些他们熟悉的状况，他们的亲社会行为却不一定比正常儿童少。众多研究表明影响特殊儿童群体实施亲社会行为最大的是自身因素（包括生理制约、身份认同、病因导致等），另外就是社会因素，社会对他们的接纳度（包括社会排斥），与他人的社会关系会很大程度上影响个体的亲社会行为倾向。

其次是普通教育层面的儿童群体，这一层面主要有留守儿童和流动儿童（也可以称之为随迁子女）。留守儿童是指父母双方外出务工或一方外出务工另一方无监护能力，不满十六周岁的未成年人。而流动儿童则是跟随父母务工，四处流动的儿童。杨静、宋爽等（2015）对小学流动儿童和留守儿童的负性生活事件与利他亲社会行为的关系进行了实证研究，结果表明留守儿童的亲社会行为更差。[①]

最后是职业教育层面的儿童，如中职生、高职生、大专生等。与接受

---

① 杨静，宋爽，项紫霓，等．流动和留守儿童生活事件和人际关系与利他亲社会行为的关系［J］．中国心理卫生杂志，2015，29（11）：833－837.

普通教育的儿童相比，职业教育层面的儿童群体的攻击行为更多。但杨娃、邢禹等人（2017）研究表明中职学生拥有的心理资源越多，亲社会行为越多[①]；同时，高职生的自尊、人格特质、道德判断能力、社会认可度等因素都会对其亲社会行为产生影响。这些研究结果为职教学生的德育提供借鉴，对他们的道德教育同时包含维护自尊、提高社会认可度、提供心理帮助等外围路径。

（三）事件因素

除了以上所阐述的心理、生理、群体身份等因素之外，还有一些研究讨论了事件本身。包含个体事件和社会事件。个体事件如青少年创伤后应激障碍（PTSD）和创伤后成长（PTG）、急性心理性应激等，研究发现PTSD 和 PTG 分别可以直接负向和正向预测亲社会行为。[②] 社会事件是指社会中某个时期的热点问题会对个体的某一种社会性行为或多或少地产生影响。比如新冠疫情过后，会发现很多大学生的助人和捐赠以复杂的方式（同时经由不同影响因素的路径增加和减少）起作用。“本地疫情严重程度一方面会增强个体的内群体认同继而正向影响捐赠意愿，另一方面会使个体减少关注他人继而减弱其捐赠意愿。”[③] 再如，在高尚道德人物事件得到报道并引起广泛关注时，整个社会都会弘扬道德榜样，在这种感染之下，个体的亲社会行为也会提高。有时社会中还会出现某段时期的热潮，如怀旧热潮，研究表明怀旧热潮以生命意义感为中介，对亲社会行为呈现正向预

① 杨娃，邢禹，关梅林，等．积极心理健康教育视角下心理资源对中职生亲社会和攻击行为的影响：情绪的中介作用［J］．中国特殊教育，2017 (5) : 30 − 35.

② 王文超，伍新春，田雨馨，等．青少年创伤后应激障碍和创伤后成长对亲社会行为的影响：生命意义的中介作用［J］．心理发展与教育，2018，34 (1) : 112 − 119.

③ 郑春东，刘宁，冯楠，等．重大公共威胁情境下个体亲社会行为形成机制：以新冠疫情为例［J］．管理科学学报，2021，24 (3) : 63 − 79.

测作用[1]。而在学校情境下，学校和班级所具有的和谐道德氛围也可以通过道德认同为中介来影响亲社会行为[2]，即具有高道德认同水平的个体更容易受到道德氛围的影响。

同时一些动态因素也得到了研究。例如，研究发现“金钱启动”会减少亲社会行为[3]，这是因为金钱是一种重要的资源，启动金钱概念会诱发经济型心理定势、自由市场的价值观以及利己自我图式，从而导致亲社会行为减少。总之，影响亲社会行为的主客体因素研究非常之多，通过建构模型的方式来汇总这些结果是可行思路。

（四）亲社会行为的学校教育策略

概括前述影响因素的相关研究成果，可发现促进学生亲社会行为的学校教育策略几乎包含了儿童的所有侧面。

在外界环境方面，教师和家长要适当地为孩子行为的发展提供一些奖励和惩罚，同时教师和家长都要多为孩子树立正向的榜样，促进榜样对儿童的替代性强化。

在人际交往方面，学校和教师要引导孩子创设良好的同伴关系，营造和谐友爱的班级和学校氛围，同时社会也要有意识地为孩子筛选积极价值观，进而影响孩子的社会性行为发展。

从儿童自身因素出发，增强对儿童移情、共情能力的训练，让孩子能够在遇到身处危难的他人时，产生强烈的共鸣和亲社会行为倾向。同时要提高儿童的道德认知能力，包含亲社会推理，也包含促进儿童发展更高阶

---

① 常保瑞，谢天．怀旧与亲社会行为的关系：生命意义感的中介作用［J］．应用心理学，2018，24（4）：217－226.

② 杜秀莲，高静．初中生学校道德氛围与亲社会行为的关系：道德认同的中介作用［J］．中国特殊教育，2019（8）：82－87.

③ 李爱梅，彭元，李斌，等．金钱概念启动对亲社会行为的影响及其决策机制［J］．心理科学进展，2014，22（5）：845－856.

段的道德判断，因为没有很好的认知，无法促进道德行为的进一步生成。

除此之外，培养儿童养成良好的个性心理，维护学生的心理健康都在“整全人”视野下促进儿童亲社会行为的产生。值得提出的是，促进儿童亲社会行为的产生，其目的在于以此为开端促进儿童品德建构。这一过程并非以培养习惯为最终目的，其过程也非一蹴而就，会伴随行为与认知的脱节，认知协调，甚至有时会回到起点，需要长时间的浸润与养成。

第三节　学生攻击行为研究

攻击性行为是人类个体比较典型和常见的社会行为的一种，也是未成年人社会性发展需要关注的重要方面。研究发现个体童年期的攻击性行为对青少年期的犯罪行为具有预测作用，约 70% 暴力犯罪少年在 13 岁之前已经存在攻击性行为。[①] 未成年人的犯罪行为同成年人的犯罪行为一样，具有很大的社会危害性，需要得到全社会的重视。而经常受到攻击和霸凌的青少年多表现为情绪抑郁、注意力分散、孤独、逃学、成绩下降，等等。对攻击性行为的发展特点和影响因素进行研究，并采取相应的干预措施来控制和减少攻击性行为的发生，不仅有利于个体的人格和社会性的健康发展，也有利于社会稳定。

一、攻击行为的概念与分类研究

与亲社会行为研究类似，鉴于研究者的理论立场不同，攻击行为的界定与分类也不尽相同，包括情感、认知、行为后果、生物学等各个层面上

---

① 吕勤，陈会昌，王莉．儿童问题行为及其相关父母教养因素研究综述［J］．心理科学，2003 (1) : 125 − 127.

的研究。

（一）攻击行为的界定研究

概括起来，对攻击性行为的界定主要有以下几种：

从生物习性学出发，攻击行为被界定为对个体及群体的生存和繁衍具有重要的生物学意义的，致使被攻击者逃跑或给被攻击者造成伤害的行为或行为模式。这一概念来自对动物的攻击性研究，通过比较心理学研究将之推广到人类的攻击性行为。其进步意义在于承认人类具有攻击性本能，这在一定程度上将直接促使对攻击行为激素与神经递质（如5羟色胺、睾酮）的研究[①]，不足之处在于缺少对引发攻击的条件限定方面的考虑。尤其是没有涉及伤害的意图和动机，也就没有为约束和管理儿童攻击行为提供研究空间。这可能导致一些本不属于攻击的行为，如教师对学生善意的管教行为等，也被看作是攻击。

于是有研究者强调攻击行为的核心应该是攻击发生的前提条件——即伤害意图或伤害动机。但这一定义在揭示攻击性行为本质的同时存在可操作性上的不足。因为人的意图、动机属于内在的心理活动，无法直接观察或测量，只能通过观察伤害者的外显行为或行为发生的现场情况来进行推断。

进而有研究者索性强调将攻击行为所造成的伤害性结果作为攻击行为的界定标准，认为攻击行为就是指导致对方受到伤害的行为。该定义的优点在于，对行为的结果可以进行客观的观察，不需要对行为的意图或动机等做出主观的推断。但它会使攻击概念的外延扩大化，可能会导致一些非攻击性行为也被界定为攻击性行为，也会把一些愤怒、敌意、冲动等情绪情感因素导致的外部表现均视为攻击行为。

---

① 周颖，刘俊升．与攻击行为表达有关的生化指标概述［J］．心理科学，2009，32（6）：1420－1422.

我国学者对于攻击性行为的界定也不尽相同，叶茂林等（2004）主要从基本特征角度给攻击行为下定义，认为攻击行为包含五个基本特点：个体行为、明确意图的行为、对生命体施加的行为、他人具有免于被侵犯的意图、社会所不允许。[①] 曾文雄（2007）研究认为，构成攻击行为的三要素分别是：侵害想法、侵害行为、舆论评估[②]。葛明贵等（2010）研究认为，即便没有对受害人造成实质的侵犯，只是存在有侵犯他人的企图也归为攻击性行为。[③] 可见，在攻击行为的要素和特点方面，并没有达成一致。

以班杜拉为代表的社会学习理论考虑到因素之间的相互作用，对攻击性给出较为完整的界定：攻击是指通过替代性学习和直接学习所习得的一种社会性行为，是一个涉及行为结果、形式、强度、意图以及行为者和行为对象之间的关系等多种因素的复杂结构，不能仅仅以其中的一种因素或一个维度作为依据或标准。这种界定强调多个影响因素及其相互作用而成的复杂结构，是比较完善的界定。

（二）学生攻击行为的分类及工具研究

目前国内关于攻击性行为的大量文献中对以下几个分类均有所涉及。

其一，国内学者对主动性攻击和反应性攻击的分类进行了关注。主动性攻击以社会学习理论为基础，是指个体在未受挑衅的情况下所实施的故意的、有目的的攻击行为。反应性攻击则以挫折攻击理论为基础，是指个体面对挑衅或挫折时愤怒的防御性反应。主动性攻击表现为攻击者具有明显的目的，认为实施攻击行为能够达到预期的目的，并且因为目标达成而

① 叶茂林，杨治良．未成年人归因的内隐特征与攻击行为［J］．心理科学，2004(4)：821－823.

② 曾文雄．儿童攻击行为的产生与干预探索［J］．考试周刊，2007(37)：159－160.

③ 葛明贵，赵媛媛．初中生攻击行为与师生关系的相关研究［J］．卫生软科学，2010，24(5)：444－446.

感到开心。反应性攻击则是在外部敌意性环境的驱动下发生的，为了减少外部威胁产生的“防卫性、报复性”的攻击行为。这两种攻击行为得到国内学者充分研究。我国学者从分子遗传生物学综述了两种攻击行为的生物学差异。① 另外，针对儿童群体，国内研究也发现这两种攻击行为的攻击者不仅在社会认知、行为、情绪、气质以及人格特点上，还在家庭和同伴关系上都有所差异。反应性攻击儿童有较多的敌意归因偏差及负性情绪、内部心理问题较多、同伴及亲子关系较差；而主动性攻击儿童对攻击的结果期待更为正向、外部行为问题较多、其朋友多有不良行为、父母多采用溺爱的教养方式。② 同时，研究者也修订了相关工具，如修订了反应性—主动性攻击问卷（RPQ）。③

其二，将攻击分为工具性攻击和敌意性攻击，所依据标准是行为者实施攻击行为的动机。工具性攻击是指行为者将攻击作为其达到其他目的的手段，其目的是获得或与他人竞争某种物质或地位，而不是为了伤害他人，一般不会伴随产生愤怒情绪。敌意性攻击则是指直接以人为指向的，以打击、伤害他人身心为根本目的的攻击行为。目前用于工具性攻击行为研究的主要测量方式是调查法，而敌意性攻击行为则有专门的测评量表——Buss 和 Duekee 在 1975 年编制的敌意问卷（Buss-Duekee Hostility Inventory，BDHI）。

其三，研究者对攻击行为的表现形式进行了分类。Lagerspet 根据行为的表现形式将攻击行为划分为身体攻击、言语攻击和间接攻击。身体攻击是指攻击者一方利用身体动作直接对受攻击者实施的攻击行为，如打人、

---

① 曹丛，王美萍，张文新，等．主动性攻击和反应性攻击的遗传基础研究述评［J］．心理科学进展，2012，20 (12)：2001 − 2010.

② 周广东，冯丽姝．区分两类攻击行为：反应性与主动性攻击［J］．心理发展与教育，2014，30 (1)：105 − 111.

③ 付俊杰，罗峥，杨思亮．初中生反应性：主动性攻击问卷的修订［J］．首都师范大学学报（社会科学版），2009 (S4)：199 − 202.

踢人和损坏、抢夺他人财物等。言语攻击是指攻击者一方通过口头言语形式直接对受攻击者实施的行为，如骂人、羞辱、嘲笑、讽刺、起外号等。间接攻击又称关系攻击或心理攻击，它不是面对面的行为，而是攻击者一方通过操纵第三方间接对受攻击者实施的行为，如恶意造谣、散布坏话、唆使打人、社会排斥，等等。1992 年，Buss 和 Perry 又在 BDHI 的基础上进行了修改，形成了由身体攻击、语言攻击、愤怒和敌意四个维度组成的攻击性量表（Buss-Perry Aggression Questionnaire，BPAQ）。BPAQ 以题量适中、多元化评价、信效度高等优点吸引了众多研究者进行了本土化修订，如刘俊升等针对青少年修订了 BPAQ 的青年版[①]；吕路等以大学生为被试，修订了适合我国大学生的 BPAQ 中文大学生版[②]。

其四，还有一些分类关注了情绪和情感。如 Lorentz 和 Reise 把攻击行为分为情感性攻击和工具性攻击，我国学者受到启发编制了青少年攻击性问卷，分为攻击性行为、攻击性认知和攻击性情绪三个分量表，其中添加的攻击性情绪部分，由易怒性、冲动、缺乏自我控制能力三个维度构成。[③]

其五，研究者还采用了观察法来测量攻击行为，如班杜拉的玩偶实验就是首先让儿童对成人攻击玩偶的行为进行观察，然后对儿童玩玩偶所表现出来的行为进行观察和分析；还可以采用访谈法，通过对被试进行一些有关攻击性问题的提问来进行信息收集，交流时，研究者还可以观察被试的某些非语言特征，如表情、动作等，通过这些，研究者可以判断被试答案的可信度，可以体会被试对其经历的感受。也有研究者使用了社会测量法中

① 刘俊升，周颖，顾文瑜 .Buss-Perry 攻击性量表在青少年中的初步修订［J］. 中国临床心理学杂志，2009，17 (4) : 449 － 451.

② 吕路，高见和至，董冬，等 . 中文大学生版 Buss-Perry 攻击性量表的修订与信效度分析［J］. 中国心理卫生杂志，2013，27 (5) : 378 － 383.

③ 潘绮敏，张卫 . 青少年攻击性测评问卷的编制［C］// 中国心理学会发展心理学专业委员会、中国心理学会教育心理学专业委员会 · 中国心理学会发展心理学专业委员会、中国心理学会教育心理学专业委员会二〇〇六年度学术年会论文摘要集，2006.

的提名法[①]，它用于确认符合一个或几个特征的人，被提名或从清单中挑出来，如根据攻击行为量表提名班级具有此类特征的人员，该方法简便实用。

攻击性行为成因具有复杂性，如果只采用一种方法可能难以深入揭示其本质，所以可以多种测量方式同时运用，相互补充。研究时综合运用多种方法可能能够更好地解释攻击性行为。

二、攻击行为的理论研究及我国学者的贡献

对攻击行为的研究趋向包含了做出攻击行为的不同理论解释，从重视习性、挫折—攻击、榜样学习的单一因素，走向了重视多因素相互作用的认知模型与行为模型。

（一）传统理论：传统习性说、挫折—攻击说与榜样学习

习性学是研究人和动物行为基础的比较科学。习性学家主张，行为模式是人和动物在发展和成熟的过程中自然出现的，并非环境学习的结果。攻击的习性学理论主张，攻击是动物和人战斗的“本能”，其能量来自机体内部，与外界刺激无关。攻击的能量自然地在个体内部不断积累，在积累到一定程度后，必须借助于适当的外部活动周期性地进行释放。攻击的习性学理论看到了生物性对人类的影响，也发现了物种之间行为的连续性。但也存在许多无法解释之处，例如它过分强调了本能因素在动物和人的攻击行为中的作用，对后天因素重视不够。有不少研究发现动物的攻击模式通过学习是可以改变的。所以这种说法不但未被证实，也使人们怀疑攻击性行为是否能够被控制。同时，它也忽略了人和动物攻击的差异。人类所具有的认知水平、价值体系以及人类所使用的手段都与动物有很大差异，

---

① 郑全全，陈秋燕．初中学生攻击行为的心理特征测量［J］．心理科学，2002 (6)：680－682＋659－766.

所以人类的行为方式也会有所不同。

挫折—攻击说认为个体的攻击不是来源于本能，而是外界刺激（尤其是挫折）引发的内部驱动所致。对挫折与攻击之间关系进行解读的第一位心理学家是弗洛伊德，他认为多受挫会导致攻击，这是一种原始反应。Dollard 等在弗洛伊德的观点上提出了挫折—攻击假说：他认为，攻击只有一个起因——挫折，而挫折只有一个反应——攻击。但这与社会经验并不一致，有时挫折并不一定总是导致攻击，如害怕受罚会使我们在受挫之后不敢攻击，即考虑到攻击行为的后果会影响攻击行为是否产生；有时攻击并不一定会降低挫败感，反而也可能会引起更强的攻击倾向。因此，也有研究者关注了挫折与攻击之间的心理缓冲，Berkowitz 在其理论之上提出了新的看法：挫折引起我们的攻击行为是因为挫折令人厌恶，使我们受挫的事情是令人不愉快的事情，因此当我们以攻击作为对挫折环境的反应时，我们其实是对不愉快事情做出反应。

我国学者在这一思路下进行了很多研究，具有积极的启示。王玉龙，姚明（2015）研究了心理弹性与音乐对挫折感的影响，高心理弹性个体在积极音乐影响下可降低攻击反应。[①] 李欣（2014）从理论层面总结了高犯罪风险人群在受挫情况下的“心理预防”。[②] 也有研究者分析了高职学生挫折后产生攻击的“媒介”，提出了健全科学的高职院校教育管理制度，家庭、学校、社会三位一体的教育系统，积极健康的心理支持系统，营造高品位的校园文化氛围等教育策略。[③] 这些都是该研究思路下的有益成果。

攻击行为的榜样学习说来自于班杜拉，他认为儿童和成人在观察攻击

---

① 王玉龙，姚明．挫折情境对不同心理弹性大学生情绪的影响：积极音乐的作用［J］．心理研究，2015，8 (3)：86 － 90.

② 李欣．基于挫折—攻击理论的极端暴力犯罪心理问题研究［J］．学习与探索，2014 (11)：76 － 80.

③ 袁飞，柏嫱．挫折：攻击理论视野下的学生失范行为及其教育策略［J］．当代教研论丛，2014 (7)：10 － 11.

性榜样的行为之后，通常会模仿其攻击性行为。在这个理论中，观察学习和攻击行为由四个过程组成：注意榜样的明显特征、记住榜样行为的有关信息、做出之前记住的攻击行为、预期攻击行为将带来奖励还是惩罚。如许多研究表明，观看大量攻击性电视节目会导致更多攻击行为的产生。

班杜拉的四阶段理论模型解释了攻击行为如何被模仿以及什么样的条件下会被模仿，但是这个理论模型也有缺陷，例如无法解释攻击行为的多样性，尤其是那些没有显著行为特征的语言的或者间接的攻击行为。这些攻击行为有赖于从个体内在心理过程方面加以解读，目前流行的认知模型理论可对此加以解释。

（二）攻击行为的认知模型

模型研究为攻击行为带来不同因素之间的系统性作用方式。目前主要有认知加工模型与一般攻击模型。

1. 认知加工模型

认知加工模型由肯尼思 · 道奇（K. A. Dodge）提出，他将攻击行为的产生看作是一个计算机加工的过程。他认为个体做出攻击反应的过程包括 6 个步骤。第一步是信息的编码过程。个体必须接受来自社会环境的线索，通过精确感知并做出“发生了什么”的判断。第二步是对信息的解释过程。个体在感知到线索之后，他将会提取过去的记忆，并把这些信息与过去的事件相联结，做出“这意味着什么”的解释。第三步是形成自己的社会目标即“我想要做什么”。第四步是产生解决问题的策略即“我能做什么”或者“我该怎么做”。第五步是评估并加以选择第四步产生的策略即“将会发生什么”或“将会怎样”。最后是执行选择的行为反应即“立即做”。稳定的社会信息加工模式可预测到近 80% 的攻击行为表现。

以某校班级里的常见案例为例。同学小强在画画，小刚撞到他，损坏了其作品，然后小强做出攻击行为，其间可能有以下步骤：小强心爱的图画被损坏（第一步）；看到小刚嬉皮笑脸，想到小刚之前的恶劣行为，于是判断小刚故意而为（第二步）；进而想打回去（第三步）；可能会吃亏，但觉得这样做很正当（第四步），于是就打了回去（第五步）。

可见这一过程的每个环节都可以进行教育引导。我国学者刘佳（2010）[①]和方慧（2006）[②]基于该理论进行了儿童预防攻击性的德育策略研究。分析了个体的攻击性与其社会认知方式、周围环境，个体曾经的攻击性记忆如何产生关联，以及如何针对性施加教育影响的策略等，为后续相关德育研究提供了系统化的新思路。

2. 一般攻击模型

一般攻击模型（General Aggression Model，GAM）由 Anderson 和 Bushman 等人提出，对攻击行为产生的心理机制做出了进一步揭示，是目前攻击行为心理机制解读的最流行理论之一。它旨在系统地解释人类攻击行为产生、维持和发展的影响因素及其机制。

GAM 指出，影响情境中人的行为的因素可以归为情境因素和个人因素，并假定情境因素和个人因素通过改变个体的内在状态变量进而诱发个体的攻击行为。基于这一假设，GAM 从攻击行为的发生过程和攻击性人格的形成过程两个方面阐明个人因素与社会环境因素的相互作用对个体的长期影响，分析攻击行为产生、维持和发展的影响因素及其机制。GAM 指出，攻击行为的发生过程包括输入变量、路径和输出变量三个部分。其中输入变量包括个人因素（如性别）和情境因素（如遭遇挫折）两个方面，个人因素和情境因素通过影响个体的认知、情感和生理唤醒三条路径影响个体当前的攻击准备状态，唤起个体对攻击行为的思考、解释和决策过程，最终形成深思熟虑的行为（非攻击性行为）或冲动性行为（攻击性行为）。两

---

① 刘佳 . 基于社会信息加工模型的儿童攻击行为及其教育策略［J］. 中小学心理健康教育，2010 (1)：11－13.

② 方慧 . 社会认知信息加工模型在儿童攻击性行为研究中的应用［J］. 当代青年研究，2006 (3)：23－25.

种不同的输出结果反过来又会作为反馈变量继续影响和改变个体与情境变量，从而影响个体今后的行为。其中攻击准备状态的形成是个体用以解释社会事件并指导其行为的知识结构被激活的结果。

图 5–1 描述了攻击行为的动态发生过程，可以看出，在输入与输出之间，个体的认知方式、情绪特性和生理唤醒等状态性因素具有核心性的调节作用。

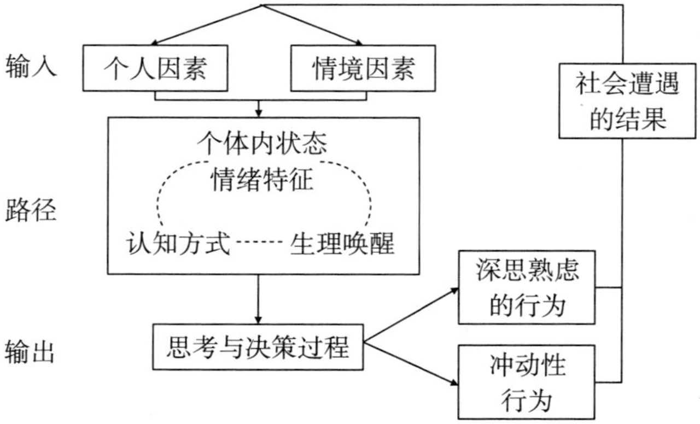

图 5–1　攻击行为的动态发生过程图

攻击可以是偶发性的行为事件，但对某些人而言则是一种特质性行为。长期暴露于特定的情境（如暴力多发环境或不良家庭环境）下，有可能塑造出具有攻击性倾向的个体。研究表明，儿童不断暴露于攻击性的情境中（如媒体暴力），将促进儿童形成攻击特质。这种长期的作用源于攻击性相关知识结构的建立、发展、自动化和加强，导致了个体特质与人格的改变。以长期接触暴力性视频游戏为例，它会使个体在观点、态度、信念和行为上更具攻击性。见图 5–2。

基于该模型，郭晓丽和江光荣（2007）解释了暴力电子游戏对儿童以及青少年的长期影响与短期影响，并得出以下结论：接触暴力电子游戏可以增加攻击行为；认知、情感与生理唤醒可减少亲社会行为；而父母的积极干预可有效减少游戏的负面效应。[①] 同样基于该模型，邵蕾和张登浩（2021）研究了社会排斥带来的反社会行为、亲社会行为或退缩行为的不同内在心理过程[②]；杨晓莉（2020）也提出了“社会排斥总是消极的吗？”这一问题，揭示了排斥者和被排斥者的身份差异，首次被排斥和长期被排斥的不同心理过程等[③]。杨光辉、周宗奎和王宁丹（2010）则基于一般模型分析了攻击行为测量和影响因素研究的未来方向：生理、物理和心理整合，内隐性及其与脑、神经系统的关系。[④] 可以预期，这仍然是进一步研究的方向。

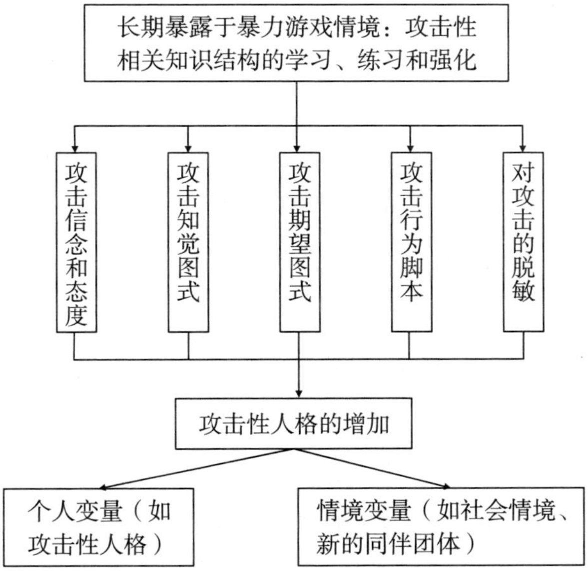

图 5-2　攻击性行为（暴力游戏）的长期效应图

---

① 郭晓丽，江光荣．暴力电子游戏对儿童及青少年的影响研究综述［J］．中国临床心理学杂志，2007 (2)：188 − 190.

② 邵蕾，张登浩．社会排斥后的行为反应：基于一般攻击模型［J］．中国临床心理学杂志，2021，29 (6)：1163 − 1171.

③ 杨晓莉．伤人亦伤己：实施排斥对排斥者的心理影响与理论解释［J］．西南民族大学学报（人文社会科学版），2020，41 (9)：220 − 226.

④ 杨光辉，周宗奎，王宁丹．攻击的结构与测量范式［J］．心理科学，2010，33 (4)：922 − 924.

GAM 模型之于学校德育意义不仅在于具体的研究结论，更在于提供了学校德育对攻击行为的系统性应对方法。例如有教师会为班级里存在一位攻击性儿童而“庆幸”，因其带来了一些同学间的互动机会，让其他同学来学习如何应对攻击行为。这就是将问题纳入系统性思维的一种视角。不仅如此，系统性应对还包括对各层次研究保持敏感，及时更新理念，例如当下学校的全纳教育要求教师对特定儿童的攻击行为给以生物性解释而不是道德解释，等等。

（三）我国学者的理论贡献：内隐攻击研究

杨治良在 20 世纪末带领一些年轻学者进行了内隐攻击研究，可视为我国学者对攻击行为研究的重要贡献。内隐攻击表现为对攻击的自动化加工，它是在过去经验积淀下的一种无意识结构，这种结构会自动化地影响个体进行与攻击相关的知觉、态度、判断、决策和反应等。① 内隐攻击多使用 IAT 效应（指的是前后两个联合任务中个体平均反应时的差值，个体不经过仔细思考而直接经由按键来做出快速反应后记录其反应时并加以比较，是测量内隐认知的常用方法）来测定。② 不同研究均证明内隐攻击性的存在③，研究多支持内隐攻击无性别差异，内隐攻击与外显攻击相互分离④。在内隐攻击和外显攻击的关系上目前多认可双重攻击模型。双重攻击模型是指个体的攻击性存在内隐攻击性和外显攻击性这两种相对独立的系统：内隐攻击性影响着个体自发的或内隐的反应，个体无法对其进行有效的控制或者并不试图去加以控制；而外显攻击性则影响着个体的

---

① 周颖，刘俊升．双重攻击模型的实证研究［J］．心理科学，2009，32（1）：137－140.

② 吴明证，孙晓玲．IAT 效应的心理机制研究述评［J］．应用心理学，2006（2）：155－160.

③ 杨治良，刘素珍，钟毅平，等．内隐社会认知的初步实验研究［J］．心理学报，1997（1）：18＋20－23.

④ 叶茂林．材料性质与内隐攻击性启动效应的实验研究［J］．心理科学，2001（4）：418－421＋509.

深思熟虑后的或外显的行为，个体可以对其施加必要的控制。[①] 双重攻击模型说明，内隐攻击性和外显攻击性之间具有低的相关性，这种低相关表明内隐攻击性和外显攻击性一方面共享某些结构，另一方面又包含各自独特的方面。[②]

在中国家庭养育和学校教育环境中，强调子女或者学生的服从，而不是公开表达不同意见，以及表达合理的攻击，所以内隐攻击在这种文化下就显得非常重要。研究发现父母惩罚严厉、过分干涉和母亲的惩罚严厉三个因子对子女的内隐攻击有显著影响[③]，高温暖度家庭比攻击和冷漠家庭更能减少青少年内隐攻击[④]。这说明父母如果常常依靠体罚、压制、干涉来约束孩子的攻击行为会适得其反，增加孩子的内隐攻击性。研究也发现，与非网络游戏成瘾者相比，网络游戏成瘾者在外显攻击性上没有表现出差异，但在攻击性的内隐态度方面存在差异。[⑤] 可见，内隐攻击的研究是对传统外显研究的必要补充，为儿童攻击性研究带来新的视野。

三、学生攻击行为的新主题——网络欺凌

相比于传统攻击行为，网络欺凌呈现其独有的特点。

---

① 周颖，刘俊升．双重攻击模型的实证研究［J］．心理科学，2009，32 (1)：137 － 140.

② 朱婵媚，宫火良，郑希付．未成年人内隐攻击性特征的实验研究［J］．心理学探新，2006 (2)：48 － 50; 戴春林，杨治良，吴明证．内隐攻击性的实验研究［J］．心理科学，2005 (1)：96 － 98.

③ 陈欣，杜建政．父母教养方式与内隐攻击性的关系研究［J］．心理科学，2006 (4)：798 － 801.

④ 梁玥，张卓．外化问题行为青少年的内隐攻击性与家庭亲密度的关系研究［C］// 中国心理学会·心理学与创新能力提升：第十六届心理学学术会议论方案，2013.

⑤ 崔丽娟，胡海龙，吴明证，等．网络游戏成瘾者的内隐攻击性研究［J］．心理科学，2006 (3)：570 － 573.

（一）网络欺凌的定义

网络欺凌（Cyberbullying）又译为网络霸凌、网络欺负、网络攻击、网络偏差行为、网络失范行为、网络不道德行为等，具体指通过电脑、手机等电子设备，利用严重、反复实施且具有敌意的方式，意图对他人进行强暴、胁迫、骚扰等，造成他人心理痛苦的行为。[①]2018，共青团中央、中国社会科学院进行了国内第一次专门针对青少年网络安全的全国性社会调查，调查结果显示色情、诈骗与网络欺凌仍是青少年面临的主要网络风险，且遇到过网络欺凌的青少年比例最高达 71.11%，网络欺凌已经成为学生欺凌行为的重要表现形式。它既是青少年传统欺凌方式在网络世界中的延伸，又具有新的表现形式和内涵，反网络欺凌已经成为当下“儿童教育的新主题”[②]。

（二）道德推脱在学生网络欺凌中起到中介作用

网络欺凌有别于传统欺凌方式的主要特点在于道德推脱成为主要中介因素。鉴于网络技术带来的匿名性等特点，网络欺凌缺少直接的情境线索，缺少受害者的反应，更多是一种内在的自我心理过程。因此，自我因素中直接影响道德行为的道德推脱成为国内研究者大量关注的心理因素。如前所述，道德推脱是指个体产生的重新定义自己行为的特定认知倾向，这些认知倾向包括推脱、道德合理化、漠视与歪曲、罪责归咎、辩解等心理过程。研究发现，个体的道德推脱水平显著正向预测了其网络欺凌行为，且与其下降趋势呈负相关。[③]

---

① 钱晓敏．青少年网络欺凌行为中的道德推脱心理与防治对策［J］．中国德育，2020(1)：24－27.

② 陈钢．反网络欺凌：儿童教育新主题［J］．中国教育学刊，2011(10)：76－79.

③ 吴鹏，王杨春子，刘华山．初中生网络欺负的发展趋势：道德推脱、观点采择与共情关注的作用［J］．心理科学，2019，42(5)：1098－1105.

研究者还考察了影响网络欺凌的道德认知因素。其中攻击行为信念与观点采择等因素得到了大量研究。对大学生和中学生的研究都发现攻击行为信念对网络欺凌起正向预测作用，且道德推脱起中介作用。[①] 也就是说，以信念形式存在的认知不仅会直接影响个体网络欺凌行为，也会通过道德推脱的心理过程促进欺凌行为产生。研究还发现，发展个体其他认知能力，如观点采择能力会抵制网络欺凌行为，其内在机制也仍然可以通过道德推脱得以实现。如研究发现大学生的观点采择会对大学生的网络偏差行为产生显著的负向影响，但这一影响过程需要通过道德推脱的完全中介作用来实现。[②]

与道德系统无涉的心理健康或者人格特征类的因素也得到了关注。如网络受欺负经历[③]、特质愤怒与特质攻击[④]，甚至儿童期心理虐待[⑤]、隐性自恋[⑥]都会对网络攻击行为产生直接影响或者间接影响。在其间接影响中，道德推脱都起到了中介作用。在如上研究中，以特质愤怒为例，其间接作用表现为：在高道德推脱水平下特质愤怒能显著地正向预测大学生网络攻击行为，而在低道德推脱水平下，特质愤怒对大学生网络攻击行为的预测

---

① 郑清，叶宝娟，姚媛梅，等．攻击行为规范信念对大学生网络欺负的影响：道德推脱与网络道德的中介作用［J］．中国临床心理学杂志，2017,25 (4) : 727 − 730; 孙晓娟，李梅，赵悦彤，等．攻击行为规范信念对初中生欺负行为的影响：道德推脱的中介作用［J］．中国临床心理学杂志，2019，27 (6) : 1246 − 1250.

② 杨继平，王兴超，杨力．观点采择对大学生网络偏差行为的影响：道德推脱的中介作用［J］．心理科学，2014，37 (3) : 633 − 638.

③ 朱晓伟，周宗奎，褚晓伟，等．从受欺负到网上欺负他人：有调节的中介模型［J］．中国临床心理学杂志，2019，27 (3) : 492 − 496.

④ 金童林，陆桂芝，张璐，等．特质愤怒对大学生网络攻击行为的影响：道德推脱的作用［J］．心理发展与教育，2017，33 (5) : 605 − 613.

⑤ 金童林，陆桂芝，张璐，等．儿童期心理虐待对大学生网络欺负的影响：道德推脱的中介作用［J］．中国特殊教育，2017 (2) : 65 − 71.

⑥ 李伟，李坤，张庆春．自恋与网络欺凌：道德推脱的中介作用［J］．心理技术与应用，2016，4 (11) : 676 − 683.

作用不明显。再以儿童虐待为例，研究发现儿童期心理虐待对大学生网络欺凌行为具有显著的直接效应，即遭受儿童期心理虐待的个体更容易实施网络攻击行为。该因素的影响也同时具备间接效应，即儿童虐待对网络欺凌的影响中，道德推脱起到了中介作用。

同时研究者也发现了中学生群体中父母的拒绝型养育方式通过道德推脱和个体责任心而产生的间接影响。[①] 父母教养方式中的情感温暖维度对网络欺负行为具有负向预测作用，仍然通过观点采择、道德推脱、共情等中介因素实现[②]，而父母控制，包括父母行为控制和心理控制，均可通过道德推脱的中介作用对初中生网络欺凌产生负向影响[③]。

根据以上研究不难发现，与传统形式相比，反网络欺凌更加需要家庭、学校和社会的通力协作。学校教育不仅要重视媒介素养教育，而且在发展个体道德认知与激发道德情感的传统做法之外，还需要配合以心理辅导措施，以培养“整全人”为目标对抗德育的新挑战。同时也需要构建良好的学校氛围，通过家校合作提高家庭教育水平。2022 年正式实施的《家庭教育促进法》也是国家在这方面所做出的努力。

四、攻击行为的学生发展特点与教育建议

（一）攻击行为的年龄特点

对幼儿来说，攻击行为中的性别差异明显，6 个月大的女孩抢夺他人

---

① 吴鹏，刘华山，鲁路捷，等．青少年网络不道德行为与父母教养方式的关系：道德脱离、责任心、道德同一性的中介作用［J］．心理科学，2013，36 (2)：372 − 377.

② 张洁，吴鹏．父母教养方式与初中生网络欺负行为的关系：观点采择、共情与道德推脱的中介［J］．心理研究，2021，14 (6)：551 − 557.

③ 范翠英，张孟，何丹．父母控制对初中生网络欺负的影响：道德推脱的中介作用［J］．中国临床心理学杂志，2017，25 (3)：516 − 519 + 523.

玩具的可能性更小；在攻击方式上，男孩多使用直接攻击，女孩多使用间接攻击。[①] 随着儿童年龄的增长，引起儿童攻击行为的前提条件和性质也随之发生变化，婴儿期儿童的攻击主要是由物品或空间争夺引起。进入学前期，由具有社会意义的事件（如游戏规则、行为方式等）引起的儿童间的攻击逐渐增多。另外，声誉的诋毁（如批评、讥讽等）不仅会引起儿童的言语攻击，而且常常引起彼此的身体攻击。从攻击行为的表现形式来看，幼儿更多地使用直接攻击，也就是身体上的攻击。随着年龄的不断增长，他们更多地使用言语攻击而非身体上的攻击。另外，研究发现幼儿时期的攻击行为能够很好地预测青少年攻击行为。一项追踪研究表明，幼儿攻击行为如果得不到预防和干预，将一直持续到青少年、成年，甚至有可能走上违法、犯罪的道路。实验证明移情能力的提高对于降低和减弱攻击行为有一定的积极作用。[②] 教师可以让儿童通过角色扮演、角色互换来培养他们的移情能力，让他们置于被攻击者的位置，并想象被攻击带来的痛苦，进而提高移情能力。

对中学生来说，近年来初中阶段的校园欺凌、霸凌事件层出不穷。正处于青春初期的初中生，在生理和心理上发生着重要的变化：心理上出现了一定的成熟感，但同时还存在幼稚性；独立意识逐渐增强，但也相对闭锁；在学校渴望与同伴的交往、被接纳和尊重，但也缺乏成熟的交往技能；情感丰富，但情感表达强烈而不稳定。加之初中生不同于高中生相对具有健康的排解方式，因此他们更倾向于表达负面情绪。消极的情绪得不到及时的疏导和有效的宣泄，就会导致初中生选择最简单直接的攻击行为来作为他们应对生活事件和个人情绪问题的方式。相关研究指出，初中生常见的

---

① Loeber R,Hay D F. Developmental approaches to aggression and conduct problems. In Rutter M, Hay DF. (eds). Development through life: A handbook for clinicians, 1993 : 488 – 516.

② 梁玉华，苏丽．幼儿攻击性行为的应对策略［J］．教育探索，2012 (2) : 129 – 132.

攻击性行为依次为打架斗殴、强抢东西、索取钱财及毁坏物品。其中，男生和女生的攻击性行为有所不同，男生偏向于身体攻击，甚至是拉帮结派以及使用凶器攻击其他人；而女生大多实施心理或精神攻击，如谩骂、给同学取侮辱性的绰号、威胁恐吓等。学校管理者可通过改善教学环境与提高教学质量、改善学校的心理教育设施、定期开展心理健康教育活动、加强心理教育和心理疏导等措施来减少学生攻击性。

对大学生来说，当前越来越严峻的就业形势也会增加大学生的压力感。有研究表明，大学生的攻击行为与生活事件呈正相关，大学生经历的负性生活事件越多，攻击行为越多。[①] 同时，作为成人，大学生攻击行为与其人格密切相关。一些大学生由于缺乏自信，对身边的人或事情非常敏感，加之在日常生活中解决问题的能力相对较弱，因此面对负性生活事件时经常做出歪曲认知，例如认为自己受到了威胁、他人对自己有敌意等。这种认知导致他们经常处于愤怒、焦虑等情绪之中，在某些特殊情况下，往往会做出对他人或对自身的攻击行为。

（二）减少学生攻击行为的建议

目前得到研究者普遍认可的方式如下：

1. 优化父母教养方式

研究者均认可父母应较少采用拒绝或过度保护方式与子女互动。如果父母不论子女的要求是否合理，只是一味地漠视或拒绝儿童的各种心理与生理需要，就会使其产生一种挫败感。当然，这些拒绝与漠视也会成为儿童学习的“榜样”，从而使其漠视他人的感受。同样，如果父母总是不加鉴别对子女的要求百依百顺，就会影响子女对自我的控制能力，从而在遇到挫折时就很容易产生过激行为。

---

① 于蕴森，刘玥汐，陈璐，等．大学生攻击性行为与生活事件相关性［J］．中国公共卫生，2013，29（11）：1677－1679.

一般来说，权威型教养范式是较好的养育方式。但研究也发现，父亲与母亲的养育方式具有不同影响。研究发现父亲惩罚、父亲拒绝、父亲偏爱、母亲拒绝这四个因子与大学生的攻击行为密切相关，这说明父亲教养方式对于攻击的影响显著区别于母亲的教养方式。[①]对小学生，研究者也发现父亲参与对儿童的攻击性行为有负向预测作用，母亲育儿压力在其中起部分中介作用[②]。目前我国对于探讨父亲缺失或者母亲缺失对儿童心理发展的影响及干预对策研究还较少，这是进一步探讨的方向之一。

2. 营造良好的班级与校园环境

郭伯良、王燕和张雷（2005）采用多水平分析技术，对 82 个城市初中班级的 4650 名学生进行了测试，探讨了班级环境变量对儿童社会行为的影响。结果显示，在班级环境变量方面，老师支持可以减弱退缩行为和学校适应间的负向联系；老师训诫可以减弱攻击行为与同伴接受间的负向关联；班级秩序纪律对攻击行为和学校适应间的负向关联有明显的强化效果。[③]该研究证明这些良好的班级环境有利于改善学生攻击行为。班级和学校的环境因素还可以包括但不限于以下途径：积极开展多种多样的课外活动，为学生提供施展兴趣特长的平台；鼓励全校师生积极参加文娱活动，在活动中获得成就体验和满足感，不断形成强烈的集体荣誉感和归属感；充分利用学校广播、宣传公告栏等方式经常性地报道校园好人好事，宣传发生在学生身边，与学生密切相关的正能量新闻，引导学生产生积极的情感体验，等等。良好的校园文化氛围能够在一定程度上决定学生的人生观、价值观以及思维方式，它就像春雨般润物细无声地影响着学生身心的发展

---

① 罗贵明．父母教养方式、自尊水平与大学生攻击行为的关系研究［J］．中国临床心理学杂志，2008 (2)：198 － 199.

② 高雯，朱进慧，方臻．父亲参与教养对小学生攻击行为的影响：母亲育儿压力的部分中介效应［J］．心理发展与教育，2020，36 (1)：84 － 93.

③ 郭伯良，王燕，张雷．班级环境变量对儿童社会行为与学校适应间关系的影响［J］．心理学报，2005 (2)：233 － 239.

和成长，使学生逐渐形成自己的个性特质和行为思维模式。

3. 提高学生情绪管理能力

情绪是人非常基本的心理过程，它对个体的行为态度有着重要且直接的影响。减少攻击性行为非常重要的措施就是需要提高自身的情绪管理能力。有研究者应用情绪管理治疗对 68 例有攻击性行为儿童及其家庭进行为期 10 周的干预，结果肯定了情绪管理治疗对儿童攻击性行为的显著疗效。① 所以，在面对负面情绪时要学会运用积极有效的应对策略，减少消极情绪产生的负面影响。作为教师，可以告诉学生如何认知情绪，接纳情绪和调控情绪，例如在遇到困难产生消极情绪时，我们应该首先学会识别它，并接纳它，通过适当的方法和渠道进行疏导和宣泄，并且学会应对自己的负面情绪，不断提高自身的情绪控制能力。

4. 帮助学生建立良好关系

对学生群体而言，主要存在两类良好关系：良好亲子关系以及良好同伴关系。大量研究都表明，个体的不安全依恋、受虐与其攻击行为相关。② 而不安全依恋往往与亲子关系息息相关。研究发现，和谐、融洽的亲子关系会促进儿童亲社会行为的发展，而冷漠、敌对的亲子关系往往导致儿童反社会行为的出现。③ 这一点不仅在实证研究中得以验证，在后精神分析心理咨询实践的客体关系取向下，亲子关系——尤其是母亲与儿童的关系，也一直被视为影响儿童社会性与情绪发展的潜在且核心的因素。

同伴关系是指年龄相同或近似的儿童之间的一种共同活动并相互协作的关系。很多的青少年在入学后越来越少与家庭接触，与同伴接触时间逐

---

① 郭贞美，陈青，潘清文，等．情绪管理治疗对儿童攻击性行为的干预研究［J］．中国现代医生，2010，48（13）：98－99＋105.

② 朱相华，杨永杰，李娇，等．小学生受虐待经历、不安全依恋与攻击性人格的关系［J］．中国健康心理学杂志，2008（1）：72－74.

③ 陈立民，张霞，夏荣．青少年亲子关系与攻击性行为的关系研究［J］．心理与行为研究，2011，9（3）：231－235＋240.

渐增多，同伴关系占据了越来越重要的位置。它一方面经由“团体”动力起作用，另一方面也对个体存在隐性影响。例如，银娟（2006）的研究中表明人际关系好的个体，其隐性攻击性行为显著低于人际关系差的个体。① 所以，良好同伴可以为个体提供大量的情感支持，这种亲密关系有利于促进个体良好社交能力的形成。拥有亲密同伴关系的个体更容易接受社会规范，从而不易出现攻击性行为。

5. 帮助学生适度暴露于暴力游戏与社会应激事件

随着科技的发展，人们接触到的媒体越来越丰富，也更多选择游戏作为娱乐方式。但据相关研究，2019 年中国最受欢迎的网络游戏中 70% 包含有暴力成分。目前有众多研究表明电子游戏对儿童攻击行为具有重要影响。其中大多数的研究都支持暴力电子游戏对攻击行为、攻击情感、攻击唤醒等方面的影响。② 如果长期观看暴力媒体会导致个体在现实生活中对暴力场景脱敏，长期不断接触暴力会对个体的认知、态度和情绪特点产生影响。在态度层面，个体会将暴力解决问题视为合理手段从而导致暴力行为增加；在认知层面，个体更接受攻击行为，在情绪上对暴力场景不敏感；在感受层面，游戏过程中的体验和感受常常直接影响他们对待真实问题的态度和解决方法。

另外社会应激事件也会影响学生的攻击反应。新冠疫情暴发后，居家隔离期间会产生心理应激，而这会导致家庭冲突激化、内部攻击行为增加，对学生的心理状况以及攻击性行为的发生具有一定的影响。研究发现在此期间，心理应激水平越高，个体的暴力行为风险就越高。③ 认知应激理论

① 银娟 . 大学生内隐攻击性与家庭环境的关系研究［D］. 南京：河海大学，2006.

② 郑宏明，孙延军 . 暴力电子游戏对攻击行为及相关变量的影响［J］. 心理科学进展，2006（2）：266 － 272；滕召军，刘衍玲，郭成 . 暴力电子游戏对攻击行为的影响及其争论［J］. 心理发展与教育，2015，31（4）：494 － 502.

③ 胡燕，许川勇，王若彤，等 . 新冠疫情期间学生的心理应激反应对攻击性行为的影响：一个有调节的中介［J］. 应用心理学，2021，27（1）：57 － 65.

指出，当个体感知到情境的不确定和不可控时，更倾向于采取消极应对方式来应对外在变化。所以在面对难以预料发展情况的新冠疫情时，学生害怕外部世界的复杂性和不确定性，更容易采取消极策略应对压力情境。消极应对可以引发一些身体或语言上的攻击。除此之外，学生居家学习阻断了正常的同伴交往和娱乐社交方式，活动空间受到限制、压力倍增、情绪很难找到出口排解，所以只能通过攻击性行为表现出来。因此在社会公共事件暴发时加强心理疏导与管理可以帮助预防儿童的暴力与攻击行为。

第六章
品德心理整合研究

从1978年到20世纪90年代初，我国学者对品德结构的研究出现过一段时间的繁荣期，研究者同时考虑了品德要素以及要素之间的关系与相互作用，形成了颇具中国特色的品德结构整合思想研究。它不仅成为创建品德心理与德育心理的学科基础，还在极其广泛的意义上决定并深刻影响学校德育目标培养要素的构成。但鉴于当时流于思辨，没有应和国际上流行的心理学之科学主义潮流，因而并没有产生更广泛和更长远的国际影响。

差不多同一阶段，国际上随着研究者对品德心理研究的深入，自然产生了将传统品德知、情、行这些开端加以铆合以构成不能简单归为任何一个开端成分的特定结构（如道德认同、道德敏感、道德直觉判断，等等），可视之为品德的部分性建构。这些结构是研究学生品德发展的新视野，我国学者进行了大量验证性研究。研究者一方面对我国学生的相关发展状况做出分析，另一方面这些建构也为我国学生德育工作带来新启示。

第一节　我国学者的品德结构整合思想研究

品德结构是品德研究中的核心问题，是心理学、教育学、伦理学、哲学等学科共同关注的问题。20 世纪 80 年代以来，大部分学者从心理学角度出发，分析其基本的构成要素和生成机制。这些研究影响极为深远和广泛，一度成为我国品德心理与德育心理，甚至是德育学的学科基础，影响了学生品德发展的基本研究维度、学生德育的目标要素等。从德育实践出发，相关学者也反向从伦理学和教育学等学科角度对品德结构进行了研究，但二者终归多为建立在思辨与经验之上的“思想研究”,大多缺乏实证验证。也正因如此，对待国内品德结构思想的研究不应限于真伪之辨，而应相互补充，兼容并蓄，共同构成品德结构的不同视角。

一、品德结构的含义

“结构”意指一个事物包含着相互联系的内在要素，各种内在要素形成一个有机整体。因此品德结构的研究就是要弄清品德所包含着的内在要素以及不同要素之间的相互关系，这二者是学界的主要议题。不同学者从不同角度出发，结合自身理论给出了研究与诠释。

（一）品德结构的构成

对品德结构构成的研究包含以下三个方面：因素、系统与整体，以及结构核心。

其一是因素。《教育大辞典》指出，品德结构是指组成个体道德品质的心理成分及构成方式。[①] 对于存在哪些成分这一问题，多数研究者倾向于采用四要素说，即认为品德由道德认识、道德情感、道德意志和道德行为构成。道德认识又称道德观念，是对道德准则及其执行意义的认识；道德情感是伴随道德认识产生的内心体验；道德意志是个人自觉地调节行动

① 顾明远．教育大辞典［M］．上海：上海教育出版社，1998.

去克服困难，以实现一定道德目的的活动；道德行为是实现道德动机的行为意向及外部表现，是衡量个人品德的重要标志。上述四种要素相互联系，相互制约。这也是目前在学生品德测评和品德教育目标设定中常用的区分要素和维度。

其二是系统与整体。有学者在研究品德结构时更强调它是人的道德活动特征的整体，可以是个体品德的心理成分及其结合方式，也可以是一个系统，是人的心理大系统下的子系统，从属于自然、社会、心理系统，是一个多侧面、多形态、多水平、多联系、多序列的动态的开放性的整体和系统。[①] 这种整体和系统的观点引发学界对系统相互作用、系统动力模式等方面的系列研究。

其三是品德结构的核心。有研究者认为品德结构的核心是品德能力。品德能力包括完成一定品德活动的心理特征和实现一定品德活动的方式，由三个子系统组成：一是品德智力，包括品德认识能力、判断能力、评价能力；二是品德实践能力，包括品德行为的预见能力、活动能力、应急能力；三是自我教育能力，包括品德目标的选择能力、自我激励能力和自我控制能力。[②] 也有学者认为“善的准则”是品德结构的核心[③]，认为品德的心理结构是由各种不同的道德心理要素及其特定的相互作用关系而构成的有机统一体，它表现为个体在社会生活实践中以“善”为准则处理与社会、他人和自然关系时的个性心理特点。当然，这些界定带有特定的学科属性，前者属于教育学研究，后者具有伦理学意味。

总之，本书认可品德结构是品德各成分或要素内部或者彼此之间，具有不同层级系统的整体构架。品德结构的研究处于不断的发展、整合和完善之中，尚无止境。

---

① 林崇德．论品德的结构［J］．北京师范大学学报，1988 (1)：57 － 65.

② 赵志毅，王淳．试析品德能力的结构与特点［J］．课程・教材・教法，1988 (9)：12 － 14.

③ 李雁冰．品德结构新探［J］．齐鲁学刊，1995 (3)：117 － 119.

（二）品德结构的价值

品德结构的价值即将品德结构作为整体来考察其总的特质、地位与作用。李伯黍很早就对品德结构进行了本质性的解释，他提出“道德价值结构说”，将道德价值与道德结构并列。他认为道德价值是人们关于自身道德观念、道德行为对于社会和人的意义的衡量。个体的道德价值观念与结构的形式有机地联系在一起。个体在通过品德结构进行道德决策时，总会以他的稳定的道德价值结构为基础。赵志毅则站在人格结构的角度提出了有价值的观点。他认为品德结构是心理结构中一个相对独立的系统，与心理结构中的其他系统如智能结构、审美结构相并列。智能结构、审美结构的发展水平直接制约着品德结构的发展，同样品德结构对前二者的发展也有促进作用，它们相互联结、相互支持、协调统一，共同构成心理结构的发展现实。[①] 他将道德结构作为心理结构的一部分来看待，具有一定的意义。

尽管对这一问题还没有定论，但品德结构如何与其他系统产生联系是绕不开的德育主题。当下研究中的“道德健康”主题就是品德结构纳入心理健康教育系统的尝试。[②] 当前所倡导的“课程思政”也是在综合道德教育与价值观教育。

二、国内品德结构的理论与学说

关于品德结构的理论或者学说可以分为三类：一是静态品德结构说，二是动态品德结构说，三是多学科视角。

---

① 赵志毅．论品德结构与人格系统的关系［J］．教育研究，2011，32 (1)：82 − 86.

② 薛晓阳．道德健康的教育学刍议：兼议心理教育的伦理转向［J］．教育研究，2005，26 (11)：23 − 27.

（一）静态说

静态说更多强调品德结构的内容与静态因素构成。可借鉴学者马娟（2004）的分类方式，将品德心理结构的静态结构区分为"平面"和"立体"两方面。[①]"平面"研究主要体现在"因素说""四项意识说""三环结构说"这几方面。

1. 平面说

因素说的观点认为品德心理结构是一系列彼此联系的心理因素构成的统一体，即个体的品德是由若干相互联系的心理因素构成的。"二因素说"认为品德由道德需要和道德能力两部分组成。前者包括由它决定的动机、态度、理想、信念等，它决定品德的方向、性质和发展水平，是品德的核心成分；后者包括道德知识、道德判断能力和道德行为技能等。"三因素说"是潘菽（1980）在《教育心理学》一书中较早提出的，包括道德认识、道德情感和道德行为三部分，是目前学校德育工作中最常使用的三个静态分析因素。"四因素说"从心理学的角度来分析人的品德结构，把认知作为人的品德结构的起点，认为人的品德结构由道德认知、道德情感、道德意志和道德行为四个因素组成。韩进之等（1986）编著的《德育心理学概论》从文化角度分析，批判性继承了孔子《论语》中所包含的丰富的"知、情、意、行"品德结构的心理学思想和教育思想，充分肯定品德的基本心理结构应该包含道德认识、道德情感、道德意志和道德行为四种成分。[②]"五因素说"是在知、情、意、行的基础上增加了"道德信念"（核心地位）或者"道德动机"这一因素；"六因素说"则是在知、情、意、行的基础上增加了"道德动机""道德评价"。

这一过程大致经历了知、行—知、情、行—知、情、意—知、情、意、

① 马娟．我国品德心理结构研究综述［J］．四川教育学院学报，2004 (1)：9 － 11 + 19.

② 韩进之，王宪清．德育心理学概论［M］．上海：上海人民出版社，1986.

行的发展演变，目前普遍认同的是四因素“知、情、意、行”。

因素说的争议在于包含哪几个因素，以及何者为主导。面对这一争议，赵志毅等提出“三环结构说”试图中和。[①] 他们用辩证的、系统的方法对品德做结构性的改造，提出了以世界观为核心的思想品德三环结构的理论，思想品德结构由品德心理要素环、品德的个性倾向环和品德的能力环三方面有机结合。这种学说从个人微观的角度去分析个体品德心理结构的内在构成，将“要素”纳入三环之一环，实质是通过扩大品德结构的功能和倾向特征来“湮没”因素之争议。当然也有学者质疑其观点，认为其将世界观作为核心欠妥。与此同时，其他学科，尤其是在哲学和政治学领域，也有学者将个人品德心理与社会要求相联系，从宏观视角切入分析品德结构。从社会实践活动的范围和顺序上去考察人的品德结构，认为人的思想品德是由政治观意识、世界观意识、人生观意识、道德观意识四个意识因素构成的[②]，可作为品德结构的内容扩展。

2. 立体说

“立体说”针对“平面说”的不足提出，它将品德结构看作是一个多层面的立体结构，而不仅仅看重其具体的构成要素。

从德育实践的角度，班华（1986）在《思想品德结构与新时期德育任务》一文中运用系统论的知识来分析品德结构，认为一切思想品德都是心理内容、心理形式和心理能力三者的有机统一体。[③] 他进一步关注品德结构中哪个为“核心”的问题，提出球型结构说（班华，1986；1989）[④]。球形结

---

① 赵志毅，王淳．试析品德能力的结构与特点［J］．课程·教材·教法，1988 (9) : 12 − 14.

② 韩树华．研究道德作用的发展规律［J］．伦理学与精神文明，1983 (2) : 10.

③ 班华．思想品德结构与新时期德育任务［J］．华东师范大学学报（教育科学版），1986 (2) : 25 − 29.

④ 班华．思想品德结构与新时期德育任务［J］．华东师范大学学报（教育科学版），1986 (2) : 25 − 29; 班华．“双序实验”三维结构思想品德教育方案［J］．当代教育科学，1989 (1) : 24 − 27.

构说认为品德结构是以品德信念为核心，以品德行为作为外部表现，由社会内容环、心理形式环、品德能力环有机结合成的立体结构。在三维立体的基础上力求从更全面的角度来把握品德心理结构问题，不仅看到了个体内部品德结构的形态，而且看到了内部与外部之间具有的某种联系。

品德结构的立体把握，虽然已经尽力避免从因素出发研究品德心理结构问题，但仍将其理解为一个多层面的静态结构，远远不能解释品德心理结构的复杂实质。

总之，静态研究偏向工具性，主要是针对具体的问题，应用于相关的德育任务设置中，因为明确的结构模型有助于一系列任务的策划安排，落实执行。其局限是停留在因素的层面，忽略了内在的运行机制，各要素之间的相互联结研究不够。因此，当时学界同时也存在品德结构动态说以回应以上不足。

（二）动态说

20 世纪 80 年代是静态说提出相对集中的时期。经过十几年的探索，研究者认识到静态学说在解释个体品德发展性、系统性等方面的不足，从因素到立体维度的思考促使研究者考虑其建构过程，因此研究者开始从动态角度阐释品德结构。动态品德结构说其含义是指对于品德结构的分析不只强调要素构成，而是从较高的层面将各因素综合归纳，强调其整体、有序与连续地发展，将发展动力与发展态势纳入其中。比较有代表性的观点包括系统结构说、功能结构说和品德结构综合说等。

系统结构说是林崇德（1988；1989）提出的有关品德结构的学说。他采用新的认识论——系统论来解释品德各成分之间的互动和相互作用总和。[①] 他认为品德结构是三个相互关联的关系系统：一是品德的深层结构

① 林崇德 . 论品德的结构［J］. 北京师范大学学报 , 1988 (1) : 57 － 65; 林崇德 . 品德发展心理学［M］. 上海 : 上海教育出版社 , 1989.

和表层结构关系系统，即道德动机与道德行为系统；二是品德的心理过程与行为活动的关系系统，即道德认识、道德情感、道德意志、道德行为的特征系统；三是品德的心理活动与外部活动的关系及其组织形式系统，即品德的定向、操作和反馈系统。系统内部存在要素间的相互作用，系统外部也存在彼此之间的影响，这对品德结构研究产生了深远影响。

章志光(1988)对品德结构研究做出了自己的贡献。他与其学生开展了“学生品德形成的内在条件及动力系统”课题研究，对品德的内外条件交互作用进行了多项实证研究，得出了品德是内外多种因素交互作用的结果。据此提出了“功能结构说”，该学说认为品德结构分为生成结构、执行结构、定型结构三个断面或维度。[①] 生成结构是指从非道德状态过渡到开始出现道德行为或初步形成道德性时的心理结构；执行结构是指个人在道德性生成结构基础上发展起来的更有意识地对待道德情境，经历内部冲突、主动定向、考虑决策和调节行为等环节的一种复杂的心理过程及其结构；定型结构是指个体具有品德的心理结构。不仅如此，他还认为这种结构与宏观的社会环境和微观的群体环境（包括人际关系、教育方式）发生关联或相互制约时，就构成了一个包括品德机制在内的大的社会动力系统。所以，品德心理学应着重研究个体在社会制约下，在群体互动中产生的内部心理结构及其动力状态。由此可见，章志光在研究对象上突出品德结构的动态形成，这些独到见解对于个体品德发展，甚至对品德心理学的学科建设都具有奠基性意义。

有学者在两者研究的基础上持续思考，提出了“品德结构综合说”。该学说认为品德结构是由三方面、十二个维度及其多层次关系综合而成的动态结构。这三方面包括品德心理智能系统、品德心理内容构成系统和品德心理意识系统。其中品德心理智能系统主要包括品德认识、品德情感、品德意识、

① 章志光．学生品德形成的动态研究与方法探索［J］．北京师范大学学报，1988 (1)：49 － 56.

品德行为、品德评价等，从其作用可分为定向系统、动力系统、能力系统、控制系统和自动反馈调节系统；品德心理内容构成系统包含品德行为遵循的社会行为规范、品德行为作用对象的内心需要、品德行为效果的社会意义和社会价值；品德心理意识系统则包括意识到自己的社会地位、社会责任，意识到自己在道德行为过程中的心理活动，意识到自己的态度，有选择地进行行为反应。通过在现实情境下探讨德性心理运行机制的视角研究品德心理结构，研究的实践性增强，有利于揭示品德心理的真实运行结构。同时，由于其便于设计更具实效性的品德测评，这种研究视角已被广泛使用。

如果说上述观点更多落脚于个体内部，那么也有学者强调了社会与个体的互动维度。张志学（1990）提出互动结构因素说。认为品德是人的社会性表现，是社会规范、价值体系的个体显现，其内容是源于社会的。同时，品德又是个体的人的品德，随着个体人格的形成与发展而来。品德结构是社会与个体人格的互动结构，一方面，要从社会的决定作用和主体的能动性上去分析品德结构，另一方面，还要从品德的形成和品德的表现来探讨品德结构。同时，这种互动结构是动态性和稳定性，接受性与表现性，多元统一性和个体差异性的融合。

以上观点在解释个体发展过程这一问题时，尚显无力。肖兴政（1996）提出了品德螺旋结构给予回应。[①] 他从人的品德形成过程来考察，强调品德是一个动态结构，要从品德结构要素的态势和运行机制入手研究。这个动态的品德结构应呈螺旋形，始点是人的先天素质和生理需要，终点（相对的）是相对稳定的、持续的“三观”，以及由“三观”所制约的品德行为。其他如建构品德需要的社会需要、社会适应、道德信念以及所包含的子要素按螺旋结构排列，螺旋上升。在这一螺旋结构中，各要素之间具有融合性，不能截然分开，只有相对的层次性，因而，这一结构使得品德形

---

① 肖兴政．品德结构新论［J］．西南师范大学学报（哲学社会科学版），1996 (2)：40 － 42.

成具有弹性和动态可塑性。其研究启发了李耀宗（2011），他指出品德心理结构是一个如同 DNA 的三驱螺旋动结构。[①] 本能内驱力、社会文化内驱力以及心理内驱力构成三驱链条，道德认识、道德情感、道德意志和道德行为是联结链条中间的“碱基”。此研究区别于品德心理结构的静态研究，着力于动力因素的探寻和动力机制的揭示。

这些学说体现了学界对品德结构更加系统化和清晰化的理解，同时在方法论上，品德结构研究也渐渐走进了系统科学的领域，研究从平面走向立体，从单子走向系统。但这一阶段的研究仍存在不足：一是未能结合实验验证进行理论推断，二是落实于教育实践操作时没有静态分析那么直接可行，所以直至现在，当下学校里的具体的品德发展与教育目标仍以静态因素（道德知、情、意、行）的描述为主。

（三）多学科视角

为更好探索品德结构，进入 21 世纪后，品德结构主题呈现了多学科视野和多角度研究。包括对其他心理学分支学科的借鉴，也包括思想政治学、社会学、哲学等学科的融合。

第一种视角为心理学不同分支学科对品德主题的涉及。

万文涛（2004）在原有结构因素说的基础上表达了对品德结构构成的不同认识。他首先研究的是“品德的心理过程”，指人们在短时记忆空间中逐步呈现品德心理活动的过程，包括品德情境感知、品德认知延伸、品德行为展现等三个基本环节，还伴随一定的品德情感体验。[②] 进而再讨论品德结构的构成，提出了“六角度”。根据所涉领域可分为人生观、道德观、政法观、世界观（角度 1）；根据所涉对象可分为“自我”结构和心中“他人”

---

① 李耀宗 . 探寻品德心理发展的动力：从心理学流派入手［J］. 思想政治教育研究，2011，27 (3)：134 － 136.

② 万文涛 . 品德结构新探［J］. 江西社会科学，2004 (4)：72 － 77.

的品德结构（角度2）；根据知识性质可分为品德客体知识结构和品德元知识结构（角度3）；根据结构特征可分为品德情境知识结构、品德理性知识结构和品德行为方式结构（角度4）；根据刻记深度可分为品德“核心”结构和品德“边缘”结构（角度5）；根据情感色彩可分为“红色”“黄色”“蓝色”的品德结构（角度6）。值得关注的是，万文涛在文章中提到了“品德元知识结构”，是指当一个人面对某一外部情境时，较为深刻的那些品德元知识，往往从长时记忆库中浮现出来，隐现于短时记忆空间中，对品德心理过程发挥着调节、监控作用。表现在情境感知调控、行为目标、动机选择调控、行为方式的执行调控等几个环节。一般来说，一个人的“自我”品德元知识越丰富、越深刻，这个人的自主调控能力也就越强，这个人的独立性、创造性也越强。这一概念具有新意和启发性。

郭祖仪（2000）从社会心理学角度出发，强调将品德视为一种态度，从态度结构模式出发，对品德的形成、功能和变化规律、发展态势进行分析。在此基础上列举了社会心理学视野下品德的态度结构模式具有的特点，即知、情及行为倾向始终是一个有机联系的整体，具有整体性特点；品德结构的基本要素具有确定性、不随意性的特点。[①] 王健敏（2000）从学习理论的视角提出，品德就是个体通过学习建构起来的一种个性心理特征。[②] 认为道德的内化以及品德的形成作为一种特殊的学习，不同于知识的学习以及技能的传授。品德的实质是交往经验结构，集中体现在个人对人、对事、对己的社会交往之中。品德结构具体包括两个组成部分，即动机部分和行为部分。其中动机部分体现的是个体规范行为的需要，而行为部分体现的是对规范的执行情况。品德结构的这个组成与态度的构成相一致，它自身也是一种态度结构，是对社会价值的倾向性态度体系。

---

① 郭祖仪．论品德心理结构的社会心理模式［J］．陕西师范大学学报（哲学社会科学版），2000，29 (2)：151 － 157.

② 王健敏．社会规范学习心理与品德建构［J］．教育研究，2000 (8)：48 － 53.

这些研究大大扩展了品德心理的研究范围，从单纯的品德研究纳入个体更大的心理系统，站在“全人”视角来反观品德结构。除此之外，来自其他学科的研究也提供了品德结构的不同视野。

有研究者从社会政治角度出发，指出品德结构研究存在“心理学化”的问题，指出无论是从人的道德还是从思想上研究品德结构都不应只限于心理要素，还应突出“思想”和“政治”成分，注重结构要素的社会性。思想品德结构是一个以世界观、人生观、价值观为核心的由心理、思想和行为三个子系统构成的具有稳定倾向性的整体。① 研究指出，只有当结构、机制、外在条件有机结合在一起，因人、因事进行培养，才能使人得到全面的发展，成为一个符合时代要求的新人。但与其相反，王海明（2008）则从伦理学视野出发论证，提出品德是一个人长期的伦理行为所形成和表现出来的稳定的心理自我，是一个人长期遵守或违背道德的行为所形成和表现出来的道德人格和道德个性，属于心理、人格和个性范畴，因而他认为“品德结构不能不由知、情、意三者构成”。个人的道德认识是指导因素、首要环节，道德情感是伦理行为的心理动因、必要条件，道德意志则是品德形成的最终环节。② 二者观点看似矛盾，其实互为补充，均承认个体伦理性生活之于品德结构的意义，前者侧重于品德结构形成中的伦理性内容，后者侧重于品德结构形成后的具有伦理意义的稳定性结果。

品德结构不仅是个人的建构，也是社会性建构，因此多学科的观点均可为儿童品德发展研究提供不同视域的借鉴。当下研究热点如“课程思政”“以促进学生道德认知发展为基础的心理健康教育的一体化”③，就是将

---

① 张海平，朱福棣，周鸿．试论思想品德的内在结构与形成过程［J］．湖北大学学报（哲学社会科学版），2003 (6)：120 − 124.

② 王海明．论品德结构［J］．湖南师范大学社会科学学报，2008 (2)：25 − 29.

③ 俞国良．大中小幼心理健康教育一体化：道德认知视角［J］．国家教育行政学院学报，2020 (12)：3 − 11.

品德发展与其他学科进行整合的尝试。

三、对品德结构思想研究的评价

中国品德结构研究最大的特色是具有多种模式，它们各有特色，都从不同的方面研究了不同时期、不同情境下的不同道德实践。这些模式是特定道德实践的产物，具有不可替代性。对这方面了解得越多，就会越清楚全面地把握品德结构的内涵与发展趋势。但与此同时，不断趋于完整和尽量囊括内容的诉求让品德结构研究走入困境：批判反思甚于建设性发展，理论研究的内循环缺少实证验证，缺少学生发展视角。

（一）分类与批判研究为主

品德结构研究观点如此之多，但未引发大量实践性影响与应用，却在近二十年限于本研究领域内部的分类研究、反思批判研究。多数文献从“静态、动态和本质”（马娟，2004）三个角度来进行综述。[①] 杨韶刚（2000）在《道德教育心理学》一书中的综述较为完整，评价也较为客观，他概括了品德心理结构研究的阶段性，并站在国际比较的视域将之与美国新品格教育研究进行对比，提出了一些有益的观点。赵志毅等也做出很好述评，不仅区分了研究阶段，还在批判和思辨的基础上提出了自己的见解，提出了品德结构研究自2010年后，从形而下实践研究走向形而上思辨研究的趋势。[②] 高德胜（2000）更是从受教育者和教育者的角度反思了它导致的现代德育的割裂：品德结构存在形式和内容的割裂，在品德形式结构中还存在理性

---

① 马娟．我国品德心理结构研究综述［J］．四川教育学院学报，2004（1）：9－11＋19.

② 赵志毅，赵艺，刘洁璇，等．品德结构研究三十五年［J］．中国教育科学，2015（2）：129－147；赵志毅．论品德结构与人格系统的关系［J］．教育研究，2011，32（1）：82－86.

与非理性的割裂。[①] 这些都是有益的研究成果。

（二）研究方法多样，但以理论性研究为主

前期章志光（1988）等开展品德心理的研究时多采用间接故事法、教育心理实验法、教育经验总结法，通过开展教育心理动态实验、品德问题的社会学研究和问题行为个案的教育经验调查来总结品德心理结构的发展特点。[②] 中期研究以质性研究为主，大多通过传统的纯理论演绎的方法来研究品德结构。后期研究质性与量化相结合，通过实证和实验的方法开展了一系列研究，并在之前研究的基础上开展了系列反思性研究。但系统性研究并不多见，品德结构研究更多是理论思辨，尤其是来自社会学、哲学的思辨。当然，这也是其思想观点丰富多彩的原因之一，当兼收并蓄，吸收有益之处。

（三）缺少学生发展视角

品德结构研究最大的不足在于缺少学生发展视角。目前品德结构应用研究涉及的主体类别繁多，既有教育体系内的中学卓越教师[③]、高校教师和辅导员，还有教育体系外的公务人员[④] 等。研究者使用不同品德结构学说对上述群体的品德结构做出了分析，其研究对象基本为成人，较少涉及学

---

① 高德胜 . 割裂的现代德育［J］. 上海教育科研，2000（6）：18－21.

② 章志光 . 学生品德形成的动态研究与方法探索［J］. 北京师范大学学报，1988（1）：49－56.

③ 冉汇真，刘宗发 . 教师职业品德心理结构分析［J］. 西南民族学院学报，2002（6）：259－261；郭维平 . 高校教师品德结构与建构过程分析［J］. 现代教育科学，2008（7）：87－90.

④ 秦洁 . 试论公务员德性的内涵、特性与结构［J］. 郑州大学学报（哲学社会科学版），2014（2）：38－42；赵国祥，高冬东，李晓玉 . 处级干部领导品德结构研究［J］. 心理科学，2007，30（3）：702－704；陈岸然 . 军人品德结构"三要素"初探［J］. 军队政工理论研究，2000（6）：37－41；徐玉明，张惠绒，王艳红 . 警察院校学生品德特征结构与品德素质培育方法的探讨［J］. 教育理论与实践，2005（11）：25－27.

生或儿童，也较少涉及品德发展建构路径。其可能原因是儿童品德在许多方面还未成熟，对其结构的研究尚需对品德结构内容与形式的区分或相互作用有充分的认识。

之后的研究可以从形而下层面细致地刻画儿童品德结构的发展过程，下节“特定品德心理的整合研究”是学界在这方面的回应。

第二节　特定品德心理的整合研究

我国学者赵志毅曾在对国内品德结构研究进行历史回顾的基础上指出，品德结构的研究出现向人格本体“形而上”复归的态势①，这是学界一度反思并质疑“生活德育论”，在以人为本的科学发展观指导下所提出的实践理性的观点。与这一来自教育学和伦理学的反思相应，国际道德心理学领域出现了另一种“整合”，即形成新的研究主题来解释传统品德元素无法单独界定的道德心理过程，如道德敏感、道德认同等。这些新主题同样从“整全人”出发，是对人格本体研究“形而上”的复归。这些研究细致、深入，具有实证基础，可以借助于统计学方法持续建构且具有发展心理学意义，可将它们视为整体品德结构的“部分建构”，在此视角下，学生品德发展研究具有新的学术视野。

一、学生的道德敏感性研究

把品德心理分为道德认知、道德情感和道德行为，有助于对道德心理过程进行细致的分析，但却不能全面解释品德建构的复杂性以及微妙与微

---

① 赵志毅．论品德结构与人格系统的关系［J］．教育研究，2011，32 (1)：82 − 86.

观之处。面对这一困境，研究者提出了“道德敏感性”（Moral Sensitivity），它被认为是做出道德行为的第一步，“敏而不发”“敏而后发”“冷漠麻痹或麻木不仁”是它的三种表现类型。[①] 国内心理学研究者对中国学生相关发展特点及影响因素进行了验证性研究。几乎同一时间段，国内教育学和伦理学领域的“道德冷漠”研究也是对这一道德现象的回应（本书不做拓展性介绍）。

（一）道德敏感性的界定

1. 道德敏感性的提出

以科尔伯格的学生莱斯特（J.Rest）为代表的美国明尼苏达大学伦理发展研究中心于1983年提出了道德行为的四成分模型,以应对传统道德知、情、行在解释复杂道德现象上的无力。这四种心理成分是：道德敏感性、道德判断、道德动机和道德品质。这一模型是对传统的道德知、情、行三分法的一种挑战，每一成分都包含着认知和情绪的复杂交互作用。其中道德敏感性被界定为：对道德环境的敏感理解，对道德因素及其隐含意义的敏感意识，对行为可能会对他人造成的影响有敏锐的认识与深刻的移情，对他人角色的感悟，对一些经常出现的情境能从道德角度加以解释，对自己的直觉和情绪反应有道德上的深刻理解。这些界定显示，道德敏感性一旦形成就会辐射到道德行为的方方面面。值得提出的是，尽管这四种成分有较为明显的逻辑顺序，但在实际生活中它们并没有固定的时间顺序，其中可能有许多复杂的跳跃和交互作用。例如，道德判断可能会影响道德敏感性，道德品质可能会使内在价值观合理化或使之发生改变。

四成分模型的提出为道德心理学解释个体面对现实生活中复杂道德问题时的心理活动，以及预测个体的道德行为提供更为坚实的理论依据。道

---

① 伍康钦．道德敏感性在德育心理教育中的耦合及应用［J］．山东青年政治学院学报，2016，32（1）：97－101.

德敏感性也因此从道德心理结构中凸显出来。一些学者甚至断言，道德敏感性是道德判断的必要先导，虽然这种线性顺序尚未得到证实，但毋庸置疑的是，道德敏感性成为道德心理学继传统的道德判断和推理研究之后的一个崭新的研究领域。

2. 道德敏感性的含义

目前对道德敏感性的界定大致可以分为两类：认情结合类与认知类。

将敏感性界定为认知和情感反应的结合来自于 Rest，他认为道德敏感性是道德行为发生之前心理过程的逻辑起始成分，包含着认知与情感的复杂交互作用。它既是一种感受性，也是一种能力。作为道德主体的人对社会环境、他人情感、群体利益和各种需要能够敏锐地感受到，同时也具有一种能力迅速采取合理的道德行为。具有道德敏感性的人在采取某种行动之前，较能准确地预见行为的后果，能设身处地为别人着想，具有很强的移情能力。

也有些研究者将敏感性界定为纯粹的对道德问题的认知，把情感因素从道德敏感性中排除。把道德敏感性界定为识别出情境中所包含的道德问题的能力，不仅要让被试列出识别的某一情境中的道德问题，而且让被试列出对这些道德问题的理解深度。同时，在复杂的决策情境中，存在道德角度、经济利益、政治利益、个人心理满足、科学技术发展等考虑问题的诸多角度。道德敏感性还使个体对某些问题注意、重视或者优先考虑。

道德敏感性的提出到现在才不过几十年的时间，国内外对其的研究无论从研究方法还是理论建构上都处于初级阶段，所以到现在为止还不能给道德敏感性一个权威的界定。目前国内学者赞同第一种界定方式，认为道德敏感性是认知和情感的共同作用。

（二）学生道德敏感性的影响因素

道德敏感性是一个整体的动态概念，因此影响道德敏感性的因素同时也以另一种方式被道德敏感性所影响，彼此之间并非单向关系。研究者普遍认为这些因素包括：性别、经验与教育、人格因素、道德图式、角色卷入、移情等。

1. 性别

在道德心理学研究中，性别一直是个有争议的变量。按照吉利根的研究，女性的思维体现出关系性，倾向于把自我视为关系中的自我，因此对人的理解也是从关系出发的。男女思维方式的不同也体现在道德敏感发展上。男性面对问题时倾向于根据普遍原则寻求答案，思考问题更具逻辑性。而女性在思考道德问题时不拘泥于这种抽象的原则，倾向于考虑当事人当时所处的环境和内心世界。女性的这种道德思维方式使女性具有较高的道德敏感性。在道德敏感性研究中，我国学者针对大学生群体和中学生群体的研究都证明了这种差异的存在。① 另外，王娟（2015）超出性别差异视角，从“人际关系差序性”（即“圈内人”与“圈外人”的区分）对大学生道德敏感性的影响研究中得到类似结论，这也是对“关系性思考方式”做出的呼应。②

2. 经验与教育

Lindsey（1986）研究了道德敏感性的训练和经验效应，结果发现了显著的教育水平主效应，那些获得博士学位的被试在道德敏感性上的得分显著高于学士或硕士学位被试。③Lindsey 解释这是因为该专业博士培养方案对专业伦理意识和责任意识更为重视，而硕士和学士的培养方案则相对重

---

① 申沁灵，訾非．大学生公正敏感性与公正判断的关系［J］．心理学进展，2018，8 (12)：1778–1786; 安冬，白晋荣．中学生道德敏感性与道德推脱的关系及其干预研究［J］．中国德育，2016 (13)：15 – 19.

② 王娟．人际关系差序性对道德敏感性的影响研究［D］．长沙：湖南师范大学，2015.

③ Lindsey,R,T.Differences in moral sensitivity based on varying levels of counseling training and experience.Unpublished doctoral dissertation.University of Minnesota, 1986，10 (8)：370 – 376.

视技能。但有趣的是，尽管具有较高的专业知识背景，但并没有针对性的伦理训练，不见得具有高的道德敏感性。Sadler 等（2004）以大学生物专业和心理学专业学生为被试，考察他们在社会—科学问题情境中的道德关注和道德决策，发现尽管生物专业学生接受过更多有关基因工程的课程训练，但他们并没有在基因治疗和不孕克隆这两个问题情境中表现出比心理学专业学生更强的道德敏感性。①

这个观点为专业伦理教育和课程训练提供了强有力的支持。目前国内学者在道德敏感性研究方面所涉及的专业和职业有新闻从业者、公务员、教师、医护等，在多个职业领域的研究均支持必要的专业伦理学习和训练。对中小学而言同样如此，伦理问题的谈论甚至是辩论都是增加其敏感性的有益教学活动。

3. 人格因素

人格作为个体基本和稳定的心理结构对道德判断乃至道德敏感性的影响是显而易见的。根据大五人格分类，即外倾型、宜人性、公正性、神经质与开放性，任强（2010）通过对教师的访谈发现具有明显宜人性和公正性的教师表现出较高的教师道德敏感性。② 此外，李园园（2017）借助荣格的内倾性与外倾性的性格分类对幼儿教师做出研究，研究发现相较于性格外倾型的教师，内倾型教师表现出较高程度的道德敏感性。③ 这是因为性格内向型的幼儿教师所具备的心思缜密、较强的洞察力与感受力使其在与学生的相处中更小心谨慎，同时在涉及学生的事情上也会更加小心谨慎，细致入微，因而具有高的敏感性。以此推论，学生道德敏感性培养不应忽视其特定人格特质的影响，善于反思，愿意与人交往的学生可能比外向和

---

① Sadler, D Troy. Moral sensitivity and its contribution to the resolution of socio-scientific issues [J]. Journal of moral education, 2004, 33 (3): 339 – 358.

② 任强. 教师教学伦理敏感性及其干预对策研究 [D]. 温州：温州大学，2010.

③ 李园园. 幼儿园教师伦理敏感性及其影响因素研究 [D]. 金华：浙江师范大学，2017.

不善于反思的学生具有更高的道德敏感性。

4. 道德图式

道德图式是指存储于个体的长时记忆中并有助于当前思考问题的道德知识结构，个体的道德敏感性越高，就会有更多复杂和精细的道德图式可以通过高度自动化的方式被激活。Narvaez 等（1998）采用让被试进行故事回忆、道德回忆、道德（理由）建构的方法来考察道德图式和道德敏感性、道德判断之间的关系。研究表明，个体的道德图式不同，则他们的道德判断也不同，进而道德敏感性也存在差别。① 这说明人们总是按自己的道德图式去理解情境，进而对不同的道德内容保持敏感。

5. 角色卷入

对一个道德事件的理解往往会因为个体的身份立场而完全不同。当人们对事件进行道德判断的时候，可能存在着受害者、犯过者、观察者等三种不同的角色卷入。对中学生和大学生的研究发现，被试面对不公正事件时的情绪反应，在其作为受害者时是愤怒，作为犯过者时是内疚，而作为观察者时，则是道德义愤。观察者和犯过者敏感性比受害者敏感性更能纯粹地体现真正的道德关怀，而作为受害者的道德敏感性比作为犯过者和观察者的道德敏感性低。因其敏感于所遭受的经历，而不是敏感于道德。这样来看，敏感性可能并非来自于学生的不良经历，而更有可能来自于对不良经历的思考与观察，而这也正是德育开始之地。因此，在对学生的德育过程中，以提高学生道德认知水平为目的的德育方式，如“观点采择”和“角色扮演”，也会提高学生的道德敏感性，具有积极的德育作用。

---

① Narvaez, Darcia. The influence of moral schemas on the reconstruction of moral narratives in eighth graders and college students [J] . Journal of Educational Psychology, 1998 , 90 (1) : 13 − 24.

6. 移情

移情的发展使一个人能够注意引发他人情感状态的各种线索，注意到他人情感的发生和发展，也使一个人能够感受到他人真实的生活状况。当他人的权益受到侵犯时，个体会深感不公平或愤怒；当他人处于不幸和身心痛苦时，个体也会产生发自内心的同情，或者会因为不能提供帮助而感到内疚。因而，具有较高道德移情水平的学生往往具有较强的道德敏感性，较高的观点采择水平和角色承担能力。

7. 道德问题自身的特征

Jones（1991）把道德问题的特征称之为道德强度，主要包括后果严重性、社会共识、后果可能性、效应即时性、接近性、后果集中度等道德问题特征。[①]一般说来，人们总是倾向于关注那些与自身有着密切联系的道德问题，会对那些产生直接影响的不公正、无道义现象做出更强烈的反应。道德强度作为道德问题识别或察觉的外部条件变量，为个体的道德敏感提供了必要条件，而且还在个体的认知、情绪以及人格特征和伦理倾向的交互作用下，通过联想和归因等机制，加强或减弱个体的主观道德强度，从而进一步影响个体对道德问题的觉察和确认。德育实践中，充分利用具有高道德强度的事例可以增强学生的道德敏感性。

（三）学生道德敏感性的国内研究

1. 工具开发研究

关于学生道德敏感性的工具开发问题，国内学者郑信军和岑国桢（2007）的研究起到了系统性和奠基性作用。[②]郑信军等（2008）编制了《倾

---

① Jones T M. Ethical decision making by individuals in organizations: an issue-contingent model [J]. Academy of Management Review, 1991 : 16 (2) : 366 - 396.

② 郑信军 . 岑国桢 . 道德敏感性的研究现状与展望［J］. 心理科学进展 , 2007 , 15 (1) : 108 - 115.

向性道德敏感问卷》(DMSQ)。该问卷包括移情内疚、惩罚倾向、移情烦扰、觉察频率、共感想象等5个因子共28个题项，[①] 问卷的各项信效度指标均达到了心理测量学的要求。杜飞月(2011)从道德认知内容角度编制了《中学生道德敏感性测评问卷》，该问卷可以测查中学生道德敏感性的四个因素：责任敏感性、规范敏感性、情绪敏感性和人际敏感性。其中责任敏感性包括两个小因素，宽容和责任归属。规范敏感性包括两个小因素，社会公德意识和尊重他人意识。情绪敏感性包括两个小因素，情感表达和情感理解。人际敏感性包括两个小因素，处理人际差异和关爱他人。[②] 该问卷具有较好信度和效度，可以应用于中学生道德敏感性的研究。

对其他特定职业人群，曲学丽(2009)编制了《新闻职业道德敏感性问卷》。[③] 李琳琳(2009)编制了《公务员道德敏感性问卷》[④]，张娜(2015)关注了保险营销员的商业道德敏感性，等等。这些都是特定职业人群中的道德敏感性视角[⑤]，可用以测查大学相关专业学生的职业道德敏感性准备状态。

2. 年龄发展研究

从发展年龄看，2岁的儿童可以对他人某些行为做出移情反应，如感受他人悲伤、痛苦，做出同情反应或模仿性的援助行为，这是初级形态的社会性情感，是儿童亲社会行为的重要动机源之一。Dunn等人(1995)曾对46名2岁9个月的儿童进行跟踪研究，并在他们上幼儿园大班和小学时进行情境故事访谈。多元回归分析表明，儿童早期情绪理解能力、母亲

---

① 郑信军．岑国桢．大学生倾向性道德敏感的结构研究［J］．心理科学，2008，31 (5)：1026－1030.

② 杜飞月．中学生道德敏感性的测评与特点研究［D］．南京：南京师范大学，2011.

③ 曲学丽．新闻职业道德敏感性特点及其与移情关系的研究［D］．上海：华东师范大学，2009.

④ 李琳琳．中国公务员道德敏感性研究［D］．沈阳：东北大学，2009.

⑤ 张娜．保险营销员的商业道德敏感性［D］．北京：北京科技大学，2015.

控制儿童以及处理争端的方式、与兄长的亲密关系、气质等变量能较强地预测幼儿园乃至小学一年级时道德敏感性发展的个体差异。[①]

大多数对学龄期儿童道德敏感性发展的研究是通过对儿童道德故事理解的测验而进行的。Narvaez 等人（1998）曾让儿童在阅读（听）道德故事后选择正确的故事简介和道德信息短语（包含不正确简介和信息短语的多项选择）的方式测验儿童对故事的道德主题的理解，发现 10 岁儿童已经完全有能力识别故事中的道德主题，[②]学龄期被认为是道德敏感性迅速发展时期。

青春期儿童的道德敏感性的发展存在个体内部发展与外部适应的不同步性。[③]这种不同步性既表现在他们在智力、社会和情绪发展上的内部差异，也可能会表现为道德敏感性、道德判断和道德行为能力上的内部差异。比如，一个在道德问题上非常敏感的儿童，并不一定比同龄儿童更能处理好社交问题。因为在青春期儿童身上，敏感性还受到自身价值观的影响，而价值观却受到周围人的影响。因此他们会将特定的价值观整合，然后决定如何行事。例如，如果一个孩子在 6 岁的时候特别善良和关爱他人，但为了得到伙伴的认同，12 岁的时候可能表现得完全不同，青春期的价值观将决定他是继续重视伙伴的接纳还是持有一个不受欢迎的立场。从这一层面看，学生个体的道德敏感性并不必然带来稳定的行为倾向。

---

① Dunn J., Brown J. R., Maguire M. The development of children's moral sensibility: Individual differences and emotion understanding [J]. Developmental Psychology, 1995, 31 (4) : 649 − 659.

② Narvaez, Darcia. The influence of moral schemas on the reconstruction of moral narratives in eighth graders and college students [J]. Journal of Educational Psychology, 1998 , 90 (1) : 13 − 24.

③ 郑信军，岑国桢．道德敏感性的研究现状与展望［J］．心理科学进展，2007，15 (1)：108 − 115.

3. 特定学生群体和特定内容研究

林锦玲（2014）对高功能自闭症儿童道德敏感性进行了研究，推论较低的道德敏感性与移情水平较低有关。① 针对听障生的道德敏感性研究发现影响听障生道德敏感性的因素有人格特征、角色卷入、主观道德强度、价值观念和经验积累。② 研究还提出了提高听障生道德敏感性的培育策略：正确理解与运用情绪表达规则；观点采择能力的培养；良好人际关系的建立；提高对道德情境的识别和解释力以及面对差异形成正确的态度。该研究从道德敏感性研究框架出发，为听障生的品德教育奠定了基础。

4. 特定内容的道德敏感性研究

也有研究者关注特定道德内容的敏感性，如“公正敏感性”③。申沁灵和訾非（2018）采用调查法和故事评价法对 400 名大学生进行调查，探究公正敏感性和公正判断的关系。研究发现，公正敏感性总分和公正判断总分显著正相关。但是当个体作为得利者角色卷入时公正敏感性与公正判断显著正相关，作为旁观者、施害者角色卷入时二者不存在显著相关。④ 可见特定道德内容同事件发生时的特定角色地位有关，角色卷入越强，越易产生相关的道德敏感性。

（四）培养学生道德敏感性的策略和方法

道德敏感性的学校培养应该采取知情并重的方法，结合目前国内相关

---

① 林锦玲 . 高功能自闭症儿童的道德敏感性及其相关因素研究［D］. 上海 : 华东师范大学 , 2014.

② 刘翠兰 , 郭本禹 . 听障生道德敏感性的影响因素及其培育策略［J］. 教育理论与实践 , 2018 , 38 (14) : 22 − 25.

③ 谢雪贤 , 刘毅 , 吴伟炯 . 公正敏感性的研究现状与展望［J］. 心理科学进展 , 2012 (2) : 301 − 308; 申沁灵 , 訾非 . 大学生公正敏感性与公正判断的关系［J］. 心理学进展 , 2018 , 8 (12) : 1778 − 1786.

④ 申沁灵 , 訾非 . 大学生公正敏感性与公正判断的关系［J］. 心理学进展 , 2018 , 8 (12) : 1778 − 1786.

研究，可总结以下教育策略：

第一，要鼓励学生善于理解和表达情感。理解情感包括认识自己和他人的需求和情感，即情感内省和人际情感觉知。表达情感需要考虑时机和方式，它是社会化的重要方面。在面临道德问题和道德冲突时，二者均可帮助学生保持情绪上的敏感并有助于学生的人际交往。

第二，帮助学生提升观点采择能力。已有研究表明，观点采择能力与亲社会行为密切相关。它有助于学生摆脱自我中心、提高道德认知，是培养道德敏感性的认知基础。提升学生的观点采择能力的常用方法是角色扮演，其基本做法是让学生自己设计小短剧，并由他们自己来表演这些短剧。具体步骤：（1）自行编制小短剧，短剧要描述现实的生活情境，剧中的人物与他们的年龄相当；（2）每人都要扮演剧中的一个角色；（3）重复表演短剧，直到每个人都扮演了剧中的每一个角色；（4）每次表演完成后都要表演者回顾和评价他们自己的表演，明确进一步提高他们表演能力的方法，从而增强他们的观点采择能力。研究表明，参加训练的被试观点采择能力有了很大的提高，且训练结束 18 个月后的追踪研究显示，他们的过失行为明显改善。

第三，鼓励儿童学会关爱他人。在理解他人的情感和观点后，学生需要把对自己的关注扩展到对他人的关注上，即学会关爱。一方面学生需要主动了解关爱的表达方式，扩展关爱的范围，另一方面学校情境下教师的关爱示范也非常重要。在与学生的交往中，教师应该经常与学生进行个别交流，当学生有困难时能及时提供辅导，经常帮助、安慰他人，表现出对他人的积极关注，这些都在向学生示范对他人处境保持敏感。

第四，帮助儿童悦纳人际差异与消除偏见。这两个方面影响到学生对情境的理解和行为决策，进而影响道德敏感性的产生。悦纳人际差异既认识到自我角色多样性、所认可价值观的多样性，认识自我在多种情况下的行为变化、自己可能的角色冲突，也认识到他人同样如此，进而可能最大程度上消解社会偏见。教师需要意识并改变自身的偏见，一旦发现学生身上的偏见，要及时进行引导。学校与班级要努力创设尊重、平等的氛围，启发学生换位思考、用心倾听，进而消除偏见。这样可以更好理解他人，促进儿童产生道德敏感性。

第五，注重假设推理训练。对事件产生多种解释和意识到有多种选择，是解决问题，做出道德行为的关键。有些学生之所以经常做出同样的错误行为，正是因为他们没有考虑到其他的选择。而道德敏感性高的学生能够对当前发生的事件和人们的行为产生多种可能的解释，并能在行动之前较为准确地预见可能的后果。因此，为了培养学生的道德敏感性，需要对他们进行假设推理训练。在实际教育中，首先，可以选择一个道德两难问题并让学生先产生问题的多重解释，接着评估不同解释的可能性，然后选择出最有可能的解释。其次，要求他们思考所有可能的行为选择，并评估各个选择成功的可能性，最后选出可能性最大的一个。这种训练提供了多种解释的认知习惯。除此之外，进行事件因果关系推理也是经常采用的方式。大部分中小学生在行动之前很少顾及后果，甚至可以说仅仅关注可能的积极结果，而忽视可能的消极结果。因此为了理解因果关系，可以让他们思考事情的前因与后果之间的关系，使他们认识到某些重大结果可能是很小的行为引发的。也可以将自身代入来考量，例如假设自己吃了垃圾食品会有什么结果。也可以选择一个在某些情况下产生有利后果，在某些情况下产生不利后果的行为，如讲真话，让学生列出在两种情况下讲真话的后果。这些假设推理增加了学生对因果关系的复杂性和整体性理解，进而扩展其产生道德敏感性的内容维度。

二、学生的道德认同研究

道德认同无法化约到学生个体品德心理知、情、行任何一种单一成分中，甚至也无法化约到它们的某种相互作用模式中。它是一个整体概念，包含部分无法解释的“整体意义”。近几年，无论在心理学实证研究领域，还是在伦理学与德育学领域，道德认同都得到了广泛关注。三十多年内倡导的“内化说”要求入人心，进大脑，但是依然未能充分注重道德主体在道德选择、道德成长上的自我意愿。道德认同的提出标志中国特色社会主义道德理论研究进入到一个新阶段。① 这是对其理论意义的充分认可。

与道德敏感类似，道德认同需要指向“道德善”；与道德敏感不同，道德认同稳定而可测。所以国内很多学生品德的实证研究将之作为“中介变量”，这是道德认同实证研究的重要特点。

（一）道德认同的界定

1. 道德认同是自我认同和社会认同的统一

道德认同的起源可以追溯到科尔伯格道德发展理论中认知与行为之间的断裂问题。对这一传统难题，Blasi 提出道德认同这一概念以弥补这种断裂。他认为道德认同意味着个人的道德系统和自我系统的同化或融合，以至道德观念和个人认同达到一定程度的统合。在随后的研究中，道德认同多在道德自我认同和道德社会认同两种意义上被提及。

在我国学者看来，道德认同作为一个整体的概念，是在与道德自我认同、道德社会认同既相联系又相区别的意义上提出来的，是与它们二者相互交叠但略有差异的概念。杨韶刚（2007）指出，道德自我认同源于埃里克森，是将道德认同视为一种有关道德的自我一致感和连续感，一种对道德行为具有激发作用的自我调节机制。而道德社会认同则重视社会共有的道德观念、价值体系和信仰选择等外在标准的影响，是一种从外向内对个体施加的影响，探讨社会变迁对个体道德认同的影响。② 道德认同一方面

---

① 李萍．论道德认同的实质及其意义［J］．湖南师范大学社会科学学报，2019，48 (1)：57 − 63.

② 杨韶刚．西方道德心理学的新发展［M］．上海：上海教育出版社，2007.

强调对伦理价值的接受，另一方面也始终离不开主体的成长意愿[①]，因此从某种意义上讲，是自我认同和社会认同在道德维度上的统一，学者因其学科不同而自然地有所选择与侧重。

2. 道德认同具有多种内在功能

从研究历史看，道德认同以如下三种理论为基础而提出，相应地具有三种内在功能。其一是自我同一性理论。埃里克森所提出的自我同一性是心理学中一个很重要的概念，是指自我内在的统一感、一致感、连续感。自我同一性是个体人生意义的指引，并且处在一个动态的过程当中，促使人们在整个生命中都在建构更加完整、完善的自我。以此为基础，道德认同也具有统一感、一致感、连续感，并不断趋于完整与完善。其二是自我发展理论。卢文格提出的自我发展理论是道德同一性研究的基础。该理论认为，自我形成是一个渐进而动态的过程，需要内部和外部的互动、统一以及整合，需要不断平衡。另外，自我发展是由很多个不同阶段和时期构成，这些阶段和时期是完全不同的，但它们之间有连续性，也彼此相对独立。[②]因而，道德认同也处在内部和外部的持续互动以及平衡之中，且具有相对的稳定性。其三是道德动机理论。布拉西认为人们产生道德行为的重要动机，不是道德情感、道德推理、道德判断中的任何一种，而应是道德认同。它是一种经过整合的道德动力机制，是人们根据认同的程度和道德身份而产生的连续统一体，是一种自我调节的动力机制。它能够为个体的行为提供参照，并且能够对个体的具体行为产生激励作用，因而道德认同具有动机性，强大的道德认同会促使个体的行为方式遵循道德的标准。

综合来看，可以从以下三个角度来进一步界定道德认同。首先，从

---

① 李萍．论道德认同的实质及其意义［J］．湖南师范大学社会科学学报，2019，48 (1)：57 - 63.

② 袁晓琳．道德心理学［M］．北京：科学出版社，2019.

整体来看，道德认同一方面是个体相对稳定的心理结构，另一方面它处于不断成长变化中，但是一旦形成较难改变。其次，从与其他品德心理成分的关系看，道德认同离不开道德认知、道德情感和道德行为的作用，但是其最终形成的结构又超越于具体成分，其关系类似于普通心理学中的心理过程与人格之间的关系。再次，与其他人格结构相比较，道德认同是"道德化了"也是"社会化了"的自我认同,具有内容特殊性。所以，道德认同研究需要在自我与社会、动态影响与静态成分之间找到平衡和研究着力点。

（二）学生道德认同的影响因素研究

目前，研究者已经开发了较为成熟的道德认同量表：第一个量表由 Aquino 和 Reed 开发，用来测量道德认同的自我重要性。包含内在化和表征化两个维度，各 5 题，其中内在化维度涉及"道德品质或做一个道德的人对自我的心理重要性"，外化维度涉及"希望把道德品质表现出来的程度"。第二个是道德自我关联量表。基本程序是提供 8 个道德品质和 8 个非道德品质词，让被试在李克特量表上分别评定上述品质对自我的重要性，道德自我关联量表总分为道德品质总分减去非道德品质总分。[①] 这是被广泛采用的两个量表。国内外研究者使用这些工具，对道德认同进行了极其广泛的研究。

在这些研究的基础上，心理学家哈特构建了发展心理学意义上的道德认同形成模型（图 6–1）。[②] 该模型包括了由一个人的家庭、文化和他在社会生活中的地位所构成的外部社会结构，也包括了个体人格因素，它们二者一方面直接影响了个体的道德认同，另一方面也作为背景通过道德认知、

① Hardy S. A. Carlo G. Identity as a source of moral motivation［J］. Human Development, 2005 , 48 (4) : 232 – 256.

② 杨韶刚 . 西方道德心理学的新发展［M］. 上海 : 上海教育出版社 ,2007:349.

道德实践以及内在认同过程来促使个体完成道德认同，而已经建构的道德认同也会以同样的方式反作用于道德认知、道德实践以及内在认同过程。该模型中涉及的影响因素也得到了我国学者的验证。

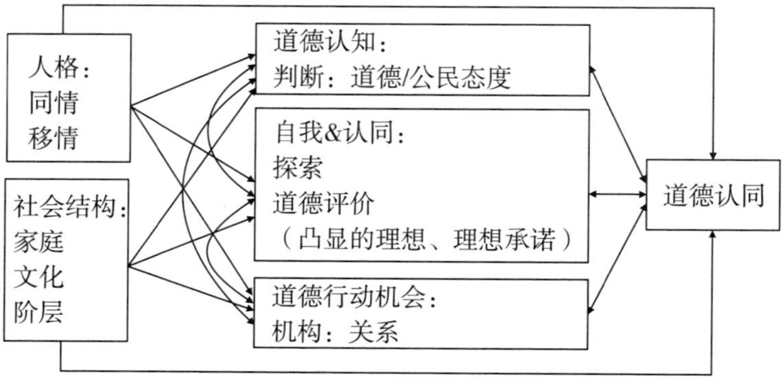

图 6-1　哈特的道德认同形成模型图

关于人格因素。哈特选择了 28 个 3—6 年级的不同样本，设计了灵活型（独立自主、语言流利、有灵活冒险性的人）、可控人格型（冲动、顽强和好运动的人）和不可控人格型（害羞、安静焦虑和缺乏独立性的人）3 组被试，通过因素分析，灵活型的人很少表现出行为问题，因此哈特认为那些容易控制自己情感并有效与别人互动的人更可能发展道德同一性。哈特还发现儿童期人格特征可以预测青少年期的志愿服务参与水平，人格较富有弹性的儿童比过度抑制型和低控制型儿童在未来更有可能积极参加志愿服务。[①] 国内研究发现青少年的心理素质与道德认同呈正相关，好的心理素质也可以通过道德认同的中介作用对青少年的问题行为产生抑制。[②]

---

① Hart D. The development of moral identity. In: Carlo G, Edwards CP, Eds. Nebraska Symposium on Motivation, Vol. 51: Moral Motivation through the Life span: Theory, Research, and Application. Lincoln, NE: University of Nebraska Press, 2005 : 1165 − 1196.

② 桂腾娅，付进进，蔡婷婷，等．心理素质对青少年问题行为的影响：道德认同和道德推脱的链式中介作用［J］．中国健康心理学杂志，2021，29 (8) : 1243 − 1247.

对大学生群体，研究者也发现共情能力越强，他们的利他行为就会越明显，道德认同在其中起调节作用。①

关于家庭因素。哈特发现青少年道德榜样对自我的描述与对母亲的描述相似度更高，显示母亲对青少年道德认同可能有重要的影响；认知和社会资源丰富的家庭环境，尤其是高水平的亲子共同活动可预测社区志愿服务。有研究提出，道德认同的发展很可能源于儿童与父母的积极联结即安全依恋经验，亲子间的强烈联结感培育了儿童的“亲社会—共情”取向。②国内研究者也发现父母情感温暖型家庭教养方式对青少年的道德认同具有正向的影响。③也有研究发现家庭教养的情感温暖、行为指导对青少年的道德认同、亲社会行为都有正向预测作用。④可见，家庭因素是儿童形成道德认同的重要因素。

关于同伴因素。国外研究发现同伴互动能促进儿童对自身行动的社会和道德意义的理解，有助于发展道德自我责任感。也有研究表明当朋友之间存在较强情感联结且互动频繁时，朋友的亲社会行为能影响个体对道德目标的追求。国内也有学者发现，同伴关系中的孤独感变量能负向预测青少年的道德认同，而追求受欢迎变量既能正向预测青少年的外在化道德认同，又能正向预测其负向道德认同。⑤

关于团体和社区因素。鉴于道德认同涉及团体道德认同以及对团体

① 赵琛徽，翟欣婷．大学生公共服务动机的提升路径研究：基于道德认同和志愿服务经历的作用［J］．江西社会科学，2020，40 (3)：221－233.

② Clark C. L. Social work ethics: politics, principles and practice［J］. Macmillan Press, 2000.

③ 何波．父母教养方式、同伴关系、社区暴力接触对青少年道德认同的影响［J］．当代青年研究，2018 (2)：82－89.

④ 程琪，赵欢欢，郭德轩，等．家庭教养对青少年社会行为的影响：道德认同的中介作用［J］．中国特殊教育，2016 (12)：41－48.

⑤ 何波．父母教养方式、同伴关系、社区暴力接触对青少年道德认同的影响［J］．当代青年研究，2018 (2)：82－89.

价值规范的共同承诺，所以一般认为团体及其对共同规范的认同会形成一种道德氛围，这种道德氛围可以促进或者削弱个体的道德认同。所以支持道德的校园文化对道德发展至关重要，达蒙等人甚至提出青年纲领计划，希望在学校乃至整个社会为青少年营造一种一致的道德规范，促进他们道德认同的形成。杜秀莲和高静对国内中学生的研究发现学校道德氛围与道德认同正相关，且道德认同强化了道德氛围对道德行为的影响，即道德氛围对学生道德行为的积极影响受益于个体良好的道德认同水平。[①] 而对于负面社区文化，国内一项对涉及 20 个省市 33 个学校共 4000 多名中学生的研究发现，青少年社区暴力接触越多，则将道德品质内化为自我观念的程度越低（通过对“具备这些特征让我感觉良好”“我非常渴望拥有这些特征”等 3 条标准判断而得），拒绝主流道德品质的程度越高，同时更愿意将之外化（通过对“我平时所做的事 / 我平时所看的书表明我有如上特质”等 5 项标准的判断而得）出来。[②] 这揭示了社区或团体之于个人道德认同的复杂影响。另外，在国内的研究中，城市学生在志愿服务动机中责任、发展、快乐程度上高于农村学生，在道德认同的内化和象征化上也高于农村学生，而农村学生在志愿服务动机的被动性上高于城市学生[③]，表现出城乡差异。

除此之外，道德实践也对道德认同产生影响。道德认同和道德行为的关系并非简单的单向因果关系，道德认同可以激发道德行为，反过来道德行为也可以发展和巩固道德认同，二者是互为因果，相互促进的。在国外的研究中，尤尼斯等人对青少年社区服务的研究为上述观点提供了支持，

---

① 杜秀莲，高静．初中生学校道德氛围与亲社会行为的关系：道德认同的中介作用［J］．中国特殊教育，2019 (8)：82 － 87.

② 何波．父母教养方式、同伴关系、社区暴力接触对青少年道德认同的影响［J］．当代青年研究，2018 (2)：82 － 89.

③ 潘红霞．大学生道德认同与志愿服务动机的关系研究［J］．浙江传媒学院学报，2013，20 (5)：110 － 116.

系列研究均肯定参与社区服务可以促进青少年反思社会的政治组织与道德秩序以及个体在其中的能动作用，有助于青少年发展社会历史感、认同超越性价值与理想，进而形成道德认同。[①] 我国学者陈会昌在《道德发展心理学》一书中对此进行了详细介绍。

（三）道德认同的学生群体研究

通过搜索国内相关研究文献可发现，道德认同在研究中常常作为一个中介变量进行讨论，这与其相对稳定的特点有关。因此，在道德行为研究、道德情感研究中不乏道德认同的身影。一方面，从这些研究中可以看到道德认同的发展特点，另一方面也展示了道德认同如何与学生品德的其他心理成分产生相互影响。中学生与大学生群体的道德认同研究各有侧重点。

1. 中学生群体的道德认同研究多关注家庭与学校环境因素

在学校层面，有学者研究了初中生学校道德氛围与亲社会行为的关系。相关研究结论表明亲社会行为、道德认同和学校道德氛围各维度及总分存在显著相关。道德认同在学校道德氛围和亲社会行为之间具有中介作用[②]，研究说明学校道德氛围通过影响初中生的道德认同而影响其亲社会行为。同时，也有学者研究了班级环境对高中生校园欺凌旁观者干预的影响，研究发现在校园欺凌中，道德认同在班级环境与校园欺凌旁观者干预的关系中起中介作用。[③] 也有学者研究教师信任如何影响青少年集体责任感，研

① Yates M, Yoiiniss J. Community service and political — moral identity in adolescents [J]. Journal of Research on Adolescence, 1996 (6) : 271 – 284.

② 高静. 初中生学校道德氛围与亲社会行为的关系：道德认同的中介作用 [D]. 济南：山东师范大学，2019.

③ 闫肖垚. 班级环境对高中生校园欺凌旁观者干预的影响 [D]. 石家庄：河北师范大学，2021.

究发现道德认同在教师信任与青少年集体责任感的关系中起了中介作用[①]，即教师信任是否会影响青少年集体责任感有赖于青少年的道德认同水平，高的认同水平促进教师信任对青少年集体责任感的影响。

家庭层面上，有学者以道德认同为中介探讨了家庭教养对青少年社会行为的影响。研究发现道德认同在家庭教养方式对亲社会行为的正向预测关系中起中介作用，在教养方式对问题行为的负向预测关系中也起中介作用。[②] 而在中职生家庭环境与其亲社会行为的关系中，也发现道德认同在家庭环境与中职生亲社会行为的关系之间起到部分中介作用。[③] 同时，家庭关系中的“父亲在位”会对道德推脱有显著的负向预测作用，但是该作用以道德认同作为部分中介，[④] 即那些高道德认同的中职生，父亲在位越充足，道德推脱越少，而那些低道德认同的学生，父亲在位对道德推脱影响较小。

2. 大学生群体道德认同研究多关注自我因素

对大学生的道德认同研究侧重于自我特质，包括内疚水平、共情等。有学者以道德认同的中介作用的发挥程度探讨了大学生的内疚与第三方利他倾向的关系，[⑤] 研究发现大学生的特质内疚通过道德认同促进第三方利他倾向的产生，道德认同起完全中介作用。也有学者以道德认同作为中介探讨了大学生情境共情对网络利他行为的影响，研究同样发现了道德

---

① 王旭涛，田进晓，黄颖．教师信任如何影响青少年集体责任感：道德认同的中介作用与学生干部身份的调节作用［J］．教育测量与评价，2020 (6)：56 − 64.

② 程琪，赵欢欢，郭德轩，等．家庭教养对青少年社会行为的影响：道德认同的中介作用［J］．中国特殊教育，2016 (12)：41 − 48.

③ 姜莉．中职生家庭环境与其亲社会行为的关系：道德认同的中介作用［D］．济南：山东师范大学，2019.

④ 易杨萌．父亲在位对初中生道德推脱的影响：自尊和道德认同的作用［D］．长沙：湖南师范大学，2018.

⑤ 杨丽丽．大学生的内疚与第三方利他倾向的关系［D］．天津：天津师范大学，2021.

认同在大学生共情和网络利他行为之间起到部分中介作用，[①]特质移情对网络利他行为的影响也以道德认同作为中介[②]。这些研究均肯定了道德认同的中介作用。

同样，道德认同也在道德推脱对大学生攻击行为的影响中发挥作用，与低道德认同者相比，高道德认同者的攻击行为会随着道德推脱水平的降低而明显减少。[③]在网络偏差行为中也是如此，研究发现道德认同可以显著调节道德推脱影响大学生网络偏差行为的过程，即那些具有高道德认同水平的个体其道德推脱心理对网络偏差行为的影响较小。[④]有学者对大学生服务动机的提升路径进行了研究。研究表明具有尽责性、宜人性特质的大学生，道德认同越高，参与公共服务的动机越强，[⑤]这也说明道德认同在其中具有部分中介作用。

（四）学生德育启示

从国内实证研究也可以看出，道德认同一旦形成就会以各种方式影响个体的道德行为，影响个体对环境的认知。因此，培养个体道德认同具有积极的德育价值，是品德发展的重要内容。相较其他品德开端成分的培养，道德认同培养重视整体氛围、实践等因素。

首先，要重视家庭德育功能。家庭是形成儿童性格，发展儿童个性和

---

① 李佩轩．大学生共情对网络利他行为的影响：道德认同的中介作用［D］．长春：吉林大学，2020.

② 赵倩．特质移情与大学生网络利他行为：道德认同的调节作用［J］．中国临床心理学杂志，2019，27（4）：800－802.

③ 王兴超，杨继平，刘丽，等．道德推脱对大学生攻击行为的影响：道德认同的调节作用［J］．心理发展与教育，2012，28（5）：532－538.

④ 杨继平，王兴超，杨力．观点采择对大学生网络偏差行为的影响：道德推脱的中介作用［J］．心理科学，2014，37（3）：633－638.

⑤ 赵琛徽，翟欣婷．大学生公共服务动机的提升路径研究：基于道德认同和志愿服务经历的作用［J］．江西社会科学，2020，40（3）：221－233.

社会性的一个重要场所。在个体道德社会化中，家庭影响是最早的、最重要的因素，父母是学生成长过程中的“重要他人”。拥有良好亲子关系更容易让儿童产生道德认同。

其次，营造学校道德氛围。“学校道德氛围”由岑国桢等学者提出，其开发的研究工具从公正、关爱和宽恕三个方面来测评。[①]研究者将该工具用来研究道德认同，发现了道德氛围对道德认同的重要影响。[②]学校是除了家庭以外，学生主要活动的场所，是个体成长的重要生活领域，能否营造出关爱、公正的学校道德氛围是学校道德教育成败的关键。早在科尔伯格时代，他提出并实施了将学校建设成“正义社群”的道德教育方案，即试图通过学生对学校公共事务的民主参与和群体决策促进学生的道德发展,这是在学校公正氛围方面的尝试。我国在2000年前后兴起的“学会关心”的关爱教育，也是对营造关爱学校氛围的尝试。

再次，重视引导积极同伴关系。埃里克森提出，建立个体自我同一性的关键期是青春期，同时 Hart 也早对同伴群体的参与与同一性发展之间的关系做了研究，认为同伴群体在青少年道德同一性建构中起了重要的作用。因此，相互平等、彼此尊重、互助互惠、协商解决分歧等积极的同伴交往经验对个体道德发展有重要的影响。

最后，需要拓展道德实践机会。如前所述，美国心理学家尤尼斯对青少年的道德社会实践活动进行了大量研究，强调青少年期的社会参与经验对其道德发展的持久影响，认为社会参与活动构成青少年道德认同（同一性）发展的基础,我国学者将之概括为“道德发展的实践活动观”[③]。

---

① 李伟强，岑国桢．学校道德氛围心理学研究的现状及思考［J］．上海师范大学学报（基础教育版），2007，36（1）：49－53.

② 高静．初中生学校道德氛围与亲社会行为的关系：道德认同的中介作用［D］．济南：山东师范大学，2019.

③ 陈会昌，谷传华．尤尼斯道德发展的实践活动观述评［J］．心理科学，2004（1）：156－158.

个体在实践活动中建立道德认同，道德认同反过来促进进一步的道德实践。只有通过道德实践才能实现道德认知、情感、意志和行为的统一。因此，学校的道德教育应该为被教育者提供充分的道德实践机会，鼓励和强化关心、分享、助人等亲社会行为，提供更多的志愿服务和社区服务的机会。

三、具身道德研究及学生德育启示

如果说道德敏感与道德认同涉及道德知、情、行之整合，那么具身道德认知研究则将身体经验整合进入个体道德结构，强调身体经验是建构道德概念的基础。

（一）具身道德的提出与理论研究

具身认知（Embodied Cognition）是近几年在认知心理领域革命性的新主题，从身心关系的角度研究个体，被认为是心理学的新范式。它强调心智或认知对身体及其感觉运动系统具有依赖性，身体的运动或对身体状态的体验或模拟会对个体认知、态度、社会知觉、情绪等发生作用，这种作用和效应便被称为具身效应。国内学者彭凯平和喻丰首次将之引入道德心理学领域，并将之界定为“道德的心理物理学”①。与此呼应，国内其他研究者强调其教育意义，提出了“具身道德”②概念，以此角度反观儿童品德发展与道德教育具有独特的“身体视角”。

---

① 彭凯平，喻丰．道德的心理物理学：现象，机制与意义［J］．中国社会科学，2012 (12)：28－45.

② 阎书昌．身体洁净与道德［J］．心理科学进展，2011，19 (8)：1242－1248；陈潇，江琦，侯敏，等．具身道德：道德心理学研究的新取向［J］．心理发展与教育，2014，30 (6)：664－672；唐芳贵．具身道德的心理机制及其干预研究［M］．北京：中国社会科学出版社，2015.

从具身认知的观点看，道德的抽象思维根植于身体体验基础之上。阎书昌在身体洁净、厌恶与道德认知、道德行为的关系研究中，首次提出了“具身道德”的概念，认为它是具身认知的内容之一，具体指身体经验同道德认知与判断等心理过程相互嵌入和相互影响。① 陈潇、江琦、侯敏和朱梦音的研究更进一步，在《具身道德：道德心理学研究的新取向》中不仅强调身体知觉经验，还强调了活动方式以及行为本身与道德心理的相互影响，“具身道德是指身体及其活动方式与道德心理和行为的相互作用。”② 这样，与已有的道德判断理论相比，具身道德强调了身体与道德情境的互动，通过真实的身体感受来探究其在道德判断中所起的作用，因而具有很高的生态效度。同时，从一个大的范围来讲，具身道德认知研究强调心理、身体所嵌入其中的环境（包括物理环境与文化环境），探究身体物理属性与道德判断之间的双向作用，具有很大的实际价值。不仅如此，具身道德还具有中国文化效度。最近的一项元分析显示，道德概念具身隐喻具有心理现实性，并且受文化背景和隐喻维度的调节。而东方文化背景下个体的道德概念具身隐喻更强，道德概念与空间维度和大小维度的隐喻联结程度更高③，因此具身道德之于中国文化背景下的道德教育具有更多的意义和价值。

（二）具身道德认知的理论范式

目前主要有四个理论范式来解释具身道德。

① 阎书昌．身体洁净与道德［J］．心理科学进展，2011，19（8）：1242－1248．

② 陈潇，江琦，侯敏，等．具身道德：道德心理学研究的新取向［J］．心理发展与教育，2014，30（6）：664－672．

③ 丁凤琴，王冬霞．道德概念具身隐喻及其影响因素：来自元分析的证据［J］．心理科学进展，2019，27（9）：1540－1555．

1. 概念隐喻理论范式

概念隐喻是指通过一个认知域中的概念来解释、表达另外一个认知域中的概念，其本质是个体利用熟悉的、具体的经验概念去构造陌生的、抽象的概念。体现在认知层面是指具体概念图式与抽象概念的自然表征关系，即与身体图式相关的感知觉系统会与抽象概念表征建立联结。具身认知和隐喻是我们认识、了解事物的重要视角，揭示了具体的身体经验与抽象的社会经验之间的心理对应关系。从具身和隐喻角度来探讨道德问题是一个很好的研究取向。隐喻可以将身体感知觉系统相关的图式与抽象社会概念的表征建立联结。近些年，我国也有越来越多的研究探索环境隐喻对抽象道德概念构建的影响。例如，干净的体验有助于个体表现出高的道德判断水平和道德行为等。目前研究所涉及的身体体验包含了但不限于身体的洁净[①]，来自身体的厌恶[②]，身体的上下、左右、包围与中心等方位感，质地软硬（又称之为"道德的心理物理学"[③]），甜和苦[④]，黑白视觉[⑤]等，这些因素都在严格的心理实验设计下对个体道德判断和道德行为产生了影响，呈现出身体效应。

2. 知觉符号理论范式

概念隐喻理论只是探索单一感知觉体验的变化对社会认知的影响，而事实上，人们会使用同一具体概念范畴去构造多个的抽象概念范畴，如上

① 阎书昌．身体洁净与道德［J］．心理科学进展，2011，19 (8)：1242 − 1248.

② 应小萍，罗劲，赵志裕，等．道德和生理厌恶的关系研究：前部与后部脑岛的双向实验分离［C］//中国心理学会．第十七届全国心理学学术会议论文摘要集，2014：1566 − 1568.

③ 彭凯平，喻丰．道德的心理物理学：现象，机制与意义［J］．中国社会科学，2012 (12)：28 − 45；吴言动，喻丰，彭凯平，等．心真的会"软"吗？软硬感受与语义改变道德判断［J］．心理学探新，2019，39 (6)：571 − 574.

④ 李志强．甜苦味觉对道德判断的影响研究［D］．苏州：苏州大学，2019.

⑤ 雷霞．黑白分明：黑白视觉对比极化道德判断［D］．桂林：广西师范大学，2015.

下概念会与道德、权利、地位等多种抽象概念建立隐喻映射关系。或者，人们也会使用多重具体概念范畴来对某一抽象概念范畴进行表征和认知。这揭示了概念隐喻理论存在的缺陷，因此，也有一些学者认为隐喻的映射可能既有单向作用，又有双向作用。例如，温度体验和社会人际情感就是相互影响的，热带地区的人多热情，而热情的人际关系也会让人感到温暖，基于此研究者提出了知觉符号理论。

该理论认为认知是具有知觉性的，认知和知觉的表征系统是相同的。据此，信息加工过程可以概括为：首先，客体激活了知觉系统，接着知觉成分的图式表征会被选择性注意从经验中提取出来，最后储存于长时记忆中。认知表征由大量的知觉符号构成，而代表客体的知觉符号就是这些知觉记忆。这样认知过程就不需要把外界刺激转化成全新的非模态命题符号系统，只需对这些知觉符号进行直接操作。基于该理论最初的符号来自客体的经验，所以儿童大量的经验和社会体验对其发展具有基础性意义。

3. 模拟感觉运动隐喻理论范式

有研究发现即便人们并没有相关直接社会性经验，但在接受暗示时，在充满鱼腥味的房间会降低信任感，而让人回忆一些私人秘密时，会体验到身体变沉重。在此情境下，概念隐喻理论与知觉符号理论中强调以往经验对隐喻形成的观点无法解释这类现象。于是有研究者们提出了模拟感觉运动隐喻理论。根据模拟感觉运动隐喻理论模型，个体发展抽象道德概念的同时也会改变一个人对此概念的表征形式，以感知运动的形式对此概念进行神经表征。可见，该理论事实上是对概念隐喻理论与知觉符号理论的整合与发展。

三个理论的模型图详见图 6–2。

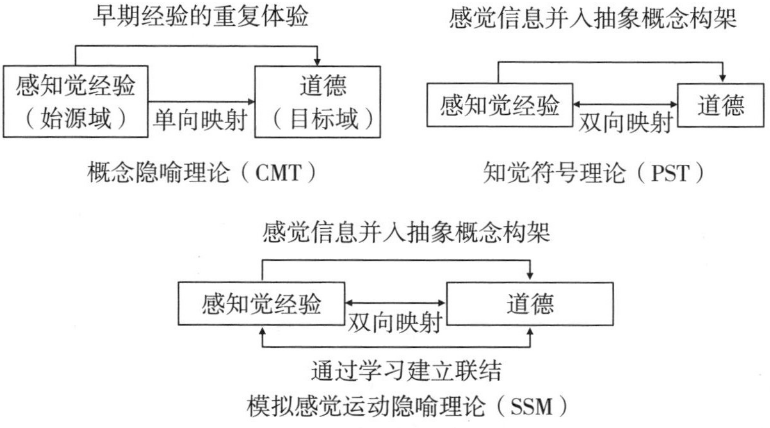

图 6-2　道德具身认知的概念隐喻理论、知觉符号理论及模拟感觉运动隐喻理论模型示意图

4. 进化理论范式

进化理论对于道德具身认知的解释主要体现在三个方面，分别是避免伤害、趋近有利条件和信号作用。

从避免伤害的角度来说，早期人类在自然环境中，通过爬到树上等高处来逃避野兽的攻击，在“上”的人更容易逃生，而在“下”的人更容易受到伤害。这些方位知觉的经验逐渐与社会认知概念相关联从而形成“健康和生命是上，疾病和死亡是下”“好是上，坏是下”和“有美德是上，道德败坏是下”等垂直方位与道德认知的联系。从趋近有利条件的作用来说，在进化过程中人们会趋近那些有利于身体健康和种族延续的环境，这种趋近也会和道德认知行为加工联系起来。例如，有研究者提出身体温度对亲社会行为及对他人人格特质评定的影响可能与人们早期生存环境及使用火有关。从信号的作用来说，人们在进化过程中，能够学习到某些信号预示着危险与威胁。例如，进化心理学认为臭味能引起恶心、头晕的反应，这种气味预示着对人类健康的潜在威胁。于是人们形成了对臭味这种信号的逃避、斥责反应。这种信号作用同样也表现在高级的道德认知加工中，比如我国学者研究发现当人们在有令人厌恶的气味的实验室进行道德加工时，道德评判会更为严厉。①

概而言之，各个理论虽然侧重点不同，但都是以“隐喻”为核心的。其中，概念隐喻理论与知觉符号理论都强调了过去经验对于隐喻形成的重要作用；模拟感觉运动隐喻理论的提出则揭示隐喻的形成并非只依赖于过去经验，仅仅是短时间内在暗示下形成的联结也能够产生影响；进化理论从人类种族生存的更广阔层面对隐喻的起源与发展进行了解释说明，通过从不同层面和角度考察道德具身认知现象的理论，为我们更为全面地了解道德具身认知的本质提供了进化论思路。

当然，具身道德研究还有很多问题亟须解决：首先是文化差异带来的问题。例如对于“空间”的概念，中国文化中就有“左为长”的独特说法，中国文化的“红白”颜色隐喻也与西方文化中的“红白”颜色隐喻存在差异，这种东西方文化特质的差异会使得道德行为本身也存在特质差异。其次，在品德心理研究中，是否能够结合道德的具身认知问题来综合考虑各种理论，提出能够完善解释道德具身问题的整合模型，这将是未来研究的重要挑战和重要课题。

（三）学生德育启示

有关具身道德，我国学者叶浩生发表在《教育研究》和《心理学报》上的文章有较大影响。② 目前，关于这一主题，不仅存在大量心理学实证研究，具体的德育实践启示研究也成果颇丰。忽视具身性的道德教育被学界称之为“道德离身现象”,“离身化”与“智化”被总结为德育的两个顽疾，这种趋向对道德教育有独特的启示。

---

① 吴宝沛，张雷．厌恶与道德判断的关系［J］．心理科学进展，2012，20 (2)：309 － 316.

② 叶浩生．身体与学习：具身认知及其对传统教育观的挑战［J］．教育研究，2015，36 (4)：104 － 114; 叶浩生，曾红，杨文登．生成认知：理论基础与实践走向［J］．心理学报，2019，51 (11)：1270 － 1280.

首先，具身道德强调主体的具身性，这里的具身性不仅指生理身体的参与性，也指心理的、文化的积极性和主动性。[①] 德育要充分调动道德主体学生的积极性，让学生不仅动脑，而且还动口、动耳、动眼、动手等。通过道德主体的具身体验，获得道德知识和道德体验。课程内容需要呈现出学生身体的体验和参与，它们是学生"转知为行""转识成慧"的重要身体修行途径。

其次，具身德育强调设置道德情境引起学生的身体共鸣。研究认为情境对道德行为和道德判断的重要影响，即使是"微小的情境改变也会影响道德行为"[②]。这里的情境指的是人和事所处的场景、背景与环境等。作为一般道德知识只是抽象的、笼统的，必须融入在具体的情境或境遇中才能真正发挥其作用。唐芳贵在其专著中谈到，与绿色背景相比，人们对以红色背景呈现的不道德行为的消极性评价会有所降低。而与红色背景相比，人们对以绿色背景呈现的道德行为的积极性评价会有所提高。[③] 这都说明情境可以改变道德行为和道德判断，因而德育具有情境性。所以，在道德教育教学过程中我们应增加引起学生身体共鸣的情境，激发其产生积极的道德行为。雕塑、装饰、"整容镜"、花草和山水、干净整洁的校园等这些物理环境，以及浸润式的教学，都可以使学生在不知不觉中受到洗礼，得到涤荡，进而在不知不觉中提升道德。

再次，具身德育注重身体"嵌入"的道德实践活动，建议减少"碎片化"的实践。具身德育不仅强调道德认知的具身性和情境性，而且还注重身体与情境的交互作用，强调道德认知的身体"嵌入"。身体"嵌入"就意味着"做中学"，具有实践性。道德教育应通过各种实践，尽可能地把道德教育具

① 孙雨，孟维杰．具身道德的认知转向与文化维度［J］．自然辩证法通讯，2020，42（10）：105－111．

② 彭凯平，喻丰．道德的心理物理学：现象、机制与意义［J］．中国社会科学，2012（12）：28－45．

③ 唐芳贵．具身道德的心理机制及其干预研究［M］．北京：中国社会科学出版社，2015：139．

体化、可操作化，让学生通过身体形成相对感性的道德认知，从而将道德认知内化为道德行动。在活动中，充分讨论感受和体验，包括其中的不适、矛盾、冲突、愤怒、无措，也包括可能的感动、喜悦，在相互分享和比较中建构道德认知。例如想培养尊敬老人的美德，带学生去敬老院开展一次献爱心活动是有益之举。但是，只引导学生讨论“爱心”，否定或者忽视学生看到年老与病痛的“不适”，学生不能在身体层面上充分参与，停留在“碎片化”教育影响，也就不见得能起到很好的教育效果。

四、道德基础理论研究及学生德育启示

道德基础理论是海特在自己的道德直觉理论基础上的进一步整合发展。道德直觉理论提出了道德判断的“非理性”因素，而道德基础理论则将之整合，纳入一个更大的道德判断模型：整合脑神经科学研究、文化心理学研究和进化心理学研究，当然也包括个体心理学研究的相关成果。

与具身道德认知相比，二者都反对传统认知心理学当中的理性传统，强调对于身体的回归，文化的回归。具身道德认知强调向身体经验的回归，而道德基础理论在强调向非理性回归的同时也整合了文化、进化与脑科学方面的研究,它对“公正与关爱”主题的突破,对道德判断理性主义的突破,对道德发展内容与形式的真正整合，使它得到学界广泛关注和研究，被称为“道德发展理论的新突破”[①]，它为学生品德发展带来新的启示。

（一）道德基础理论的内容

2001 年，海特首次提出“社会直觉模型”引起广泛关注。2012 年，

① 刘志．道德发展理论的新突破：道德基础理论解析［J］．外国教育研究，2018，45 (5)：68 － 80.

海特又出版专著《正义之心》[1]，首次在直觉模型的基础上，对道德的研究成果进行了汇集和系统化，认为这是道德发展理论模型构建“前期努力的顶点”。该书出版被认为是道德基础理论正式确立的标志。

从研究历史看，科尔伯格建立了现代道德心理学，他认为道德是单一的，将道德等同于公正。之后吉利根否定道德一元论，提出了“关心倾向”。传统道德心理学家一般都接受正义与关怀这一道德二元论。但文化心理学家 Shweder 提出，传统的认知发展研究仅仅关注的是道德准则的一个子集，比较适合于西方社会，进而提出了多元道德理论[2]，他总结出印度文化中有三种道德类别：自治道德、群体道德和神性道德。以上均可视为道德之内容。但是这种内容背后所内含的道德关系并不相同，Fiske（1991）提出道德判断依赖于四种关系模型，这种模型被用来思考和制定社会关系：公共共享、权威等级、平等匹配和市场定价。其中，公共共享是基于互惠的血族关系或世系，如家人、手足等，是一种照料和分享的关系；权威等级在垂直等级排列的人之间具有这种关系，如上司和下属，这种关系的基础是忠诚；平等匹配关系需要达到和维持平衡，如轮流值日、等待分配等，是一种平等和互惠的关系；市场定价关系中的人需要用比率或概率来进行评估，如市场上的买家和卖家、社会决策的得与失等，是一种公平和均衡的关系。这样，结合以上学者观点，道德内容和其背后的不同关系模式这两个维度使道德研究呈现出立体性。

海特正是整合了 Fiske 的道德关系和 Shweder 所提出的道德内容，提出了自己的道德基础理论。他认为人类的先天和普遍的道德基础原型有五组：关爱 / 伤害、公平 / 欺骗、忠诚 / 背叛、权威 / 颠覆和圣洁 / 堕落，

---

① 海特．正义之心：为什么人们总是坚持“我对你错”［M］．舒明月，胡晓旭，译．杭州：浙江人民出版社，2014.

② Shweder R A, Sullivan M A. Cultural Psychology: Who Needs It ?［J］. Annual Review of Psychology, 1993, 44 (1) : 497 – 523.

五组道德基础的前半部分是代表着某种价值观的模型名称，后半部分指相应需要阻止和抵制的邪恶行为（表 6–1）。以关爱 / 伤害为例，它属于 Shweder 所谓的自治道德，且表现为 Fiske 所谓的公共共享关系。而圣洁 / 堕落则属于神性道德，忠诚 / 背叛属于群体道德，均可归为权威等级关系。

表 6–1　五类先天和普遍的道德基础原型表

道德基础	关爱 / 伤害	公平 / 欺骗	忠诚 / 背叛	权威 / 颠覆	圣洁 / 堕落
适应性挑战	保护和关爱儿童	获得双向合作的好处	组建有凝聚力的联盟	在层次结构中建立有益的关系	避免传染疾病
原始诱因	某个孩子表达的痛苦、悲伤或需求缺失	行骗、合作、欺诈	威胁或挑战团队	高、低等级的标志	废品、病人
现存诱因	海豹幼仔、可爱的卡通人物	忠于婚姻、破碎的自动售卖机	运动队、国家	老板、受人尊敬的专家	移民、不正常的性取向
专属情感	对受害者的同情；对施暴者的愤怒	愤怒、感激、内疚	团队荣耀、对叛徒大发脾气	尊重、敬畏	厌恶
相关美德	有同情心的、友善	公平、正义、诚信	忠诚、爱国主义、献身	遵守、顺从	节制、贞洁、虔诚、清洁

海特认为这些道德基础是人类祖先长期以来形成的反应模式。每种原型都有其原始诱因与现存诱因，以关爱 / 伤害为例，其原始诱因来自于自己孩子的痛苦或者悲伤，它能帮助祖先应对如何养育孩子等问题，并产生了适应性挑战，通过进化过程，这些适应性挑战以直觉的形式得以保留。这些原始的诱因随时代或者情境的变化而演化出一些现存诱因，如可爱的卡通人物或者动物幼仔也可以激发个体的关爱。不断地被激发会帮助个体形成富有同情心和友善等美德。同理，公平 / 欺骗起源于平等

地分享劳动成果，对应的美德是公平、正义、信任等。而权威 / 颠覆、忠诚 / 背叛强调人作为社会角色和群体身份所要履行的道义责任，前者可发展遵守规则、尊重传统，后者可以发展对内群体的忠诚，对应的美德有忠诚、爱国和献身等。

提出该理论后，海特及其后继者运用进化心理学、认知神经科学、道德判断的非理性加工等视角对其进行了大量的佐证和研究。目前普遍认为，这不仅是理论上的创新，也是一种道德发生和发展研究上的“新的综合”。①

（二）道德基础理论的假设

道德基础理论对个体道德发展具有颠覆性的假设，以此为基础看学校德育，启发与挑战兼具。这些假设如下：

首先,海特认为人的道德存在先天“初稿”。道德基础之所以生而有之，是因为在长期的进化过程中，当面临挑战和机会时，个体为了做出快速而有效的反应，会形成一种针对特定领域的认知适应，这种适应通常被称作“模块”。它们是一些功能专门化了的信息加工机制。某个“模块”可以使解决或学会解决某种特定的问题变得更容易。这些功能专门化的“模块”就是“先于经验的组织”和“初稿”。道德基础理论认为，个体先由直觉形成一个“初稿”，然后经验对它进行修正，初稿具有预先设定性。比如有研究发现，只要给儿童呈现一个对遭遇不公正对待而表现出愤怒和复仇的榜样示范，他们就很轻松地学会了复仇，之后即便连续 20 周每个星期天都给孩子讲模范人物如何热爱他的敌人的故事，孩子们还是难以学会去爱他们的敌人。因为儿童具有学习复仇的准备和模块，却没有热爱敌人的模块。从这个意义上看，学校德育的内容需要在“道德基础”上进行，即

① 张梦圆，明亮，寇彧．论西方道德心理研究的新综合取向：道德基础理论［J］．北京师范大学学报（社会科学版），2016 (1) : 50 − 59.

要符合人之常理。

其次，道德“初稿”会在特定文化环境下的发展中被修正。道德基础理论认为，尽管道德基础限定了可能形成的道德秩序的种类，但是道德基础不是最终的道德。人的道德是天生的但同时又高度依赖于环境的影响。其具体机制是，个体出生时就拥有道德基础或初稿，但个体在成长过程中，为了很好地适应所处环境，会结合所处的文化背景，以天生的“学习模型”作为“寄主”，产生更多的功能特定、习得性认知能力的“工作模型”。而“工作模型”最终决定个体的道德判断和道德行为，这一过程就是文化习得。比如,两个小女孩最开始都拥有同样的通用“模型”，但是生活在印度教社会中的女孩，文化和心智的共同作用使其产生了一种特定的尊重权威的能力和模型（即工作模型），而在美国社会生活的小女孩却没有产生这种新的尊重权威的能力，更有可能在其成年时持有反权威的价值观。换言之，在学校德育中看似接受同样的教育，但学生因其文化甚至是亚文化的不同而具有不同的基础。例如山东人的好客背后就是特定的注重交往的道德模型，而上海人的所谓精明背后也自有其道德工作模型。

再次，个体道德判断表现为“直觉在先，推理在后”。道德基础理论的前身是社会直觉模型（SIM）。该理论认为道德判断中的多数活动是快速、自动化的直觉反应，这些直觉经过文化塑造，可以被随后的推理所修正和导引。在《象与骑象人》中，海特提出人的心灵可以分成骑手和大象两个部分。[①] 骑手是指我们的有意识推理，包括我们能够完全意识到的话语和想象意识流；大象是指另外 99% 的发生在我们意识之外却实际支配着我们行为的心理过程。骑手的工作就是为大象提供服务。所以道德直觉在道德推理还远未开始的时候自动地、突如其来地发生，这些先行出现的道德直

① 海特．象与骑象人［M］．李静瑶，译．北京：中国人民大学出版社，2008.

觉对随后发生的道德推理进行驱动。所以人可以被说服，但很难改变立场。这就解释了学校德育中“说服教育”为什么需要反复进行，甚至出现当时有效，事后无效的现象。学校教育应对学生的“直觉”加以充分的重视，需要充分理解理性在其中的有限性。

为进行大规模研究，海特及其合作者[①]编制了道德基础问卷（Moral Foundations Questionnaire，MFQ），该问卷共包括“关爱、公平、忠诚、权威和洁净”5个维度，含30个项目。该量表不仅可以测量个体对具体道德问题的观点，还能反映其对该道德内容的敏感性。实证研究表明该量表具有良好的内部一致性、重测信度、区分效度、聚合效度与预测效度，并具有跨文化和跨时间的稳定性。

使用该工具，我国学者进行了一些验证性和发展性研究。研究发现，五基准中关爱/伤害跟其他基准相比具有自己的特点。另外，个体在某一道德基础的道德失败会激活对该道德基础的可提取性，而不影响其他道德基础的可提取性。道德认同在道德失败与道德判断之间的调节作用具有领域特异性，即道德认同调节着关爱/伤害道德基础的道德失败与随后相应道德基础的道德判断，对其他道德基准不存在这个调节作用。[②]也有研究者对道德情绪（主要是内疚）之于五类道德基础维度判断的影响进行了跨文化研究[③]，无论是中国人还是印尼人“关爱/伤害”维度的得分是最高的，且不表现出文化差异，其他各维度均存在文化差异。这在一定程度上显示了“关爱/伤害”维度更为“基础”，这是我国学界对该理论的发展与贡献。我国学者对该理论给出如下评价：“道德基础理论系统论述了道德的先天性、

① Graham J, Nosek B A, Haidt J, et al. Mapping the moral domain［J］. Journal of personality and social psychology, 2011, 101 (2) : 366 – 385.

② 查晓坤. 道德基础理论视角下道德失败对道德判断的特异性影响［D］. 杭州：浙江大学, 2013.

③ Alexandrina Buruian, 马剑虹. 基于道德基础理论的道德情绪跨文化比较研究［C］// 中国心理学会. 第十八届全国心理学学术会议摘要集：心理学与社会发展. 2015.

可塑性、直觉性和多元性特征，对于全面考察道德内容，深入理解道德形式，发现和解释不同文化群体的道德差异有重要意义。”①

（三）对学生品德发展研究的启示与挑战

道德基础理论所带来的“新综合”对学生品德发展研究具有启示，也具有挑战。

首先，学生道德基础理论的研究可以自然向具有相同进化基础的心理健康领域、社会认知领域扩展。有研究表明不同道德内容与个体心理特征之间存在特异性关联。例如，高内疚倾向的大学生对关爱的重视程度远超过尊重和权威，而人格障碍者对关爱和公平的需求得分较低。这些研究一方面有助于深入理解学生所具有道德内容及其独特的道德品质，另一方面也会经由发展个体道德来推进或者改善个体的社会行为与心理健康。这种视野下，学生品德个性化会成为未来发展方向。

另外，个体所持有的道德内容能够预测个体对特殊群体的道德态度。研究发现，在对待争议性的社会话题上，个体不同的道德内容得分比年龄、性别、宗教和政治立场更能预测其态度。例如，高关爱得分的个体对暴力和犯罪问题特别敏感，高忠诚得分的个体会竭力保护国旗免遭亵渎。同时，学生的关爱维度得分能够正向预测人们对于护士、护工等职业人员的态度；洁净维度得分则能负向预测个体对于艾滋病感染者的态度。可见，不同个体所有道德内容为探讨同一社会事件提供了多重分析视角。在互联网时代，这种视角可帮助教育者更好地实施学生品德教育。

但是道德基础理论的个体道德发展仍旧面临很多挑战。第一，道德基础理论认为，个体的道德发展是在先天道德直觉基础上通过文化学习获得的。而以科尔伯格为主的道德认知发展心理学家则秉持建构论，认为

---

① 张梦圆，苑明亮，寇彧．论西方道德心理研究的新综合取向：道德基础理论［J］．北京师范大学学报（社会科学版），2016（1）：50－59.

真正的道德是儿童在与他人互动中，建构性地获得对社会规则的普遍认识。目前并没有充分的证据可以排他性地支持某一方的观点，未来研究需要在更为广泛的道德内容基础上纵深化探讨每种道德内容的发展。第二，在道德基础理论的当前研究中，关爱和公平这两个个体化道德内容的发展过程给出了相对明确的理论描述，然而其他主题，如忠诚、权威、洁净这三个道德发展过程仍不清晰。根据道德基础理论，不同道德内容具有不同的神经基础，存在明显群体差异，这样它们就有可能在发展起点、敏感期、阶段特征上与关爱和公平不同，需要进一步探索。第三，道德基础理论给儿童道德发展提供了复杂发展观。多项基础道德之间相互作用会带来道德发展的复杂表象。例如，家庭教养方式方面的研究发现，控制与惩罚能够负向预测儿童的道德推理能力以及亲社会行为的发展，但对于规则及权威的尊重则可能产生积极的效果。社会排斥方面的研究结果发现，青少年排斥者同时会有积极和消极的情绪体验，积极的情绪来自对团体结构和功能的维护，消极情绪来源于对受害者的同情。这都反映了忠诚和关爱在共同影响青少年个体。所以，儿童如何协调和处理多元道德并最终形成具有内在一致性的个人道德体系将成为需要面对的问题。

五、公正世界信念、道德健康研究及学生德育启示

国内品德发展研究中还一度涉及其他现象和概念，如公正世界信念、道德健康等。其目的是将品德发展与其他心理系统（多为心理健康系统）整合，其意义在于倡导在个体心理功能良好发挥的基础上展开其道德发展。

（一）特定学生群体的公正世界信念研究

公正世界信念是美国心理学家 Lerner 首次提出的概念，2007 年，国

内学者才首次关注该问题。[①] 其理论的核心是：人们相信他们所生活的世界是一个公正的世界，在这个世界上，好人有好报，坏人有坏报，每个人都应该得到他们应得的，并且这一信念是自动激活的，具有心理上的内隐性。[②] 如一个平时很善良的好人却遭遇严重车祸，持有公正世界信念的个体会自动产生“这个人必定做过什么坏事所以才有这样的遭遇”之类的想法，尽管这一想法可能并不符合现实。所以公正信念一旦形成，其作用方式并不完全遵照现实和逻辑，更多通过维护这一信念来保证心理平衡和稳定，进而维护了个体心理健康。

公正世界信念对个体品德发展具有积极意义。研究发现，如果个体公正信念受到影响，甚至坍塌、被摧毁，个体会遭遇巨大的心理失衡，伴随道德认知、道德情感和道德行为等各维度的退化，从整体意义上破坏个体原有的品德结构。而与之相反，研究发现，与公正世界信念较低的个体相比，公正世界信念较高的个体能够更好地处理生活中的负面事件，体验较少的负面情绪，人们更愿意为未来进行目标投入。例如，对大学生的研究发现，公正世界信念高的个体更愿意做出利他行为，更愿意排除其他因素而单纯助人，且有更高的心理健康水平。[③] 特别是对于那些弱势群体来说，公正世界信念会成为重要的内部保护因素。它为个人解释外部事件提供了一定的框架，并使个人相信世界是有序的、有意义的、可预测的。这种信念增加了个体对环境的控制感，使个体对未来充满了积极的憧憬，因此可

---

① 杜建政，朱振兵．公正世界信念的信念：概念、测量及研究热点［J］．心理科学进展，2007 (2)：373 - 378.

② Murray J D, Spadafore J A , Mcintosh W D. Belief in a just world and social perception: Evidence for automatic activation［J］. The Journal of Social Psychology, 2005, 145 (1)：35 - 47.

③ 李薇，陈晓梅，金晓君，等．大学生公正世界信念与利他行为的相关性［J］．中国健康心理学杂志，2014，22 (6)：946 - 948; 姬旺华，张兰鸽，寇彧．公正世界信念对大学生助人意愿的影响：责任归因和帮助代价的作用［J］．心理发展与教育，2014，30 (5)：496 - 503.

以提高个体的主观幸福感。

目前国内对公正世界信念的研究学生群体主要有留守儿童和青少年犯罪人群。对农村留守儿童的研究发现，留守儿童的公正世界信念明显低于非留守儿童[①]，这说明父母外出对留守儿童的公正世界的信仰构成了一定的威胁。其威胁主要是“为什么是我”的自我诋毁。研究还发现，对于相信世界是公平的农村留守儿童来说，他们并没有把自己的劣势看成是不公平的处境，而更多的是作为一个独立自主、锻炼自己的机会。他们努力理解父母的痛苦，并积极帮助承担家庭的工作。这说明以有意义的方式来解释自己的困境可以帮助个体保有公正世界信念。

对青少年犯罪人群的研究发现公正世界信念可以显著预测抑郁和生活满意度。[②]这是因为公正世界的信念可以帮助个人以有意义的方式解释生活事件，并为他们提供感知框架。对于犯罪青少年来说，公正世界信念高的个体不太可能将自己的劣势归因于不公平的待遇（未成年犯管教所和监狱的管理）。他们能及时认识到自己的错误，积极提升自己，从而体验到更高的生活满意度，减少抑郁情绪。

值得提出的是，从学生品德发展的意义看，公正世界信念在利他与助人，鼓励学生个体关注长远目标等方面具有积极作用。但是，具有强烈公正信念的人却会过分贬低和指责无辜的受害者，这与所倡导的社会道德相冲突。未来的研究可进一步探讨作为潜在机制的公正世界信念被自动激活的边界条件是什么。这一研究方向对解决上述矛盾，对如何培养学生公正世界信念并促使其良好运作具有意义。

---

① 张莉，申继亮. 农村留守儿童主观幸福感与公正世界信念的关系研究［J］. 中国特殊教育，2011 (6)：78 － 82 + 88.

② 张文新，李静雅，赵景欣. 犯罪青少年公正世界信念与情绪适应的关系［J］. 中国特殊教育，2012 (12)：75 － 79.

（二）道德健康的学生德育启示

健康一度是一个生理学概念，道德是一个社会学概念，“道德健康”将二者结合似乎逻辑不通，甚至国内有学者经过严格考据后得出这一概念是“以讹传讹，借鸡生蛋”[①]的结论。但即便如此，它却已成为一个约定俗成，为人广为接受的德育概念。其内含的社会需求非常强烈——不能以牺牲道德上的成长为代价获得心理健康，也不能牺牲心理健康来获得道德成长。这其实是对当下社会发展与学校教育危机的回应。

我国学者薛晓阳对此进行了系统思考，2005 年发表在《教育研究》上的文章[②]，从心理健康与道德教育二者相互影响的角度给以分析。一方面，他从心理咨询和治疗的历史进程考证了心理干预从“价值中立”走向“价值干预”的内在逻辑。受此启发，有学者对学校心理健康教育的目标、价值和功能拓展做出分析[③]，引发了一大批一线教师经验类文章的发表。另一方面，他从德育本身进行反观，认为传统教育更多选择具有暴力性的价值传递方式，不允许学生对是非黑白问题有任何自由思考的余地，而同时传统心理健康教育的价值又采用了所谓“不能改变环境可以改变心境”这样的适应式心理劝诫方式。因此两种现象结合就无法应对现实中很多问题，如有时学生心理问题就来自这里。为促进儿童的道德健康水平，他提出两种途径：第一，道德教育的危机不是价值观危机，而是方法论危机，因此他建议放弃强制、矫正、塑造的方法，而应接受包括心理学在内的多元方法；第二，扩展道德教育的对象至教师和学校，即关注教育者及教育环境的健

---

① 周围，杨韶刚．借鸡生蛋与以讹传讹：道德健康概念的提出及其合理性分析［J］．上海教育科研，2008 (11)：26 − 29.

② 薛晓阳．道德健康的教育学刍议：兼议心理教育的伦理转向［J］．教育研究，2005，26 (11)：23 − 27.

③ 张忠，陈家麟．论道德健康与心理健康：兼议心理健康教育功能、价值、目标的拓展［J］．教育理论与实践，2007，27 (6)：53 − 56.

康，以应对现实中那些“生病的”学校和教师对学生的各方面影响。

道德健康的老师和学校，也被其他学者扩展到“道德健康的社会”，个体以道德健康的方式适应社会，而道德健康的社会为个体健康发展提供道德制度与环境[①]，这与赵汀阳在《论可能生活》中谈到的好社会标准一脉相承。

从目前所见研究看，该主题理论思考大于实证研究，仅有研究者尝试构建大学生道德健康量表[②]，其他大量研究散见于不甚成体系的一线教师的经验总结和理论思考类文章，因此可加强和构建道德健康的学校教育体系、个体测评工具，为促进学生品德发展提供整合途径。

---

① 赵联．试论道德健康视角下的个体、社会与教育［J］．教育研究与实验，2010 (2)：57－60.

② 鲁婷婷，闫振龙．大学生道德健康评价指标构建及实证分析［J］．当代教育与文化，2020，12 (4)：94－98.

第七章
特定品德德目研究

基于不同价值诉求，品德分化出了特定品德条目，如责任心、关爱、感恩、宽恕、谦逊[①]、道德勇气[②]、敬畏等。与前面章节所涉及主题相比，这些“德目”的心理学研究更多属于人格特质类研究，注重个体最终养成的稳定品质。不同于“美德”研究强调至善至美的维度，品德心理研究强调特定品质的形成过程、影响因素与实然状态。结合具体的学生群体，本章对在学校德育背景下得到较广泛研究的责任心、宽恕与感恩三个主题展开叙述。

第一节　学生责任心研究

责任是一个跨学科概念，因而走向了多学科整合。伦理、教育与心理学的学科视角整合，内在规定性与外在约束性的整合，个人品质与社会动态认知的整合。这一过程同时也不断受到西方研究的影响，有研究者指出，

---

① 胡金生，黄希庭．自谦：中国人一种重要的行事风格初探［J］．心理学报，2009（9）：842－852.

② 高德胜．“道德的勇敢”与道德勇气：兼论道德勇气的培育［J］．教育研究与实验，2020（1）：10.

当代中国的责任心理研究俨然是一个受到西方学术潮流影响而降生的“混血儿”，存在“中、外时空交错的多维理解与阐释语境”。[①] 学生责任心的培养和研究亦在此背景下进行。

一、责任心的内涵界定

责任在国内得到大量研究，但学界关于责任的内涵研究较为复杂，难有定论。责任在现代汉语词典中的界定是“分内应做的事”与“没有做好分内做的事，因而应当承担的过失”。因此责任多被归为法律范畴，具有外在规定性。而心理学则强调该名词的内在规定性，多使用“责任心”这一概念。在思想品德教育、发展心理、法律等学科内也存在“责任”“责任心”“责任感”“责任意识”“责任判断”等类似概念，这些概念既强调责任的法律、伦理、教育等层面，也混合了不同的心理成分，这反过来进一步促进了心理学对责任心理内涵界定的不断深入和整合。

（一）责任的成分和内在规定性的国内研究

国内责任研究早期，心理学家更多从心理结构成分来解读责任。基于知、情、行、意的心理结构，朱智贤认为责任心由责任认知、责任感和责任行为三个维度构成。[②] 燕国材认为责任心包括对责任的认知、情感、意志和行为四个维度。[③] 陈会昌等认为责任心主要指个体对自己应该承担责任的认知、情感和行为。[④] 这样的界定具有积极意义，指出了责任心理研究的方向，但在“责任”的独特性以及其伦理维度上界定不足。因此，有

① 任亚辉．中国传统儒家责任心理思想探究［J］．心理学报，2008，40（11）：1221.

② 朱智贤．心理学大词典［M］．北京：北京师范大学出版社，1989.

③ 燕国材．中国心理学史资料选编［M］．北京：人民教育出版社，1989.

④ 陈会昌．德育忧思：转型期学生个性心理研究［M］．北京：华文出版社，1999.

研究者从“责任本义”出发进行了界定。例如张积家强调责任具有反映“良心要求”的内在规定性：“所谓责任心，是指个人对他所承担的各种责任的意识，尤指一个人对他所属群体的共同活动、行为规范以及他所承担的任务的自觉态度。责任心是人对与他有关的各种责任关系的反映。它是一种心理现象，是心理学和伦理学的研究对象。”① 张积家对内在规定性的强调带来对责任独特心理属性的承认，这一点具有积极的学术研究意义。但学者对其内在规定性如何表现出来却存在不同观点。张积家认为这是一种自觉态度，另一些研究者则强调了责任是一种个体的品质或者品格构成，是大于人格的一个维度。目前学界均认可上述两种观点。

文化心理学范畴下的比较研究也为理解责任提供不同视角。任亚辉分析了中国传统责任心理的“天人合契”之主旨、关系伦理价值体系之现实定位、从孝悌外推至礼义乃至人类社会与自然的序列。② 这对以西方“个体”思维模式下的责任研究提供了必要的补充。李明和叶浩生更是基于对中西方不同的责任心理对比研究，提出了责任的内在规定性实质。“责任是一种内化了的思维方式和行为规范，是个体一般性的意识准备状态和价值判断体系，这种价值判断在特定情境条件下还将引发相应的情感体验和内部动机并诱发相应行为。”③ 这一界定既考虑了责任的内在知、情、动机等心理准备状态，又考虑到了外在社会价值的内化，是对责任之内在规定性较为完整的界定。

（二）责任的过程与内容维度研究

除内在规定性研究之外，我国学者对责任的外延也进行了心理学研究。

---

① 张积家．试论责任心的心理结构［J］．教育研究与实验，1998（4）：43.

② 任亚辉．中国传统儒家责任心理思想探究［J］．心理学报，2008，40（11）：1221－1228.

③ 李明，叶浩生．责任心的多元内涵与结构及其理论整合［J］．心理发展与教育，2009（3）：123.

有研究者对“责任过程”进行了研究。随着韦纳《动机和情绪的归因理论》(1989)在国内的出版，研究者也对责任判断和责任行为的影响因素产生了一定的关注。况志华和叶浩生的理论研究强调了责任的“心理过程与结构”[①],集中研究了责任归咎的情境要素以及责任主体对责任的认知、推断、承担的条件等。之后，况志华又基于日常经验进行了结构化访谈，研究了责任的认知结构和责任情境的认知特点，发现了责任具有“责任推断—责任情感—责任行为”的单向决定模式。[②]这些研究凸显了责任的社会认知成分。

也有研究者对责任内容进行了深入研究。庞丽娟和姜勇对幼儿责任的探索性因子和验证性因子分析后得到责任心的“内容维度”有：任务责任心、自我责任心、承诺责任心、他人责任心、集体责任心、过失责任心。[③]黄希庭和谭小宏则提出了一个多层的结构。按其抽象程度的不同可以分为三个层次:总体责任心、一般责任心和特殊责任心[④]。其中特殊责任心抽象程度最低，是对具体任务的责任心，从内容方面被区分为学业责任心、家庭责任心、他人责任心、集体责任心和社会责任心；这些特殊责任心可进一步抽象和概括为一般责任心，可分为一般过失责任心和一般任务责任心；总体责任心抽象程度最高，为责任心的总体水平和表现。

二、学生责任心的维度研究与工具开发

从世界范围看，对儿童责任的研究可以追溯至皮亚杰和科尔伯格。如

---

① 况志华，叶浩生．基于心理学视野的责任过程与结构研究［J］．徐州师范大学学报（哲学社会科学版），2009，35 (2)：123 － 127.

② 况志华．基于日常经验取向的责任心理结构研究［J］．心理科学，2012，35 (2)：430 － 435.

③ 庞丽娟，姜勇．幼儿责任心发展的研究［J］．心理发展与教育，1999 (3)：12 － 17.

④ 黄希庭，谭小宏．中学生责任心的理论构建研究［J］．心理科学，2008，31 (1)：11 － 15.

前所述，皮亚杰曾采用对偶故事法研究儿童责任感，科尔伯格采用两难故事法来研究。后来人们也采用了观察法、教育实验法、作品分析法、谈话法等方法来测量责任心，但是运用最多的还是问卷法。著名的人格测量问卷明尼苏达多项人格量表（MMPI）中就有一个社会责任感分量表，该分量表是评估个体愿意对自己的行为负责任和对社团尽义务的程度。表中有可靠、可信任、对集体有责任感以及对伦理道德等问题较关心、正义感强、自信等维度，是从稳定人格角度进行的责任测量。除此之外，国内研究者也开发了大量专门工具。

（一）针对不同学生人群的责任测量工具

有学者根据不同年龄段个体的发展特点编写了适应不同年龄段的责任心问卷。

对幼儿群体，庞丽娟、姜勇编制了《幼儿责任心发展问卷》，[①] 其中包括自我责任心、任务责任心、他人责任心、集体责任心、过失责任心和承诺责任心 6 个维度，共 20 个题项。目前关于幼儿责任心的测量多使用这一工具。对中小学生群体，刘文英自编《小学生责任心问卷》[②]，一共 32 道选择题，主要从责任心认识、情感和行为三方面对小学生责任心现状进行调查。丁强、卢家楣、陈宁则从“责任感”出发，开发了《青少年责任感问卷》[③]，从责任内容角度区分为自我责任感（对学业、生活、未来）、人际责任感（对亲人、同伴、一般他人）和社会责任感（对生态、社会、国家）3 大类 9 个子类，问卷具有良好的信效度。与从个人—社会维度划分责任内容不同，谭小宏和黄希庭通过对责任任务和过失责任的区分，并结合个人—社

---

① 庞丽娟，姜勇．幼儿责任心发展的研究［J］．心理发展与教育，1999 (3) : 12 − 17.

② 刘文英 .7−12 岁小学生责任心问卷的编制及应用［D］．赣州：赣南师范学院，2013.

③ 丁强，卢家楣，陈宁．青少年责任感问卷的编制［J］．中国临床心理学杂志，2014，22 (5) : 831 − 834 + 830.

会维度开发了《中学生责任心量表》①，见图 7-1。该量表的维度是通过对中学教师及专家关于预试问卷的近百个条目进行评定、反复审查、修改后形成，通过对 747 名中学生的探索性因素分析和 1009 名中学生的验证性因素分析而得。该量表结构清晰，信度和效度较好，是目前得到广泛使用的测量工具。

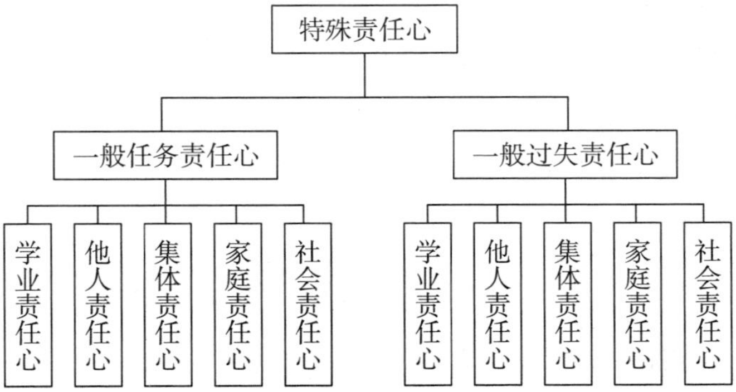

图 7-1　中学生责任心维度图

对大学生群体，陶金花等结合我国的社会文化背景编写了大学生责任心问卷②，问卷将大学生责任心归纳为 5 个维度，分别命名为责任认同、责任回避、责任追究、责任行为和责任意向。该问卷更多强调责任过程而非责任内容。杨继平等在研究道德推脱与大学生学术欺骗行为的关系③时修订了自人格题库中的责任心量表，列出 10 个项目，采用 7 点评分法进行测评。该量表一般用于个体稳定的责任心人格测试，也得到了广泛应用。

---

① 谭小宏，黄希庭．我国中学生责任心特点初步研究［J］．西南大学学报（社会科学版），2008，34（5）：45－47.

② 陶金花，程灶火．大学生责任心问卷编制和信效度研究［J］．中国临床心理学杂志，2020，28（3）：496－498.

③ 杨继平，王兴超，陆丽君，等．道德推脱与大学生学术欺骗行为的关系研究［J］．心理发展与教育，2010（4）：364－370.

（二）其他工具

还有学者根据责任的不同内容编制了特定量表。陈红兵等编制了学生学业责任感问卷①，该问卷包括学业责任观念、学业责任行为和学业责任情感 3 个分问卷。王美萍等修订了 Fuligni（1998）的家庭义务感问卷，编制了适合于我国国情的青少年家庭义务感问卷，②等等。

除此之外，李明介绍并研究了责任心的他者测量、团队水平测量、项目反应理论测量、反应时内隐测量等多元化方法。③这些方法可以有效化解以往量表主观性强、与社会赞许性相混淆、容易作伪、不够精确等问题，可作为进一步研究的方向。

三、不同年龄学生的责任心发展

责任心的影响因素较为宽泛，大多是从自我、社会、家庭、学校几个主要方面来分析，责任心工具开发促进了责任发展特点及其影响因素的研究。有研究者将社会责任心的影响因素分为外在因素和内在因素两大类。外在因素中有社会文化、家庭以及榜样作用，内在因素为社会认知能力、自控能力、移情能力。也有研究者认为责任心的形成和发展受到主观因素和客观因素的影响。主观因素主要是个体的身心发展水平和主观能动性，客观因素分别为社会、家庭和学校教育。这些内外因素、主客观因素互为借鉴并产生相互作用，在国内责任研究中产生很多丰富的成果。以下分发展阶段进行分析。

---

① 陈红兵，申继亮．中小学生学业责任感的发展［J］．心理科学，1993 (2) : 51 − 53.

② 王美萍，张坤，张文新，等．青少年家庭义务感的研究［J］．心理发展与教育，2001，17 (3) : 28 − 32 + 39.

③ 李明．责任心的多元研究与测量［J］．心理学探新，2008 (3) : 14 − 17 + 42; 李明，叶浩生．责任心的多元内涵与结构及其理论整合［J］．心理发展与教育，2009 (3) : 123 − 128.

（一）幼儿

幼儿阶段作为发展责任的早期阶段，得到了研究者的关注，其主要发展任务涉及自己吃饭、洗脸、穿衣服等生活技能，充满着最初的责任要求。从所获得研究资料看，目前对幼儿责任进行的研究均从责任内容维度进行。

杨丽珠等采用《幼儿责任发展量表》进行了一项被广为引用的实验研究。[①]他们对幼儿园小班、中班和大班的幼儿进行了各 12 种责任心教育活动（共 36 种）的教育实验，计 6 个实验班，6 个控制班，每个班级进行每周两次，每次 20—30 分钟的教育活动，为期一个学期。这些教育活动经由前后测量对比以及实验班和控制班的对比，发现实验班在 6 个责任心维度上均与控制班有显著性差异。所以研究得出很有意义的结论：教育活动能够有效地促进小、中、大班幼儿责任心的发展。而且研究还得出了责任发展的幼儿阶段关键学段——中班。在该学段的幼儿责任各维度的发展都非常迅速。这一研究结果也得到了其他研究[②]的证实。

哪些因素影响了幼儿群体的早期责任发展？早在 1997 年，研究者通过实证研究发现，同伴影响和教师影响的作用最大，甚至超越家长的影响；而家长自身的责任心水平，会通过家长对幼儿责任心的要求，来影响幼儿的责任行为发生（姜勇，陈琴，1997）。[③]关于影响幼儿责任的家庭因素，有研究者对“中班现象”进行了专门的研究，研究发现由父母担任主要抚

---

① 杨丽珠，辛晓莲，胡金生．促进幼儿责任心发展的教育现场实验研究［J］．学前教育研究，2005 (5)：22 － 24.

② 尹绍清，谢利东，李昌茂，等．3–5 岁幼儿责任心发展的实验研究［J］．陕西学前师范学院学报，2017，33 (10)：82 － 85.

③ 姜勇，陈琴．中班幼儿责任心水平影响因素的协方差结构模型分析［J］．心理发展与教育，1997 (2)：25 － 29.

养人和主要教育者的中班幼儿其责任水平反而更低[①]，这可能跟父母耐心不足导致的过度承担有关。

刘闯和杨丽珠通过 382 名 3—6 岁幼儿责任心及其父母教养方式的问卷调查，探讨了父母教养方式对幼儿责任心发展的影响。[②] 结果表明父母教养方式是影响幼儿责任心发展的重要因素。民主性父母教养方式容易促进幼儿责任心良好发展，溺爱性、放任性、专制性和不一致性父母教养方式容易导致幼儿责任心不良发展。如果说教养方式的研究是静态描述，那赵辉的研究则揭示了家庭动态功能对责任的影响。[③] 在其研究中，幼儿责任心与其家庭功能的关系存在显著相关，与问题解决维度、角色分配维度存在正相关，与行为控制维度存在负相关。可见培养幼儿责任心的家庭策略应是采用民主性教养方式，鼓励家长适时放手，学会给幼儿分配任务。

在幼儿责任研究方面，李洪曾曾得出幼儿责任影响因素的 12 条结论。[④] 在统计工具的限定下，研究者提出的一些经验性结论，包括：隔代养育幼儿的社会责任心发展优于亲代养育，父母的学历、居住环境等都影响幼儿的责任心发展，这些结论也受到其他研究的质疑，例如张升峰研究发现，家长的教育观念、教育行为或者说家长的自身责任心的水平对幼儿的责任心培养具有很大的影响，而家长学历、家长性别对幼儿责任心影响不显著。[⑤] 所以李洪曾的研究与其说是得到了确定的结论，毋宁说提供了影响幼儿责

---

① 任洁，王俏华．中班幼儿责任心发展水平的现状及影响因素研究［J］．幼儿教育，2018 (15) : 28 － 33.

② 刘闯，杨丽珠．父母教养方式对 3–6 岁幼儿责任心发展影响的研究［J］．学前教育研究，2007 (1) : 56 － 59.

③ 赵辉．幼儿责任心与家庭功能的相关研究［J］．教育实践与研究 (C)，2014 (11) : 66 － 70.

④ 李洪曾．幼儿社会责任心的现状及其影响因素的研究报告（上）［J］．山东教育，2002 (30) : 11 － 14; 李洪曾．幼儿社会责任心的现状及其影响因素的研究报告（下）［J］．山东教育，2002 (33) : 11 － 13.

⑤ 张升峰．幼儿责任心水平的家庭影响因素研究［J］．山东教育，2008(15):11–13.

任心发展的研究变量图谱，该图谱涉及家长学历和工作性质、养育、同伴交往，甚至是居住物理环境等，这些都是值得进一步研究的影响因素。对这些问题的持续研究还包括：刘丽在对责任心和亲社会行为的相关研究中发现，幼儿的责任心与幼儿的合作、分享和助人行为之间表现出了极其显著的正相关；[①] 吕园等人研究承认同伴交往的作用，但发现整体上的责任心程度主要与同伴的交流沟通是否融洽呈正相关；[②] 杨洋提出户外体育游戏可以促进幼儿责任心的发展。[③] 概括来说，目前研究者均承认，哪怕是对幼儿群体，教育活动对其责任心发展都有积极的影响。因此从家庭走向学校是责任心发展的重要一步。

（二）中学生

关于中学生责任的整体情况，从横截面研究 [④] 看，中学生责任心的总体水平较高；不同年级中学生责任心呈现出一定的波动性；女中学生在他人义务责任心、集体义务责任心、家庭义务责任心和集体过失责任心 4 个因子上高于男生。同时，研究发现留守儿童的责任心各维度较低 [⑤]，独生子女高中生的责任心发展水平 [⑥] 低于非独生子女高中生的责任心发展水平等。

中学生责任的影响因素研究，得到相对集中性的研究结论。

---

① 刘丽 .3—6 岁幼儿责任心和亲社会行为的相关研究［J］. 新疆职业教育研究，2009 (4)：70 － 73.

② 吕园，曾彬 . 幼儿责任感水平及其与同伴交往能力的相关研究［J］. 早期教育（教科研版），2015 (5)：31 － 34.

③ 杨洋 . 户外体育游戏培养中班幼儿责任心的行动研究［D］. 济南：山东师范大学，2020.

④ 谭小宏，黄希庭 . 我国中学生责任心特点初步研究［J］. 西南大学学报（社会科学版），2008，34 (5)：45 － 47.

⑤ 汪海彬，田晶晶，王刚，等 . 留守儿童道德情感的现状调查研究［J］. 集美大学学报（教育科学版），2016，17 (3)：30 － 36.

⑥ 张良才，孙继红 . 山东省高中生责任心现状的调查研究［J］. 教育学报，2006 (4)：82 － 90.

首先，父母教养方式对中学生责任心具有重要影响。例如，研究发现温暖理解的正向父母教养方式对高中生责任心的培养有积极作用：父母亲温暖因子与子女责任心有显著正相关、父母亲严厉惩罚和拒绝否认因子与责任心有显著负相关①，对初中生群体的研究也有同样结论②。可见，温暖与协商而不是严厉与惩罚更能让中学生主动承担责任。

其次，中学生责任心各成分和各内容发展并不同步。吴靖发现初一学生的责任心还是以认知为核心的，而责任情感对于责任认知具有激活功能，即个体有了对责任对象的情感，才能唤起良心的真正醒悟，从而最终形成德性（这一研究与前述况志华的责任的“单线决定论”并不一致，可能与后者研究对象为大学生有关）。③张良才和孙继红发现高中生的自我责任心水平低于其他几种责任心水平，这种情况与中学生随年龄增长，主体意识不断增强的发展趋势并不一致。④这可能与国内德育的工具性倾向有关，主张外在影响与约束，没有将学生作为真正的德育主体，进而自我责任没能获得充分发展。

再次，研究发现培养中学生的自主性能够促进责任心的形成。刘建鸿对此加以系统研究。研究从自我决定论出发，认为“有意义的理由、对冲突感的承认和自主选择”可以促进学生的自主性调节并提高他们对责任的重要性评估，增进责任行为坚持；具有自主性调节学生更倾向于主动承担

---

① 张立，毛晋平，张素娴．高中生责任心与父母教养方式的相关研究［J］．中国健康心理学杂志，2009 (11)：1362 − 1365.

② 李彦涛，刘小先．初中生责任心与父母教养方式的相关研究［C］∥中国心理学会．第十二届全国心理学学术大会论文摘要集，2009：22.

③ 吴靖，季蘋，潘秀丽．道德责任心的形成及其对道德行为的影响研究［J］．心理发展与教育，1991 (3)：74 − 77.

④ 张良才，孙继红．山东省高中生责任心现状的调查研究［J］．教育学报，2006 (4)：82 − 90.

责任。[①] 这一研究与上一条研究相互应和。

最后，中学生责任心相对不稳定，是一个动态的过程。黄希庭等认为中学生责任心总体水平保持平稳，主要体现在学业、家庭、他人、集体、社会等方面,但也容易受角色转变或重大事件等突发因素的影响而产生变化。[②]

（三）大学生

大学生责任心特点研究存在以人口统计学为主要变量的大量文献。

首先，相比高中生，大学生的自我责任感增加。当代大学生的责任观调查中，六种责任的重要性选择为自我责任（34.4%）、社会的责任 (27.4%)、对家庭的责任 (26.6%)、对职业的责任 (6.7%)、对集体的责任 (2.4%)、对他人的责任 (2.4%)[③]。自我责任占据显著地位，这与社会对大学生成人身份的认可有关，它经由自我认可的过程而对个体产生影响。同时，采用自评测定法发现，大学生自评影响其责任心发展的因素按程度大小排序依次是自我的认知、家庭的影响、生活经历、老师的影响、同伴的影响、学校的影响、社会风气[④]，自我认知居首。

其次，相比于初高中生中，女生责任心高于男生的现象，大学生群体性别差异研究结果存在着分歧。有观点认为责任心的研究应该从整体把握，性别对责任心没有显著的影响。可见，如果综合大学生的责任认知和责任行为，综合考虑责任的社会性，其性别因素起的作用也许占比会更少。

再次，农村与城市大学生责任心也存在差异。闵永胜、姚本先的研究

---

① 刘建鸿. 中学生责任心形成机制的研究：从自主性调节的视角［D］. 上海：华东师范大学，2009.

② 黄希庭，谭小宏. 中学生责任心的理论构建研究［J］. 心理科学，2008，31 (1)：11 － 15.

③ 赵兴奎，张大均，刘宗发. 当代大学生社会责任心发展特点研究［J］. 牡丹江教育学院学报，2010 (2)：78 － 79.

④ 罗香群. 大学生责任心问卷的编制与应用研究［D］. 福州：福建师范大学，2007.

发现农村大学生在集体、社会发展的责任心层面上显著高于城镇大学生。① 赵兴奎等的研究表明农村大学生的家庭责任心高于城镇大学生。② 而几年之后，陶金花等的研究发现在社会责任心各维度上均不存在城乡差异。③ 这可能是因为农村生活条件不断改善，传统农业社会的集体主义正在不断弱化，而 90 后农村与城镇大学生同处于信息迅速发展、交通发达的时代，地域界限正在不断缩短。这种社会变化影响了责任心的发展。

最后，不同学校和不同类型的学生在责任心上也存在着差异。研究发现师范类的大学生比非师范类大学生的责任心水平更高，而文理科则没有差异。④ 说明专业素质和专业道德的强调在其中起到作用。学生干部与非学生干部的大学生在集体责任心上有极其显著差异，在自我责任心上有显著差异，作为学生干部的大学生在集体责任心上明显高于非学生干部的学生。党员与非党员的大学生在责任心的各个维度上都存在显著差异。在责任行为和集体责任心上还存在极其显著的差异，而且在各个维度上，党员大学生的责任心水平都高于非党员大学生的责任心水平。这样看来，适度承担工作和社会角色能够培养大学生责任心。

四、责任心在学生品德发展中的功能

责任心会直接作用于个体的行为选择，也会间接作用于其他心理品质或行为上，对个体或他人都有不同程度的影响。它会调节个体的心理或行

① 闵永胜，姚本先．某高校学生社会责任心分析［J］．中国学校卫生，2008 (7)：633 − 634.

② 赵兴奎，张大均，刘宗发．当代大学生社会责任心发展特点研究［J］．牡丹江教育学院学报，2010 (2)：78 − 79.

③ 陶金花，朱键军．90 后大学生社会责任心发展特点研究［J］．安徽工业大学学报（社会科学版），2014，31 (5)：111 − 114.

④ 罗香群．大学生责任心问卷的编制与应用研究［D］．福州：福建师范大学，2007.

为，产生不同的行为后果，也会预测一些行为的发生特点。

（一）预测作用

刘丽通过研究发现，幼儿的过失责任心与幼儿的合作、助人行为之间表现出了极其显著的正相关。[①] 幼儿的责任心越强，幼儿越表现出积极的亲社会行为；反之，有积极的亲社会行为的幼儿，其责任心较强。延艳娜和闫春平等在研究留守初中生责任心与社会适应状况的关系时也发现，母亲依恋、总体责任心、一般责任心、一般过失心与特殊义务责任心可以在一定程度上预测留守初中生的社会适应状况。[②] 李真和王玲凤发现网络成瘾与中学生的责任心有关，总体责任心、一般任务责任心、一般过失责任心、任务责任心中的任务学业和任务家庭责任心、过失责任心中的过失学业和过失家庭责任心均对中学生的网络成瘾有负向预测作用。[③] 另外，罗香群的研究也发现，责任心为自我取向成就动机提供很好的预测。[④]

责任心所产生的预测作用进一步说明它作为稳定的结构在起作用。个体在接受社会规约并参与事件的过程中所形成的责任心可以独立于事件本身而存在，可以对学生个体的其他方面产生作用。

（二）调节和中介作用

责任心相对稳定，因此会作为中介因素产生调节作用。赵欢欢和克燕南等在家庭功能对青少年道德推脱的负向预测研究中发现责任心起部分中

---

① 刘丽.3—6 岁幼儿责任心和亲社会行为的相关研究[J].新疆职业教育研究，2009 (4)：70 − 73.

② 延艳娜，闫春平，单鸿博，等.留守初中生责任心在依恋行为与社会适应间的中介作用[J].中华行为医学与脑科学杂志，2016，25 (1)：65 − 69.

③ 李真，王玲凤.中学生网络成瘾与责任心关系[J].中国公共卫生，2013，29 (2)：269 − 271.

④ 罗香群.大学生责任心问卷的编制与应用研究[D].福州：福建师范大学，2007.

介作用，家庭功能通过责任心对道德推脱的间接影响随着道德认同水平的增加而减弱。[①]赵改和孔繁昌等发现父母情感温暖可分别通过责任心和公正世界信念间接地影响青少年的感恩。[②]这表明责任心和公正世界信念是父母情感温暖影响青少年感恩的重要中介变量。侯春娜等发现父母情感温暖通过责任心对大学生职业决策自我效能产生明显的预测作用，责任心具有明显的中介作用。[③]

由上可知，责任心在个体的品德建构过程中具有一定的“锚定”作用，个体将之视为需要承担的责任意味着个体将相关道德内容要求视为自我要求，责任心是外界要求与自我要求之间的桥梁。

第二节　学生宽恕与感恩研究

宽恕与感恩都是美德。学生品德发展在整全人格发展的大构架下展开，人格发展健全与否，心理是否健康都在一定程度上制约了学生品德发展。培养学生的感恩与宽恕品德具有双重目标：促进学生品德发展与提高学生心理健康水平。

一、宽恕及学生品德发展

宽恕既是一种亲社会行为也是一种道德品质。岑国桢（1998）认为宽

① 赵欢欢，克燕南，张和云，等．家庭功能对青少年道德推脱的影响：责任心与道德认同的作用［J］．心理科学，2016，39 (4)：907 − 913.

② 赵改，孔繁昌，刘诏君，等．父母情感温暖对青少年感恩的影响：责任心与公正世界信念的中介作用［J］．心理发展与教育，2018，34 (3)：257 − 263.

③ 侯春娜，伍麟，刘志军．家庭因素中父母情感温暖、文化性与责任心对大学生职业决策自我效能的中介与中介调节研究［J］．心理科学，2013，36 (1)：103 − 108.

恕是与“公正”“关爱”相并列的道德心理研究主题。[①] 目前许多研究都表明宽恕能帮助受害者消除消极情绪[②]、改善人际关系与生活满意度[③]、提升心理健康水平[④]。因此激发学生的宽恕意识，培养其宽恕品质，成为学校德育中颇有现实意义的议题。

（一）宽恕的心理学内涵与界定

到目前为止宽恕尚未有一个普遍被接受的定义，这是因为不同的心理学家对宽恕有不同的理解，因而对宽恕的界定也不尽相同。但研究者分析了宽恕的不同成分，这可以帮助我们理解宽恕的心理过程。

首先，宽恕具有情感属性。研究者认为宽恕就是受害者不再憎恨侵犯者，认为宽恕是使受害者从愤怒、憎恨和恐惧中解脱出来，并不再渴望报复侵犯者的一个内部过程。[⑤] 我国学者也多从情感角度介入宽恕的研究，卢家楣等认为宽恕是指能原谅别人且自我因而达到心安的一种情感[⑥]，而罗春明、黄希庭则强调宽恕的情感转变——一个从惊恐怨恨、惊疑惧悲、惊怕恶羞等复杂的负面情绪向正面情绪转变的过程[⑦]。二者分别强调情感调节结果和调节过程，互为补充。

---

① 岑国桢．从公正到关爱、宽恕：道德心理研究三主题略述［J］．心理科学，1998 (2)：163 − 166.

② 胡三鳗，张爱卿，钟华，等．大学二年级学生人际宽恕与报复心理及其与抑郁的关系研究［J］．心理发展与教育，2005 (1)：104 − 108; 袁小帆．大学生人格、主观幸福感与宽恕的关系研究［D］．济宁：曲阜师范大学，2010.

③ 李大荣．初中生人格、宽恕与生活满意度的关系研究［D］．石家庄：河北师范大学，2011.

④ 罗春明，黄希庭．宽恕与心理健康［J］．中国心理卫生杂志，2004，18 (10)：742 − 743.

⑤ Denton R T, Martin M W. Defining forgiveness: An empirical exploration of process and role［J］. The American Journal of Family Therapy, 1998，26 (4)：281 − 292.

⑥ 卢家楣，袁军，王俊山，等．我国青少年道德情感现状调查研究［J］．教育研究，2010，31 (12)：83 − 89.

⑦ 罗春明，黄希庭．宽恕与心理健康［J］．中国心理卫生杂志，2004，18 (10)：742 − 743.

其次，宽恕离不开宽恕的对象和事件，所以必然表现为一种社会认知。Pingleton（1997）把宽恕定义为受到伤害后，个人放弃做出惩罚、报复等伤害性反击的权利并取得和解的过程。

再次，宽恕还存在动机性。McCullough 等的定义以共情、利他和迁就理论为基础，认为宽恕是促使受害者对侵犯者产生共情的一系列的动机变化过程[①]，该过程减弱了受害者报复和疏远侵犯者的动机，增强了受害者善待侵犯者的动机，并促使受害者与侵犯者和解。

尽管不同的学者有不同的定义，但大部分定义都有一个相同的核心部分，即当人们宽恕时，对侵犯者的消极反应减少，积极反应增加。因此，宽恕对于改善由于冒犯而造成的人际关系损害具有明显的积极影响，可以防止进一步寻求复仇和促进亲社会改变，因而高的宽恕水平也会对心理健康和社会行为产生正面的影响。鉴于此，傅宏结合国内外研究对宽恕的内涵进行了概述：从理论研究的角度来看，宽恕是一个动机结构；从社会实证角度讲，宽恕还是一种亲社会行为；从情境因素看，宽恕是一种人际变量。[②]这是对宽恕较为完整的定义。

（二）影响学生宽恕的因素

宽恕具有多种心理成分，因而其影响因素也包含了知、情人格特质以及个体的主体身份等。

1. 年龄与性别

年龄和性别是宽恕研究常涉及的人口学变量。一般认为年龄和宽恕之间是一种正向的相关，宽恕随年龄的发展而发展。老年人一般比年幼的学

---

① McCullough M E, Worthington E L, Rachal K C. Interpersonal Forgiving in Close Relationships［J］. Journal of Personality and Social Psychology, 1997, 73 (2) : 321 − 336.

② 傅宏 . 中国人的宽恕性情及其相关人格因素分析［C］// . 中国心理学会 . 第十届全国心理学学术大会论文摘要集 , 2005 : 289.

生以及年轻人更容易宽恕冒犯者。[①]而对学生的性别变量，则存在不同观点，有研究认为男性既不容易得到别人的宽恕，又不容易宽恕别人，在同样的条件下女生比男生更倾向于做出宽恕选择。[②]而另一些研究认为女生宽恕度低于男生[③]，还有研究认为男女大学生在宽恕倾向、宽恕态度上不存在差异[④]。所以，关于宽恕的性别特点与观点尚未一致。这可能与个体发展阶段以及宽恕事件、情感反应、归因方式等过程性因素有关，可以认为宽恕与性别关系不大，在宽恕教育中应避免性别化的语言和要求。

2. 冒犯者与冒犯事件

冒犯事件是指引起冒犯行为的外部原因，冒犯后果的严重程度和受害者对事件的主观严重性[⑤]对做出宽恕的选择有深刻的影响。而冒犯者的态度在一定程度上决定着受害者的宽恕水平。如果冒犯者对自己的冒犯行为心存内疚，及时诚恳地向受害者道歉并希望得到受害者的谅解，这时容易得到宽恕。但如果冒犯者实施冒犯行为后没有任何道歉及悔改之心，且还对受害者有言语或身体上的攻击，这时不但得不到受害者的宽恕，而且恶化下去将会导致报复行为的发生。可见是否得到道歉以及道歉的可接受程度都会影响个体的宽恕水平。[⑥]傅宏也认为在所有可以影响受害者做出宽

① 傅宏．宽恕：当代心理学研究的新主题［J］．南京师大学报（社会科学版），2002 (6)：80 － 87.

② 罗文建，陈小异．大学生宽恕行为与自尊的相关研究［J］．健康研究，2013，033 (1)：58 － 60.

③ 袁般红．高职大学生宽恕水平的现状调查［J］．中国健康心理学杂志，2013，21 (9) 1422 － 1423.

④ 王琼．大学生自我宽恕倾向对人际适应性的影响［D］．南京：南京师范大学，2014.

⑤ Fincham F D, Jackson H & Beach S R. Transgression severity and forgiveness: Different moderators for objective and subjective severity［J］. Journal ofSocial and Clinical Psychology, 2005，24 (6)：860 － 875.

⑥ 贺小华，张建育．大学生宽恕心理及其影响因素探析［J］．赣南师范学院学报，2013，34 (2)：95 － 98.

恕决定的因素中，诚恳道歉和悔过是冒犯行为发生之后，唯一可以由冒犯者自主控制的重要因素。[①]这样，学校宽恕教育需要考虑到宽恕者与被宽恕者之间的互动，宽恕远非仅是个人内部的品德素养培养的要求。

3. 人格特征

宽恕既是一种认知过程，也是一种人格特质的表现和表达。已有研究发现，人格特征是影响宽恕的一个重要的稳定性因素，研究者多通过大五人格模型来探查人格与宽恕的关系。大五人格由五个因素组成，分别为神经质、外倾性、开放性、宜人性和尽责性，是目前应用极为广泛的人格工具。研究发现在侵犯发生后，神经质受害者可能会体验到更多的消极情感，因而导致较少的宽恕，因此神经质与宽恕负相关。[②]而宜人性水平较高的个体更容易理解、同情他人的处境，所以宜人性是促进宽恕的一个特质。[③]这一点也得到了我国学者的验证，袁小帆对大学生研究发现，大学生群体中人格的神经质与宽恕倾向总分呈显著负相关，宜人性、责任感则与宽恕水平呈显著正相关。[④]可见学生是否容易宽恕别人因人而异，不能统一化要求。

同时，考虑到文化因素对宽恕的影响，傅宏从更具有中国文化效度的人格特质研究宽恕。[⑤]研究发现中国大学生的宽恕倾向与集体主义取向人

---

① 傅宏. 宽恕心理学：理论蕴涵与发展前瞻[J]. 南京师大学报(社会科学版)，2003，(6)：21－25.

② McCullough M E, Emmons R A, Tsang J−A. The grateful disposition: a conceptual and empirical topography [J] . Journal of Personality and Social Psychology, 2002 , 82 (1) : 112 − 127.

③ McCullough M E, Rachal K C, Sandage S J, et al. Interpersonal forgiving in close relationships: Theoretical elaboration and measure−ment [J] . Journal of Personality and Social Psychology, 1998 , 75 (1) : 1586 − 1603.

④ 袁小帆. 大学生人格、主观幸福感与宽恕的关系研究[D]. 济宁：曲阜师范大学，2010.

⑤ 傅宏. 基于中国大学生样本的宽恕及其相关人格因素分析[J]. 教育研究与实验，2006 (1)：58－63.

格特质（关系、面子等）具有较高的相关，与个人取向的人格特质（焦虑，自尊等）相关较低。容易宽恕别人的个体更重视的是面子和关系，不易宽恕别人的反而具有较高的自尊，二种情况均值得尊重，不应给予好坏的价值判断。

4. 认知因素

与宽恕相关的认知因素集中研究受害者对侵犯事件和侵犯者的态度和想法。沉思是对过去发生的侵犯事件的反复回忆与思考。Enright 等人认为沉思与宽恕负相关。[①] 因为通过反复回忆侵犯事件以及思考它对自我的含义，由侵犯事件激发的消极情感被重新激发，这种消极情感又一次激发了认知和动机模型，同时会增加个体的愤怒、抑郁，甚至增加报复攻击行为的产生，引起对抗的心理准备。所以，反复沉思对个体心理健康和人际关系造成负面影响，应对学生的这一内在的“缄默”过程加以关注。

宽恕的归因因素是指受害者对侵犯事件产生原因的解释。当受害者把侵犯事件归因为侵犯者内部的、稳定的、可控的因素时，他就更会认为侵犯行为是较严重的，会触发愤怒等消极情绪，因此就不容易宽恕。同样，当受害者认为侵犯者是故意的、有较大过错及责任时，他也不容易宽恕侵犯者。[②] 因此在宽恕教育中应充分了解学生的内在归因情况。

5. 移情

移情是指设身处地感受他人当前情绪体验的一种心理倾向。它对助人等许多利他行为有促进作用，因而也被认为是促进宽恕的一个关键性因素。McCullough 等的研究考察过移情、道歉、深思熟虑以及与人际关系亲密程

---

① Enright R D. Five points on the construct of forgiveness within psychotherapy［J］. Psychotherapy Theory Research & Practice, 1991, 28 (3) : 493 – 496.

② Fincham F D, Jackson H & Beach S R. Transgression severity and forgiveness: Different moderators for objective and subjective severity［J］. Journal ofSocial and Clinical Psychology, 2005 , 24 (6) : 860 – 875.

度有关的几个变量之间的关系，发现移情对宽恕有直接影响，道歉、人际关系的亲密程度对宽恕的间接影响都是经由移情达成的。[①] 这一点得到了我国学者的验证。研究发现将“移情”作为中介因素后，它在冒犯者的道歉与受害者的宽恕间起调节作用。[②] 因为冒犯者会通过道歉传达给受害者一种自责、悔改的情感，受害者会换位思考，更容易做出宽恕选择。同时，移情还在父母教养方式与宽恕[③]、自尊与宽恕[④] 之间起中介作用。而在自我与他人的维度上，因为移情指向他人，所以研究发现共情关注与自我宽恕呈负相关，与宽恕他人呈正相关，共情对宽恕有显著的正向影响。[⑤] 因而在宽恕干预中，通过增加受害者的移情来提高其对侵犯者的宽恕水平被证实是一个行之有效的方法。

（三）宽恕的学生发展阶段研究

Enright 等认为，儿童对各种不同复杂程度的宽恕理由的理解存在着明显的年龄阶段性差异。借鉴科尔伯格道德发展模型并与之相对应，他们使用“六阶段”“三大风格”来概括其宽恕发展。在宽恕发展阶段上，他提出报复性宽恕（只有对伤害了我的人给予同样程度的惩罚，我才会宽恕这个人）、赔偿或补偿性宽恕（对方赔偿了我失去的，我才会宽恕，或若因

---

① McCullough M E, Rachal K C, Sandage S J, et al. Interpersonal forgiving in close relationships: Theoretical elaboration and measure-ment [J]. Journal of Personality and Social Psychology, 1998, 75 (1): 1586 − 1603.

② 贾艳杰，胡三嫚，张爱卿. 人际宽恕心理及其与心理健康的关系 [J]. 四川精神卫生，2005, 18 (3): 186 − 188.

③ 杨倩. 父母教养方式对高中生宽恕的影响：共情的中介作用 [D]. 西安：陕西师范大学，2015.

④ 赵薇，郑显亮. 自尊与宽恕：共情的中介作用 [J]. 中国卫生事业管理，2015, 32 (11): 871 − 872.

⑤ 罗小漫，郑德银，刘文令，等. 高职生共情与宽恕的关系：特质愤怒的调节作用 [J]. 中国特殊教育，2013 (5): 77 − 93.

不宽恕而感到内疚时，我为解除它才会宽恕）、期待性宽恕（若别人施加压力要我宽恕时，我才会宽恕，或因为别人期待我宽恕我才宽恕）、规则期待性宽恕（出于我信仰的要求所以我才宽恕）、社会和谐性宽恕（宽恕是因为只有这样才能恢复社会的和谐和良好关系，宽恕会减少社会中的摩擦和冲突）、爱的宽恕（我宽恕是因为它能发扬挚爱，我对每个人的挚爱初衷不会因为自己受到了伤害而改变，这就可能导致和解而杜绝报复）这六个宽恕阶段。[①]鉴于缺乏充分资料证明这些阶段具有层级性和普适性，1997 年 Enright 在整合了以往研究观点的基础上，把这“六阶段”的提法转换成宽恕的“三大风格”：复仇的宽恕、表面的宽恕、内心的宽恕。根据其研究结果，Enright 等认为，大部分青少年会在约 12、13 岁时进入第三阶段——期待性宽恕，并到 15、16 岁的时候稳定下来。儿童大都处于第二阶段——赔偿或补偿性宽恕。成人初期则处在第四阶段。

国内学者在宽恕的学生发展研究方面，更多集中在对 Enright“六阶段”“三大风格”的验证上。研究发现幼儿的宽恕多属于报复的宽恕和有条件的或补偿的宽恕，但也有个别幼儿的宽恕理由属于预期的宽恕。幼儿的宽恕理由在年级、性别及侵犯情境类型上均没有显著性差异。[②]

而对中小学生宽恕特征的研究，可以区分为断面特征和发展特征。断面特征主要是不同性别、家庭居住地等人口学变量中小学生宽恕心理表现，而发展特征则关注不同年龄或者年级阶段中小学生的宽恕心理发展趋势。在断面特征上，研究发现女生宽恕水平显著高于男生[③]，但在宽恕自己与宽

---

① Enright R D, Zell R L. Problems encountered when we forgive one another [J]. Journal of Psychology & Christianity, 1989, 8: 52−60;Subkoviak M J, Enright R D, Wu C R, et al. Measuring interpersonal forgiveness in late adolescence and middle adulthood [J]. Journal of Adolescence, 1995 , 18 (6) : 641 − 655; 岑国桢 . 从公正到关爱、宽恕 : 道德心理研究三主题略述 [J]. 心理科学 , 1998 (2) : 163 − 166.

② 王皓 .3−6 岁幼儿宽恕倾向及其发展特点的研究 [D]. 南京 : 南京师范大学 , 2007.

③ 张素娴 . 初中生宽恕的特点及其干预研究 [D]. 长沙 : 湖南师范大学 , 2010.

恕他人的维度区分上，初中男生和女生不存在显著性差异①；农村学生比城市学生更容易做出宽恕行为，而城市学生更倾向于宽恕自己。②

在发展特征上，研究发现小学四年级是小学儿童宽恕发展的关键期，此阶段对宽恕教育敏感。③初二为中学阶段宽恕风格发展的关键期，初二学生的宽恕向无条件宽恕过渡，到初三时基本稳定下来。④这样来看，小学四年级和初二为宽恕发展的关键时期，可在此阶段进行相关教育。当下学校德育体系中的 10 岁成长礼、14 岁青春礼与以上两个关键阶段在时间上相互呼应。

对大学生群体，宽恕与主观幸福感以及心理健康方面的积极相关也得到验证⑤。李湘晖发现文科生的宽恕与心理症状相关程度高于工科生⑥，说明人文素养在其中起到一定作用。同时研究还发现，大学生宽恕风格的发展较为分散，出现了低级阶段和高级阶段并存⑦的现象，但这应该被视为发展上的复杂样态，而不应该视为发展上的倒退。

---

① 周军．初中生宽恕心理特点调查及培养［J］．吉林教育，2010（32）：129－130.

② 路静．中学生父母教养方式、人格与宽恕倾向的关系研究［D］．石家庄：河北师范大学，2013；孟欢欢．初中生父母教养方式、自尊与宽恕的关系研究［D］．石家庄：河北师范大学，2014.

③ 崔映飞．儿童青少年道德认知与宽恕发展水平的比较研究［D］．南京：南京师范大学，2008.

④ 倪伟．中学生宽恕风格的发展及其与道德判断能力的相关研究［J］．南京师大学报（社会科学版），2001（2）：98－104；张素娴．初中生宽恕的特点及其干预研究［D］．长沙：湖南师范大学，2010.

⑤ 李大荣．初中生人格、宽恕与生活满意度的关系研究［D］．石家庄：河北师范大学，2011；胡三嫚，张爱卿，钟华，等．大学二年级学生人际宽恕与报复心理及其与抑郁的关系研究［J］．心理发展与教育，2005（1）：104－108；袁小帆．大学生人格、主观幸福感与宽恕的关系研究［D］．济宁：曲阜师范大学，2010.

⑥ 李湘晖．大学生宽恕与心理健康的相关分析［J］．中国健康心理学杂志，2008，16（7）：734－737.

⑦ 宗培，白晋荣．宽恕干预研究述评［J］．心理科学进展，2009，17（5）：1010－1015；张红静．大学生宽恕心理及其教育的实证研究［D］．济南：山东师范大学，2010.

（四）学生宽恕的干预与培育

国内外的研究均表明，教育干预是提高宽恕水平的一种有效方式，能成功提升学生不等程度的宽恕水平。目前我国对各学段学生的宽恕干预与教育多以团体辅导方式进行。团体心理辅导以团体为对象，由团体带领者和团体成员围绕某些共同关心的问题，通过一定的活动形式与人际互动，相互启发、诱导，形成团体的共识与目标，进而改变成员的观念、态度和行为。团体心理辅导在心理教育中最大的优势是省时高效，一般由1—2名团体带领者针对多人进行辅导，而且团体心理辅导过程中，团体成员在面对共同的问题时互相启发，更能感受到被理解、被支持，更容易将团体中学到的知识和经验迁移到日常生活学习中，这也使得团体心理辅导的效果更显著和持久。

目前国内所使用的团体辅导干预模型借鉴自 Enright 的四阶段模型。[①] 他的宽恕过程模型分为四个阶段。阶段一是体验伤害的阶段，其目的是帮助来访者认识、体会和接纳自己在受到伤害后可能出现的一些消极反应，如愤怒、羞愧、对事件的过度关注、拿自己的不幸与冒犯者的幸运作比较等，这些消极反应加深了来访者的愤怒和悲伤的情绪。只有当来访者认识到自身存在的这些消极情绪及认知，他才能做出改变，进而促使自身的情绪得到宣泄。阶段二是决定宽恕的阶段。该阶段的目的是向来访者阐明宽恕的含义，引导其将宽恕作为一种可供选择的策略，并考虑是否愿意宽恕。在这一阶段，来访者将重新审视自己的所作所为，当他发现先前的一些应对策略毫无意义时，就会思索宽恕的意义，并考虑是否通过宽恕来解决问题，进而做出宽恕的承诺。阶段三是实施宽恕的阶段。在这一阶段来访者将从新的角度看待冒犯者，重新构建对他的认知，并体会他的困惑、脆弱或压

---

① Enright R D. Five points on the construct of forgiveness within psychotherapy［J］. Psycho-therapy Theory Research & Practice, 1991, 28 (3) : 493 – 496.

力，增加对对方的同情。在这一阶段，来访者不再执拗于自己曾受到怎样的伤害，而是能主动地站在对方的角度考虑，理解对方。这时，来访者甘愿忍受痛苦，放弃报复，从而获得内心的平静。阶段四是深化宽恕的阶段。这一阶段的目的是巩固来访者的宽恕意愿，促使其真正地宽恕冒犯者。

另一个在国内经常得到使用的模型是 REACH 宽恕干预模型①，该模型共由五个环节构成。REACH 五个字母分别代表了宽恕干预的某一环节。第一，该模型要求来访者尽可能回忆（recall）与伤害有关的想法、感受和行为。这与 Enright 模型第一阶段的内容很相似，两个模型都是先鼓励来访者探索伤害事件带来的不良影响。第二，鼓励来访者共情（empathy）。在这一环节中，治疗师将引导来访者站在冒犯者的角度，体会冒犯者的想法和感受，思考导致冒犯发生的情境性因素，从而促进对冒犯者共情。第三，鼓励来访者做出宽恕的利他（altruistic）行为。在这一阶段，治疗师将引导来访者回忆其被别人宽恕的经历，并体会被他人宽恕的感受。在这一环节中，被唤起的对宽恕者的感激之情以及认识到谁都可能犯错的意识，会促使来访者宽恕。第四，来访者需“公开”承诺（commitment）宽恕冒犯者。这就是说，来访者需要对他的宽恕行为做口头的或书面的承诺。承诺的方式可以是讲给一位亲密的、值得信任的朋友听，也可以只对自己承诺。尽管这种承诺方式是较为私密的，但在某种程度上仍被认为具有一定的“公开”意义。第五，保有（hold）宽恕。这一环节的目的是鼓励来访者维持宽恕带给自己的改变。

在这些模型基础上，我国学者使用不同的团体辅导技术来进行干预和教育。以下为一个典型方案：首先从“我很受伤”进行情感表达，让团体成员真实勇敢地表达自己受伤害后的情感体验和行为变化以及自己现在的痛苦，目的是让成员正视伤害事件对自己的影响和当下自己的一个情绪状态

---

① Baskin T W, Enright R D. Intervention Studies on Forgiveness: A Meta-Analysis [J]. Journal of Counseling & Development, 2004, 82 (1): 79 − 90.

和生活。然后开展“我能原谅吗”的主题讨论，目的是让成员去思考伤害事件对自己的消极影响是什么，是否还有一些方法可以缓解伤害事件对自己的影响。在众多方法中（或者没有其他方法的时候）是否可以考虑“放下”与“宽恕”，并明确宽恕的概念和意义，引导成员选择宽恕。在团队成员承诺宽恕的基础上，采用“角色扮演”活动，让团队成员体验作为冒犯者，他当时的反应（对团队成员的伤害）为什么会发生，自己现在的反应（情景剧中的冒犯反应）是否比那个冒犯者更恰当。通过这种方式引导团体成员重新认识伤害事件，接纳冒犯的事件，也可以同情或共情冒犯者，消除伤害事件带来的痛苦。最后通过探讨宽恕带来的积极结果，寻找人生新的目标和意义。通过绘制“成长树”回顾整个宽恕团体心理辅导以及自己未来的发展与成长。①

当然研究者也会根据自己的研究需求设计方案。例如，张素娴在对初中生的宽恕干预研究中，自编八个单元的主题活动，从角色扮演、小组讨论、认知训练、情感训练四方面来对被试进行宽恕教育团体辅导。② 王京玉在对中学生的宽恕心理培育研究中，基于 Enright 和 Baskin 宽恕心理的干预模型四阶段，对 60 名学生 8 次宽恕实施团体辅导，运用心理剧表演、视频播放、组内讨论、组间分享等方式进行。③ 陈翠等使用利益查找和共情技术，对26名大学生进行宽恕干预。④这些研究都取得了积极的教育效果，宽恕干预与教育被证明是行之有效的方式。

---

① 吴晓庆．团体心理辅导在高职学生宽恕心理教育中的应用［J］．中国多媒体与网络教学学报（中旬刊），2020 (8)：134－135.

② 张素娴．初中生宽恕的特点及其干预研究［D］．长沙：湖南师范大学，2010.

③ 王京玉．中小学生宽恕心理的特征及培育研究［D］．重庆：重庆师范大学，2016.

④ 陈翠，张红静，江景华，等．宽恕干预对大学生愤怒水平及愤怒控制的影响［J］．山东大学学报（医学版），2010，48 (5)：147－149＋153.

二、感恩及学生品德发展意义

在西方，“感恩”一词最早起源于基督教教义，带有一种浓厚的宗教感情色彩。它与美国传统节日感恩节密切相关，是为了表达对上帝、神灵的恩惠而产生的感恩之情。在中国，传统美德之一的“孝道”思想便是感恩文化的集中体现，感恩意识也是我国儒家文化的重要特征。①20 世纪末，随着积极心理学的逐步发展，感恩这一论题逐步进入心理学家与教育学家的视野，成为研究关注焦点之一。它既是一种亲社会行为与动机，也是个体心理健康发展的维护机制。

（一）感恩的内涵、维度与分类

1. 感恩的内涵与维度

感恩首先是一种认知。②研究者认为感恩的发生要满足三个条件。第一，个体要知觉到施恩者的行为是有意主动并且无私真诚。比如说《游子吟》中的“临行密密缝，意恐迟迟归”，当孩子意识到母亲的这种爱的时候，就会产生一种感恩的情绪来。第二，个体要知觉到施恩者为了做出施恩行为而付出了代价，当代价越大时，感恩情绪越强烈。第三，当个体看重这种恩惠时，就越容易产生感恩情绪，做出感恩的行为来。

感恩还是一种情感体验，是受惠者在受到帮助后产生的愉悦情绪。这种情感体验具有与具体事务相关的情境性特点（此时表现为心境和情绪），

---

① 任现品．略论儒家文化的感恩意识［J］．孔子研究，2005 (1)：93 － 100.

② Emmons R A, McCullough M E.Counting blessings versus burdens: An experimentalinvestigation of gratitude and subjective well-being in daily life［J］. Journal of Personality and Social Psychology, 2003 (84) : 77 － 389.

也可以是一种情感特质。[①]二者可以相互转换。感恩心境和情绪具有弥漫性，如果这种情感特质在特定个体身上经常出现、渐趋稳定，就会镶嵌到一个人的个性结构中，具有跨情境性，形成情感特质，并影响着人们在某特定情境中的信息加工能力和反应能力。

感恩的表达离不开感恩行为。一个完整的感恩心理和感恩行动是相互影响、相互作用的，但其内部具体的运行关联机制却各有不同。在特定的感恩条件下，感恩心理三角模型主要沿“感恩认知—感恩情绪—感恩行为”的一元决定模式进行；在连续感恩情境条件下，三角模型将主要因循感恩认知、感恩情绪和感恩行为三者交互作用的模式。[②]因而，在感恩三角模型里，三个元素是相互影响的，可以从任意一个元素出发沿正反方向运行。[③]例如，根据感恩主体角色不同，受惠者的感恩心理机制可以是感恩认知—感恩情绪—感恩行为的动态过程，施惠者的心理机制是感恩行为—感恩认知—感恩情绪的动态过程。

2. 感恩的分类

目前较为流行的感恩分类是外显感恩与内隐感恩，前者是即时、冲动、可以意识到的主观体验，后者是较稳定、持久、无意识的体验。虽然外显测量出来的感恩可以在一定程度上反映感恩的水平，但易受个人印象管理和社会掩饰等社会认知因素的影响。而用内隐方法测量出的无意识感恩较为稳定，并不受意识与外界因素的影响，因此更能代表真实的感恩水平。

第二种分类是基于个体作为施惠者和受惠者角色的两种循环感恩。从

① Rosenberg E L. Levels of analysis and the organization of affect［J］. Review of General psychology, 1998, 2 : 247 – 270 ; Emmons R A, McCullough M E.Counting blessings versus burdens: An experimentalinvestigation of gratitude and subjective well-being in daily life［J］. Journal of Personality and Social Psychology, 2003 (84) : 77 – 389.

② 徐怡亭，刘利才，李学龙．感恩心理的三要素研究［J］. 科教导刊（上旬刊），2012 (11) : 249 – 251.

③ 蒲清平，徐爽．感恩心理及行为的认知机制［J］. 学术论坛，2011，34 (6) : 164 – 167.

受惠者作为感恩主体的角色来看，首先，个体意识到获得他人的帮助或恩惠，产生知恩的积极认知，并且认为获得恩惠的正向结果是外部因素或者他人努力，产生外部归因；其次，外部归因倾向导致感恩情绪的产生，个体体验到复杂的感恩情绪，诱发了报恩动机；再次，个体互惠公平、平等交换的内在动机转化为外在的亲社会的感恩行为；最后，个体亲社会的感恩行为得到自己和他人的评价和反馈，进一步强化感恩意识。从施惠者作为感恩主体的角色来看，首先，个体根据他人需求有目的性地提供帮助等感恩行为，感恩行为得到自己和他人评价；其次，感恩行为结果的评价反馈到个体的认知层面，产生感恩意识；再次，个体对感恩意识的归因倾向产生感恩情绪体验；最后，感恩情绪的高度唤醒维持互惠公平的动机，促使个体再次做出感恩行为，使感恩成为“惯性”，增强社会关系联结，促进社会和谐发展。

（二）感恩对学生品德发展的积极意义

在学校情境中，采用感恩教育方式来进行德育时，多可见如下积极意义。

1. 感恩是一种亲社会动机

感恩是对他人的行为做出的情感反应，是一种亲社会的情感。这种情感会让受惠者以相应的方式回报给施惠者，或模仿施惠者的行为做出互惠行为。愿意体谅他人，为他人提供帮助并支持他人，这有利于亲社会行为和利他行为的发生。

感恩本身就是一种亲社会动机，不需要以积极情绪为中介。有研究者通过实验操纵个体的感恩行为来评判个体的助人行为，结果发现，感恩条件组的被试愿意花更多的时间来帮助求助者，并且这种效应是以感恩体验而非积极情绪为中介的。在学校情境下，可常见如下情景，有时学生不见得因为“感受良好”而向老师表达好的行为，而仅仅因为发自内心的感恩来做一些朝向教师的积极行为，能为老师做一些事情就幸福无比。可见，感恩自身在驱动个体的亲社会行为，促进良好社会关系方面发挥着积极的作用。

2. 感恩预测幸福感

感恩与幸福感存在循环性相互加强的效应。一方面，研究发现感恩倾向较高的个体的生活满意度、乐观和活力等积极方面都高于感恩倾向较低的个体，同时它比幽默、原谅、社会适应等方面更能解释幸福感[①]；另一方面，幸福感强的个体更容易感恩。国内研究者对感恩和主观幸福感之间的影响机制进行了深入研究，发现存在两种模式：一是中介模式，是指感恩本身并不会影响幸福感，而是通过一系列的中介过程（如生活满意度、社会支持）来起作用；[②]二是调节模式，感恩与幸福感的关系受第三变量的影响，如孙玮玮等研究发现居住地和母亲文化程度在感恩和主观幸福感中起调节作用。[③]这些研究都支持幸福感与感恩之间的密切但复杂的关系。

（三）特定学生群体的感恩发展

国内对感恩的研究集中于一些特定群体：孤儿、特殊学生（主要是听障生）以及留守儿童。在孤儿感恩特点的研究中发现，孤儿外显感恩的总体水平较高，感恩程度从高到低依次为对他人的感恩、对社会的感恩、对自然的感恩。但孤儿与非孤儿在内隐感恩测量中差异显著，孤儿的内隐感

---

① McCullough M E, Emmons R A, Tsang J-A. The grateful disposition: a conceptual and empirical topography [J]. Journal of Personality and Social Psychology, 2002, 82 (1): 112 − 127.

② 施艳. 初中生感戴、社会支持与学校生活满意度的关系研究 [D]. 沈阳：沈阳师范大学, 2012; 王婕. 大学生特质性感恩及影响因素研究 [J]. 重庆大学学报（社会科学版）, 2016, 22 (3): 195 − 201.

③ 孙玮玮, 陈美芬. 青少年感恩教育文献分析及启示 [J]. 榆林学院学报, 2013, 23 (6): 94 − 99.

恩水平显著低于非孤儿[①]，这一结果提醒我们需要关注孤儿的内在心理，而不应该只关注他们的外显行为与语言。

对听障中学生的研究发现，听障中学生感恩心理状况处于中等水平。与普通中学生相比较，听障中学生感恩心理显著较低，感恩意识弱于普通中学生。同时个体感受到的不同社会支持水平可以显著预测听障中学生的感恩水平，感受到的社会支持水平越高，感恩水平越高。同时感恩对听障高中男生社会支持的正向预测作用要显著大于对听障高中女生的正向预测作用。[②]

对留守中学生的一项研究发现，非留守儿童和流动儿童的总体感恩水平要高于留守儿童[③]，留守儿童的总体感恩水平不存在年级差异，女生感恩心理的得分要高于男生感恩心理的得分，且与父母谁在外打工变量上不存在差异。[④]而在一项对有留守经历的大学生积极心理品质的研究中发现，有留守经历大学生的感恩广度、感恩密度、感恩总分与其他大学生存在显著差异，在感恩深度上不存在差异；有留守经历大学生的感恩在与父母的联系频次上差异显著（联系频次高的个体感恩水平高）。[⑤]该研究表明，与父母经常联系所带来的心理陪伴可能有助于儿童感恩心理发展。

（四）感恩干预与感恩教育

从近十年文献看，国内感恩的干预和教育研究越来越受到研究者们的重视，二者是不同的教育形式。前者为心理干预，其目的是提高个体心理健康水平；后者为德育的一种形式，其目的为促进个体的道德发展。

---

① 李丹．孤儿感恩特点的研究［D］．沈阳：沈阳师范大学，2014.

② 侯婷婷．听障中学生感恩心理及其相关因素研究［D］．上海：华东师范大学，2017.

③ 刘群．留守儿童与流动儿童的比较：基于心理弹性、感恩和社会性发展的研究［D］．济宁：曲阜师范大学，2015.

④ 李燕．留守初中生资助领悟与感恩心理关系研究［D］．重庆：西南大学，2014.

⑤ 黄佳．有留守经历大学生积极心理品质研究［D］．长沙：湖南农业大学，2016.

1. 感恩干预

国外研究者注重“内省”和“实用”，多采用感恩记录（多以日记或周记的形式）、感恩沉思（反思）或者感恩拜访（以写感谢信的形式）。而国内研究者同时重视心理咨询层面的“技术”和“方法”，比如感恩的团体辅导、催眠干预等，例如对中小学生群体，张丹、陈慧瑜借由团体辅导进行了干预研究，效果良好。[①] 除此之外，国内也有研究者采用书信疗法来提升职校生的感恩意识[②]，使用感恩视频和列举恩惠的共同干预来提升职校生的感恩水平[③]。尽管使用了不同的干预方式，这些研究均显示了良好的干预效果。这些结论可为学校在感恩教育方法和策略的选择上提供依据。

在干预程度方面，国内对大学生群体被试的研究发现，跟国外感恩记录、感恩沉思和感恩拜访三种干预方式相比，团体辅导和感恩拜访的方式更能提高个体的感恩水平。[④] 这可能与文化差异有关，西方文化下个体独立、勇于表达自己，而在中国传统文化下，国内更倾向于团体合作与学习，因而采用感恩团体辅导干预较多，当然这也更适合我国国情。

2. 感恩教育

感恩并非与生俱来的显意识和行为，它需要通过一定的教育方法来点拨和引导。感恩教育就是教育者通过一定的教育方法引导受教育者从自然、他人和社会那里获得便利或帮助之后，在其内心产生感激和感谢的道德认知，并希望采取可行的形式予以回馈的行为。德育研究者提出了三个层次：认知层次、情感层次和实践层次。根据这三个层次，可以归纳出感恩教育

---

① 张丹. 团体心理辅导对初中生感恩品质的干预研究［D］. 济宁：曲阜师范大学，2012；陈慧瑜. 团体感恩干预提升高中生主观幸福感的研究［D］. 武汉：华中师范大学，2012.

② 董衍美. 应用书信疗法对职校生的感恩干预研究［D］. 天津：天津大学，2010.

③ 李艳. 高职生感恩干预的实验研究［D］. 武汉：华中师范大学，2023.

④ 翟牡丹. 心理学视角下的感恩实证研究［J］. 企业家天地（下半月刊），2014 (7)：97 － 98；浦昆华，宋娜，杨萍. 团体辅导增进大学生感恩、幸福感及亲社会行为的效果评估［J］. 长春工业大学学报（高教研究版），2012，33 (3)：142 － 144.

干预的三个主要阶段。第一个阶段是认知层次，引导主体形成感恩认知，因为只有主体在内心认可受到来自外界的恩惠，才能打下感恩的认知基础。第二个阶段是唤起主体感恩情绪，在认知的基础上给主体带去情绪上的快乐，幸福的享受，才会使主体乐于接受和实施感恩行为，因而也是感恩教育能否成功最关键的阶段。第三个阶段是鼓励实施感恩行为阶段，个体有了正确的感恩认知，体验了积极的情感，可以在外界鼓励和支持下诉诸行为，产生积极的感恩实践。

值得提出的是，三个阶段并不具有必然的先后顺序。感恩教育目标在于使感恩成为人的一种心态，一种品德，一种责任，并且外化为感恩的行为，因而在上述层次目标的基础上还需要认识到，感恩教育可以成为一种氛围、一种习惯，在点滴熏陶和点滴引导中进行。

概言之，对学生进行感恩与宽恕的教育需要考虑学生特点、内外各种影响因素，甚至需要正确的程序。感恩和宽恕作为德育的重要主题，不仅能促进学生的品德发展，还能积极维护学生个体的心理健康，二者能相互促进，共同迈向培养“整全人”的教育理想。

第八章
展望与发展

在浩如烟海的文献中抬头反观我国学生品德发展研究，不得不承认品德心理建构远未完结。而基于尊重个体主体性，以个人本位而不是社会本位来借鉴中国道德文化可能会是品德发展研究及道德教育的新方向。

第一节　品德——远未完结的心理建构

品德心理所涉及的是多层、多维、多面的心理结构，无论从充满对决的研究历史看，还是从趋向整合的趋势看，品德都是远未完结的建构，且存在不会完结的可能。

一、充满观点对决的发展历史

品德发展研究中充满了理论对决。仅就儿童主体假设而言，不同研究取向就有不同假设：涂尔干的社会自我，弗洛伊德的心理自我，行为主义的机械被动自我，以及生物和进化意义上的自我，理性自我，文化自我以及存在自我等。不同的儿童观基本假设，就意味着不同的儿童品德建构过程。

海特在一本书中提到："这是一个巨头冲突胜过具细研究和发现的领域。它戏剧性的历史可以这样来讲：涂尔干对决皮亚杰，弗洛伊德对决斯金纳，科尔伯格对决弗洛伊德和斯金纳，科尔伯格对决吉利根。"[①] 甚至在海特提出其"道德直觉论"的前后十年，道德心理学领域还存在著名的文化心理学家 Shweder 与领域理论创始人 Turiel 之争。所谓辩则明，争执本身即是动力，它引导和鼓舞后继者和当代研究者勇敢地挑战学术权威，该领域也因而充满了如此之多创造性。最近十年的神经伦理学、进化伦理学就是其中的重要成果。研究者不断尝试去解决一些根本性冲突，与此同时也不断涌现新的观点和冲突。元宇宙、人工智能、干细胞等的新发展，对人与人之间的关系提出了新的要求。因而，个体发展品德所依赖的品德内容维度,甚至是品德形式维度,都在不断发生调整和变化。从某种意义上讲，只要这些挑战不断出现，品德的建构就远未完结，且存在不会完结的可能。

二、走向整合的未来

品德心理学的发展一直在借鉴其他学科的智慧，譬如科尔伯格对罗尔斯"正义论"的借鉴，特里尔对格沃斯习俗与道德区分思想的借鉴。研究者以经验和实证的方法对相关伦理问题进行了科学验证，刻画了个体相关的发展过程。与此同时，其他学科也反过来从心理学研究中得到很多助益。在哲学与伦理学领域，道德心理学又被归为"元伦理学"研究。以自然伦理为例，环境恶化问题带来人与自然关系之伦理研究，心理学家就对其进行了个体品德发展的研究，编制相应研究工具，对自然伦理的个体发展阶段进行了研究。一方面，研究所呈现的个体发展历程会让伦理学受益，另一方面，基于该工具研究所发现的跨文化差异也呈现了人—自然伦理关系的

① Haidt J. & Kesebir S, Morality. In S. Fiske, D. Gilbert & G. Lindzey (Eds.). Handbook of Social Psychology, 2010, 5th Edition, Hobeken, NJ: Wiley : 797.

不同格局，例如中国的“天人合一”思想有别于西方的个人主义和功利主义，这些也都启发甚至促进环境伦理的发展。二者相互影响的逻辑在于：个体品德结构的底层——人与人、人与自然的关系格局会因为伦理学的研究而有所变化，而建立在经验性方法之上的心理发展结论反过来也会促进哲学和伦理学意义上的反思。品德心理就在这种与多学科研究的相互促进中得以发展。

除了哲学，道德心理研究者还借鉴了认知神经科学、进化论、具身认知等学科和相关研究。正如海特说：“道德心理学正在经历一个多学科性的复兴……即使还没有什么宏大的统一的道德理论得到支持——道德简直太过异质性和多面性了——进步仍然是如此迅速，并且不同学科间的桥梁如此众多，以至那些互不关联的迷你型理论的时代已经结束了。无论今后十年发生什么，趋势可能是更大的整合与‘符合’……这个术语是指不同领域的知识聚集到一块或联合。”①

如果说大的学科整合带来理论上的创建，那么具体实证研究则借鉴“中介效应”“模型建构”等统计方法实现多因素之间的综合。品德心理现象往往不仅涉及两个变量的简单相关或因果关系的研究，而且还涉及一个复杂的过程。它受到多重因素的影响，包括直接和间接的影响，以及通过中介因素增加或削弱影响程度。统计学意义上的中介效应研究通过建立数学模型探索多个变量之间的关系，进而提高研究的效度和信度。目前，在品德心理学领域，应用中介效应的研究正在涌现，主要采用调查法、部分实验法等研究学生的品德心理。以杜秀莲和高静《初中生学校道德氛围与亲社会行为的关系：道德认同的中介作用》②为例，该研究对 1148 名初中生进行了研究，研究工具为量表和问卷。根据本书第五章“道德行为研究”

---

① Haidt J. & Kesebir S, Morality. In S. Fiske, D. Gilbert & G.Lindzey (Eds.). Handbook of Social Psychology, 2010, 5th Edition, Hobeken, NJ: Wiley : 797.

② 杜秀莲，高静．初中生学校道德氛围与亲社会行为的关系：道德认同的中介作用［J］．中国特殊教育，2019 (8) : 82 − 87.

中的学校道德氛围相关内容可知，道德氛围作为环境因素会促进亲社会行为。但是如何促进呢？研究用结构方程模型，检验道德认同在中学生道德氛围和亲社会行为之间的中介作用。研究构建以学校道德氛围为外部潜变量，道德认同为中介潜变量的结构方程模型，亲社会行为是一个内生的潜在变量。结果表明，道德氛围对道德认同的路径系数是显著的，道德认同在道德氛围和亲社会行为之间起着中介作用。可以做如下解读：那些具有良好道德认同的中学生接受道德氛围的影响而做出亲社会行为，而那些并没有良好道德认同的中学生即使在好的道德氛围下也不见得做出亲社会行为。可以设想，诸多类似研究的汇总，如链式中介或多重中介的研究，就可以更加细致地了解道德氛围影响亲社会行为的过程，也就可以更加个性化理解学生的一些特定情况。它帮助我们加深对品德形成多重因素影响的理解，实质上这是一种整合的视角，可以在实践中增加对案例的了解和解读，并推进道德教育的多重路径导向。

总之，无论是学科的整合，还是具体实证研究中对多因素的整合，都将个体品德发展置于更大背景。这一未完结的建构，给道德教育带来巨大挑战和机遇。也许对经由任何品德开端所进行的道德教育——养成教育、关爱教育、志愿者行动、读经与传统文化教育实践，以及以特定品德内容为核心的感恩教育、诚信教育等——都需要保持开放、兼收并蓄，并对其他品德层面同时保持敏感，如此才能更好地践行道德教育。

第二节　中国传统道德文化的反观——领域理论的视角

对中国传统道德文化的德育借鉴曾经一度遭受批评。冯建军在《教育目的：一种视角的转换》（1999）中对传统儒家仁义礼智信的社会规范进行了反观，批判它一直具有的、根深蒂固的德育之社会本位倾向。①这对当时德育从社会本位向个人本位的转化具有积极的意义和价值。然而，如果我们对这些反观再进行反观，就会发现社会本位功能之上，中国独有的天人合一等伦理关系具有不可替代的伦理价值。在当时以及之前，伦理界已经认识到这种价值，“如果人类要在21世纪继续生存下去，避免世界性的混乱，就必须回首2500多年前孔子的道德智慧”②，“墨家讲兼爱，过去只是指中国，而现在应作为世界性的理论去理解”③。随着“文化自信”这一理论的提出，近十年德育领域也开始向传统道德教育回归，但是这种回归如果不加以创造性解读，将回到社会本位的老路。对此，樊浩（2013）从伦理学层面说明道德教育的“中国形态”是“精神”形态，而非西方式的“理性形态”，因此不能从理性层面加以继承。他指出道德教育与个体道德发展是伦理过程与道德过程的精神统一，其中伦理与伦理过程具有基础性与现实性意义。由此，个体便由“自然存在者”透过“精神”努力，提升为“伦理存在者”。④这篇文章指出了传统道德文化在当代道德教育中的实践方向，但是如何从个体品德心理发展层面具体地、过程性地走向“伦理存在者”？我们认为可以借鉴领域理论的思想来进行思考。

一、领域理论走向道德文化研究主题的内在逻辑

本书第三章对该理论做出简要介绍，从中可见领域理论之于个体道德

---

① 冯建军．教育目的：一种视角的转换［J］．教育发展研究，1999 (6).

② 葛新斌，郭齐家．西学东渐与中国近代道德教育观的演变［J］．华东师范大学学报（教育科学版），1999 (1)：17.

③ 汤因比，池田大作．展望21世纪：汤因比与池田大作对话录［M］．荀春生，朱继征，陈国樑，译．北京：国际文化出版公司，1985：426.

④ 樊浩．道德教育的“精神形态”与“中国形态”［J］．教育研究，2013，034 (2)：44－53.

发展具有独特的理论性贡献，特里尔在其后期理论中更是富有创见地重点关注了文化主题。

如果说科尔伯格主要研究道德思维的“形式”，主要是原则性道德——公正，那么特里尔则更多关注道德思维的“内容”。他回到皮亚杰社会建构论中的相互作用观，尤其是《走向意义的逻辑》一书让他把引发个体产生道德思维的具体事件之自然属性纳入到个体道德认知过程，因而发展了不同领域思维。其实质是将科尔伯格研究中的过度理性与普世性加以修正，从绝对理性和绝对普世性走向以“事件本质”作为核心的领域。以领域作为中介，调和它与生活世界之间的可能矛盾，增加个体的适应性，回归现实生活。所以领域认知天然地与真实生活联系在一起。正因如此，领域认知里各自的发展都处在复杂的相互影响中，社会也以更多样、更多元和复杂的事件（J.Semetana 将之称为“多样性事件”，Multi-faced Events）挑战着个体的道德认知。尽管小至两岁半的儿童就可以对道德领域事件和习俗事件进行区分并产生两种不同的领域认知，但应该认识到这不是个体领域认知发展的结束，相反却是走向更复杂的领域间相互作用的开端。

回到皮亚杰建构主义来看，领域区分只是个体社会建构过程中与“事情”有关的一部分，而个体的持续发展中会继续建构与“事情中的人”有关的部分。按照这一逻辑，个体走向了更加复杂，充满各种“信息假设”、各种“冲突”的，更加真实的生活世界。这是一个走向更加真实的文化模式以及触碰个体是否真正接受文化模式的过程。如果失去文化性内容，研究就仅仅停留在原型化的简单事例中，对其中的文化内涵不置可否就不能更好地理解个体如何参与社会道德生活。

实际上，近几年的研究也越来越多意识到道德领域认知研究方面的不足，有研究者基于社会事件的这种复杂性怀疑 3 岁就能区分领域认知的儿童也许并没有真正理解道德的本质（Dwyer，1999）。我国学者对孤独症儿童的研究发现，相对于习俗领域，道德领域认知更需要个体心理理解能力的参与。[①] 所以事件的道德属性从简单的原型化事件本身走向对事件的心理认知和各种文化假设。这样看来，道德文化主题的研究是领域理论研究逻辑的必然走向。不仅如此，Nucci 更是在近年提出品格的 RDS 观点（Relational Developmental System）[②]，认为品格的含义不是用来说明道德选择和行为之间的一致性，它代表了不同文化和情境下稳定的相互作用模式。这样品格就不再仅仅是经过社会和文化审核过的产物，而变成自我主动性参与的具有个人印迹的文化产物。这为我们研究中国道德文化中的传统品格，如谦虚、仁义、敬畏等，带来新的思路。

二、从“文化的道德”走向“道德的文化”

从领域理论出发研究中国文化特殊性的核心问题是厘清道德和文化的关系。二者都是人的“类”属性，但其内涵界定远没获得学术界的一致认可。从某种意义上讲，对二者关系的探索可以优先于对其各自本质的探索，即探索二者之间的关系是“文化的道德”（文化为底层概念）还是“道德的文化”（道德为底层概念）。

（一）文化道德观的溯源与不足

根据研究者的考察[③]，现代意义上的“文化”是鲍斯（F. Boas）在 1908 年首次使用，作为种族的代用词而出现。从此人类学家就开始使用“属于不同文化的人”来描述人类多样性。而且研究者在平等意义上使用这一词

---

① 冯源，苏彦捷．孤独症儿童对道德和习俗规则的判断［J］．中国特殊教育，2005 (6)：65 － 69.

② Nucci L. Character: a multifaceted developmental system［J］. Journal of character education, 2017，13 (1)：1 － 16.

③ Wainryb C, Turiel E. Dominance,Subordination and concepts of personal entitlements in culture context［J］. Child Development, 1994，66：390 － 401.

汇，即各种文化并无优劣之分。文化心理学家因而提出人类心理“大理石”的假说，认为人类心理具有天生的属于本民族文化的纹理，道德属于文化价值系统的重要组成部分，理应是文化的产物。

彼时的道德心理学研究个体如何获得文化和道德规则。例如，早期行为主义者（班杜拉、桑代克等人）认为个体的道德心理过程表现为对具体某项规则的学习，是一种内化的行为习惯；信息加工论者（例如霍夫曼）则以具体规定和事件为基础的认知—情感文本（Script）来解释道德学习。他们都认为个体道德水平的提高依赖于外界的力量，而道德发展的标志是对外在规则和标准的接受和服从。从个人与社会关系上看，此类取向在道德观上具有相对主义倾向，在方法论上强调反映论，在环境和个体相互关系上强调环境决定论，在个体对社会的适应上则追求一致、同质性，避免冲突和矛盾。

但是，如前所述，文化这一词汇的出现是为了描述人类的多样性，对道德多样性仍诉诸文化而寻求其多样性的原因，这不能不说是一种循环论证。另外从文化哲学看，文化变动是基于文化创造性与文化自主性的矛盾，该矛盾集中体现于个体身上，个体通过新的文化要素、文化特质、文化精神，以革命或者批判的方式反抗传统文化的自在性对个体的约束。如果个体是道德规则或原则的接受者而不是主动思考者，那么如何理解最先进行文化批判或者反抗的那部分人的道德观获得途径呢？对此，文化道德观并没有给出合理的解释。可见文化道德观对真实的“生活世界”缺乏解释力度。

（二）道德文化观的产生与优势

在道德心理学领域，早在 20 世纪 80 年代，不同研究者就认识到仅将道德视为文化规则的局限。凯根提出情感强度是区分道德行为和习俗行为的标准；阿朗弗里德认为良心并不适合于所有的内化标准，社会经验使儿童对某些行为的认知表征和评价带有实质性的情感价值；霍夫曼也摒弃了规则的信息加工论，转而研究人类的“先天移情”来应对道德规则有别于其他社会规则之处。[1] 领域理论就是在这一研究背景下产生的，它确定了个体道德认知的标准，给予道德领域以普世价值。随后，特里尔还研究了个体主动参与文化构建的过程，这一点也是领域理论得到跨文化验证的重要表征。[2]

特里尔提出个体作为“互动主体”参与到社会生活中，这种主动个体观将文化置于其思维的审查中，因此被动地、盲目地、机械地服从社会标准是不可能的。个体具有推理和判断的能力，因而表现出创造性，并促成了文化的创造性产生。因此，要承认个体对文化的反思、评价甚至是改造的功能，“人们在接受的同时也进行批评（people accept and critique）”[3]。

个体改造文化的内部动力在于“冲突”。在特里尔看来，道德判断体现出普世性，道德思维的同质性与文化的异质性之间可能存在着矛盾，二者通过个体发生相互作用。其相互作用的结果往往并不会使道德概念产生变化，而是在文化内部产生一定张力，甚至会形成文化冲突，并最终导致文化转型或者文化危机等现象的产生。在这一过程中，个体的典型心理表现是冲突，这种冲突也广泛存在于其他文化中，例如日本。[4]

在不同的背景下，冲突可以激化为对抗（亲子冲突），也可以以服从、忍耐，甚至沉默[5] 的形式表现出来。但是后一类消极反应并不意味着个体对其中的不道德之处视而不见。个体在一定时期进行过反抗，当反抗无果时，才逐渐妥协，并把自己的妥协作为“信息假设”和“经验”进行传递。大到一种文化性格，小到一个公司或者家庭中的潜规则和不可言说之处，

---

① 陈会昌 . 道德发展心理学［M］. 合肥：安徽教育出版社，2004：244 – 248.

② Turiel E. The culture of morality: Social development, context, and conflict［M］. New York: Cambridge University Press, 2002.

③ 同 ② 46.

④ Yamada H. Japanese children’s reasoning about conflict with parentst［J］. Social Development, 2010 , 18 (4) : 962 – 977.

⑤ Seldman J. Two sides of silencing［J］. Philosophical Quarterly, 2005 (218) : 68 – 77.

都是如此形成的。但也因此，道德文化（包括亚文化）具有惰性不易改变。

由此可见，领域理论的研究倡导一种“道德的文化”，而非“文化的道德”。该理论将个体与外界的冲突作为文化变迁的主要来源，对文化变化作了心理学方面的解释。它将心理动力观引入文化心理学，这不仅是文化解释上的进步，而且为个体心理学如何介入文化研究提供了新的视角，同文化心理学的解释相比，它更具有理论活力和发展动力。这种观点提高了对道德多元、多样和多变的解释力度。

三、对中国道德文化与德育的反思

按照上述逻辑来对中国道德文化进行反观，可以有以下启示：

（一）传统文化不是德育的资源，而是德育的出发点

特里尔认为传统社会具有“习俗道德化”或“泛道德化”的特点，但他是站在“外群体”（outgroup）来判断内群体（ingroup）。当仅仅从习俗角度去理解和感受传统时，它就是约定俗成，不同文化具有不同的传统和习俗；可是当你理解传统背后的道德关怀时，你就会深切感受到传统的可能适切之处。

如“颐指气使”，它指的是一种不尊重的态度。“颐”指的是下巴，你向人问路，那个人没说话也没看你，只是抬了抬下巴指出方向。不了解中国文化的个体会觉得这没有特殊含义，甚至处于文化中的你被如此对待多次后也可能会习以为常。但是注重“传统和礼貌”背后潜在地蕴含动作执行者与你之间的某种伦理关系，用下巴指路，不正眼看你这一现象用马丁布伯的话来说是“我与它”的关系，而不是“我与你”的关系。而后者是多么美好的道德关系，也是田立克所谓对人的终极关怀之所在。接纳这一层人与人之间道德关系的隐喻，会完全接纳这一礼貌和传统，若非如此则感觉被冒犯，因为这背后是人理所应当被如此对待的自然之理。从这个意

义上讲，习俗道德化不是应拒斥的糟粕，而应是需要深入挖掘的精神资源。可是现实社会还存在另外一种相反情况，我们借由“社会经验”的传递，不断将一些道德问题习俗化。例如要不要扶起一名摔倒的老人，成人会出于个人风险的担忧，对其进行权衡。特里尔指出：“与其说是情境变量机械地引发判断和行为，不如说是个体对所体验的整个背景做出判断，情境变量改变了对情景意义的知觉和判断。”① 因此，成人消弭该行为的道德意义并以“社会经验”的形式传递到儿童那里，儿童在不加援手施予帮助的同时，对受伤、痛苦这些明显的线索进行认知调节，而这恰恰会丧失了对道德性质的敏感，进而造成对尊老爱幼这一传统道德的根本背弃，不能不说这是一种遗憾。

当然传统的发扬不是简单接受。因此中国道德文化的传统教育需要了解个体当下的认知，传统除非被理解和接纳，否则不能被传承。形式性地复制一种传统，势必被个体视为习俗问题，不能进行道德领域判断。而只有随着对其意义的了解，甚至是深化和认同，才可能继承这种传统，并在继承的基础上“再生产”，去其糟粕取其精华，甚至完成“文化创造”的过程。从这个意义上讲，依然存在的各种传统并不是道德教育的资源，而是道德教育的出发点，应充分挖掘其内在的精神价值。

（二）培养中国道德文化自信需要突显个体道德主体性

主体性的突显并不意味着走向西方文化崇拜，恰恰相反，强调个体道德主体性能够真正发展与树立道德文化自信。按照领域理论的道德文化观点，不同道德文化可以表达为不同领域思维的惯常相互作用模式。模式本身没有优劣之分。

如果忽视个体道德主体性，也就将不同道德文化置于一个静态的价值

① Turiel E. The culture of morality: Social development, context, and conflict [M]. New York: Cambridge University Press, 2002 : 220.

排列中，难免产生价值的优劣之分。关注个体道德主体性，尤其是关注个体的内在冲突，才有可能达到不同文化个体间真正的相互尊重以及自我尊重。尊重会带来自信。

另外，随着时代的进步，全球视野下的伦理挑战越来越多，例如自然与环境伦理、人工智能伦理等。这些都需要主体富有创造性和智慧地参与，以应对这些挑战，对主体性的承认是文化群体应对挑战并进行道德文化创造的基础。

再者，承认个体的道德主体地位包括充分讨论“文化信息假设”，而不是简单“听谁的就行”。信息爆炸的时代也是一个“后真相时代”，信息假设渗透至生活的方方面面。借由自媒体，没有得到验证的知识和信息以“经验”“洗脑”等方式深刻影响受众。这样，不同个体对相同事件可能具有完全不同的信息假设，甚至某些信息假设以“非理性信念”的形式存在，在情感和潜在层面深刻影响个体。心理咨询实践中，CBT 疗法的核心即把个体信念（包括基本信念和中间信念）予以探讨，以此解决个体内心冲突，实现个体的和谐和发展。这样，能让“完整的人”充分参与沟通以应对日常道德难题，自然也会帮助个体树立文化自信。

四、学生品德发展研究的可能方向

结合当下研究热点以及本书总体论述，可对学生品德发展研究的可能方向做如下预测。

（一）深入研究中国道德文化的独特道德动力

在心理学的人格研究中，存在特质论和人格动力学研究的不同分类，前者被称为亚里士多德的解释策略，从静态刻画人格特点；后者是伽利略式解释策略，探求人格动力。当前对中国道德文化的研究较多集中于文化内容，但是对学生道德发展的独特文化动力研究较少。中国道德文化注重

"修身功夫"，具有一些典型的道德文化主题，例如天人合一、敬畏[①]、格局[②]等。学生个体如何获得这些德性？提升学生个体道德修养的道德动力是什么？如何起作用？对这些问题的研究不仅会是中国，也将会是世界的精神和思想财富。

（二）可更多采用质性研究方法

道德认知领域的研究，传统上多采用访谈法。早期道德访谈中的临床法为皮亚杰所创，注重对道德对偶事例的实际认知过程；科尔伯格为探索原则道德，进一步将道德冲突加剧，演变为道德两难冲突；特里尔仍然主要采用半结构化访谈法进行研究。但其他流派以及之后的研究，为适应大规模量化研究需求多用问卷形式，多采用横截面研究，在描述个体品德变化过程和原因方面并不充分。国内研究亦是如此，近二十年涌现出了体量巨大的实证研究。在量化研究中，研究者使用各种操作性变量把活生生的，时刻处于冲突和变化中的鲜活个体数据化，也把研究局限在相对狭小的视角，它被学者称为品德心理研究中"量化实证研究过度与质化研究经验不足的尴尬"[③]。"尴尬"二字较好地形容出研究结论"小而微"与教育启示"大而全"之间的差距。所以，之后的研究可考虑使用质性研究方法，例如，采用教育叙事或者教育现象学的方法来对学生品德之动态变化过程进行研究。这两类方法在教育学领域内的研究和应用甚于心理学研究领域，但其实后者的微妙和微观决定了采用这些方法进行研究将有新的突破，不仅是具体结论方面的研究突破，还包括认识论方面的突破——回归到鲜活的个

---

① 赵欢欢，许燕，张和云．中国人敬畏特质的心理结构研究［J］．心理学探新，2019，39(4)：345－351.

② 孙彩平，周亚文．追寻格局：中国文化伦理图式敞开与德育路向［J］．教育研究，2021，42(8)：69－77.

③ 朱海龙，杨韶刚．回顾与展望：中国道德心理学发展四十年述评［J］．西南民族大学学报（人文社科版），2016(9)：195.

体本身。

（三）可从事实道德走向人际道德

品德发展研究者在各自理论视野下对“道德”的界定并不相同。科尔伯格更多受到罗尔斯的影响，研究“原则道德”。而特里尔受到格沃斯影响，关注与个体产生相互作用的具体事件的性质，被称为“事实道德”。如前所述，已有研究证明，在真实生活世界中，道德领域认知的基础之一是“心理理论”能力。在与不同个体的互动中，事件本身的性质和双方对彼此心理状况、信息假设的判断共同参与到人际互动中，甚至参与到不同道德文化的真正交流中。共识、交流、主体间性会成为新的道德诉求。领域理论研究提醒我们，尽管存在不同道德文化，如若愿意真正地沟通和交流，人凭借人类的“心理理解能力”，完全可以在一定框架下达到相互理解。在学生成为网络原住民的新时代，在人工智能时代，在道德遭遇多样化挑战的时代，学校道德教育或可与时俱进，做出方向性调整。因此不妨借鉴后现代建构主义，超越“一阶道德”（道德底线和道德原则），走向“二阶道德”（“对人们联合创造善的行为的可能性基于无条件支持的伦理”[①]），这是关系性道德。诚如格根所言，“二阶道德维护了各类道德存在的可能性”[②]，以此探讨不同文化个体的道德互动将会有新的启示，将会让学生对新时代做更好的准备。

---

① 格根．关系性存在：超越自我与共同体［M］．杨莉萍，译．上海：上海教育出版社，2017：362.

② 同①372.

主要参考文献

一、中文文献

[1] 班华 . “学会关心”: 一种重在道德学习的德育模式 [J] . 教育研究 , 2003 (12).

[2] 班华 . “双序实验” 三维结构思想品德教育方案 [J] . 当代教育科学 , 1989 (1).

[3] 曹书阳 . 学生衣饰准则新探 : 社会认知领域理论的启示 [J] . 教育科学研究 , 2008 (5).

[4] 岑国桢 . 从公正到关爱、宽恕 : 道德心理研究三主题略述 [J] . 心理科学 , 1998 (2).

[5] 陈钢 . 反网络欺凌 : 儿童教育新主题 [J] . 中国教育学刊 , 2011 (10).

[6] 陈潇 , 江琦 , 侯敏 , 等 . 具身道德 : 道德心理学研究的新取向 [J] . 心理发展与教育 , 2014 , 30 (6).

[7] 陈欣银 , 时蓉华 . 影响学生道德行为的两个因素的实验研究 [J] . 心理学报 , 1987 (1).

[8] 崔丽娟 , 胡海龙 , 吴明证 , 等 . 网络游戏成瘾者的内隐攻击性研究 [J] . 心理科学 , 2006 (3).

[9] 戴春林 , 杨治良 , 吴明证 . 内隐攻击性的实验研究 [J] . 心理科学 , 2005 (1).

[10] 儿童品德心理研究协作组 . 中小学生道德情感发展研究 [J] . 心理发展与教育 , 1989 (3).

[11] 樊召锋 , 俞国良 . 自尊、归因方式与内疚和羞耻的关系研究 [J] . 心理学探新 , 2008 , 28 (4).

[12] 冯天荃 , 叶浩生 , 刘国雄 . 中学聋生对道德和非道德规则的认知 [J] . 中国特殊教育 , 2008 (4).

[13] 傅宏 . 宽恕 : 当代心理学研究的新主题 [J] . 南京师大学报 (社会科学版), 2002 (6).

[14] 高德胜 . 道德情感 : 本质、类别与意义 [J] . 当代教育与文化 , 2021 , 13 (6).

[15] 高德胜 . 道德伪善的教育学思考 [J] . 全球教育展望 , 2018 , 47 (11).

[16] 高学德 , 周爱保 , 宿光平 . 反事实思维与内疚和羞耻的关系 : 以大学生和青少年罪犯为例 [J] . 心理发展与教育 , 2008 (4).

[17] 郭本禹 . 道德认知发展与道德教育 [M] . 福州 : 福建教育出版社 , 1999.

[18] 郭晓丽，江光荣．暴力电子游戏对儿童及青少年的影响研究综述［J］．中国临床心理学杂志，2007 (2).
[19] 何华容，丁道群．内疚：一种有益的负性情绪［J］．心理研究，2016，9 (1).
[20] 霍夫曼．移情与道德发展［M］．哈尔滨：黑龙江人民出版社，2003.
[21] 姬慧，乔建中．关于移情发展与道德发展关系的思考［J］．教育探索，2004 (6).
[22] 姬旺华，张兰鸽，寇彧．公正世界信念对大学生助人意愿的影响：责任归因和帮助代价的作用［J］．心理发展与教育，2014，30 (5).
[23] 江峰．儿童的羞感与耻感教育［J］．教育学报，2015 (4).
[24] 寇彧，徐华女．论道德伪善：对人性的一种剖析［J］．清华大学学报（哲学社会科学版），2005 (6).
[25] 寇彧，徐华女．移情对亲社会行为决策的两种功能［J］．心理学探新，2005 (3).
[26] 况志华．基于日常经验取向的责任心理结构研究［J］．心理科学，2012，35 (2).
[27] L · 科尔伯格．道德发展心理学：道德阶段的本质与确证［M］．郭本禹，何谨，黄小丹，等译．上海：华东师范大学出版社，2004.
[28] 拉瑞·努奇．道德领域中的教育［M］．刘春琼，等译．哈尔滨：黑龙江人民出版社，2003.
[29] 雷雳，马晓辉．青少年网络道德实证研究［J］．中国德育，2010，5 (5).
[30] 雷霞．黑白分明：黑白视觉对比极化道德判断［D］．广西师范大学，2015.
[31] 李伯黍，李正云．道德发展：心理学、哲学、伦理学和教育学的思考［J］．华东师范大学学报（教育科学版），1996 (4).
[32] 李辽．青少年的移情与亲社会行为的关系［J］．心理学报，1990 (1).
[33] 李明，叶浩生．责任心的多元内涵与结构及其理论整合［J］．心理发展与教育，2009 (3).
[34] 李伟强，岑国桢，郭本禹．中学生对学校道德氛围感知的调查［J］．心理科学，2009，32 (2).
[35] 李闻戈．工读学生攻击性行为社会认知特点的研究［D］．上海：华东师范大学，2004.
[36] 李肖．基本移情和再激发性移情［D］．南京：南京大学，2013.
[37] 林可．不止于“好”，不囿于“德”：拉里 · 努奇“领域德育论”对我国德育工作的启示［J］．中国德育，2018 (2).
[38] 刘春琼．领域理论的道德心理学研究［M］．上海：上海教育出版社，2011.
[39] 刘次林，钱晓敏．领域理论与学校德育文化的改造［J］．教育研究与实验，2018 (3).
[40] 刘国雄．道德和习俗领域幼儿义务推理的发展［J］．心理学报，2013，45 (3).
[41] 刘志．道德发展理论的新突破：道德基础理论解析［J］．外国教育研究，2018，45 (5).
[42] 卢家楣，袁军，王俊山，等．我国青少年道德情感现状调查研究［J］．教育研究，2010，31 (12).

[43] 鲁洁 . 人对人的理解 : 道德教育的基础 : 道德教育当代转型的思考 [J] . 教育研究 , 2000 , 21 (7).
[44] 陆有铨 . 皮亚杰关于儿童道德判断的研究 [J] . 教育研究 , 1984 (10).
[45] 罗春明 , 黄希庭 . 宽恕与心理健康 [J] . 中国心理卫生杂志 , 2004 , 18 (10).
[46] 罗贵明 . 父母教养方式、自尊水平与大学生攻击行为的关系研究 [J] . 中国临床心理学杂志 , 2008 (2).
[47] 罗小漫 , 郑德银 , 刘文令 , 等 . 高职生共情与宽恕的关系 : 特质愤怒的调节作用 [J] . 中国特殊教育 , 2013 (5).
[48] 马惠霞 , 薛杨 , 刘静 . 中学生学业羞愧 : 测量、生理唤醒及其与学业成绩的关系 [J] . 心理学报 , 2016 , 48 (5).
[49] 马向真 . 当代中国道德心理学 : 问题与范式 [J] . 南京师大学报 : 社会科学版 , 2018 (4).
[50] 马晓辉 , 雷雳 . 青少年网络道德与其网络亲社会行为的关系 [J] . 心理科学 , 2011 , 34(2).
[51] 庞丽娟 , 姜勇 . 幼儿责任心发展的研究 [J] . 心理发展与教育 , 1999 (3).
[52] 彭凯平 , 喻丰 . 道德的心理物理学 : 现象 , 机制与意义 [J] . 中国社会科学 , 2012 (12).
[53] 任亚辉 . 中国传统儒家责任心理思想探究 [J] . 心理学报 , 2008 , 40 (11).
[54] 沈汪兵 , 刘昌 . 道德伪善的心理学研究述评 [J] . 心理科学进展 , 2012 , 20 (5).
[55] 石伟 . 道德心理许可研究述评 [J] . 心理科学进展 , 2011 , 19 (8).
[56] 孙彩平 . 中国儿童道德发展报告 (2017) [M] . 福州 : 福建教育出版社 , 2018.
[57] 孙嘉卿 , 顾璇 , 吴嵩 , 等 . 道德伪善的心理机制 : 基于双加工理论的解读 [J] . 中国临床心理学杂志 , 2012 , 20 (4).
[58] 孙少英 . 初中生的内疚诱发情景及内疚心理过程 [D] . 上海 : 华东师范大学 , 2011.
[59] 国内 81 个地区 5—11 岁儿童道德判断发展调查 [J] . 心理科学 , 1982 (1).
[60] 黄希庭 , 谭小宏 . 中学生责任心的理论构建研究 [J] . 心理科学 , 2008 , 31 (1).
[61] 檀传宝 . 仅仅一个“好”字 , 远远不够 : 道德领域区分的探索及意义 [J] . 全球教育展望 , 2018 , 47 (2).
[62] 谭小宏 , 黄希庭 . 我国中学生责任心特点初步研究 [J] . 西南大学学报 (社会科学版) , 2008 , 34 (5).
[63] 汪凤炎 . 中国传统德育心理学思想及其现代意义 [M] . 上海 : 上海教育出版社 , 2007.
[64] 汪海彬 , 田晶晶 , 王刚 . 留守儿童道德情感的现状调查研究 [J] . 集美大学学报 (教育科学版) , 2016 , 17 (3).
[65] 王芃 , 王忠军 , 李松锴 . 好人也会做坏事 : 有限道德视角下的不道德行为 [J] . 心理科学进展 , 2013 , 21 (8).
[66] 王文超 , 伍新春 , 田雨馨 , 等 . 青少年创伤后应激障碍和创伤后成长对亲社会行为的影

响：生命意义的中介作用［J］. 心理发展与教育，2018，34 (1).
［67］王兴超，杨继平，刘丽，等. 道德推脱对大学生攻击行为的影响：道德认同的调节作用［J］. 心理发展与教育，2012，28 (5).
［68］吴宝沛，张雷. 厌恶与道德判断的关系［J］. 心理科学进展，2012，20 (2).
［69］吴鹏，刘华山，鲁路捷，等. 青少年网络不道德行为与父母教养方式的关系：道德脱离、责任心、道德同一性的中介作用［J］. 心理科学，2013，36 (2).
［70］吴鹏，王杨春子，刘华山. 初中生网络欺负的发展趋势：道德推脱、观点采择与共情关注的作用［J］. 心理科学，2019，42 (5).
［71］吴晓红. 城乡小学生移情发展的比较研究［J］. 心理科学，1993，16 (1).
［72］薛殿会. 思想品德的结构及其形成［J］. 教育研究，1983 (1).
［73］薛晓阳. 道德健康的教育学刍议：兼议心理教育的伦理转向［J］. 教育研究，2005，26 (11).
［74］阎书昌. 身体洁净与道德［J］. 心理科学进展，2011，19 (8).
［75］颜志强，苏彦捷. 共情的性别差异：来自元分析的证据［J］. 心理发展与教育，2018，34 (2).
［76］杨光辉，周宗奎，王宁丹. 攻击的结构与测量范式［J］. 心理科学，2010，33 (4).
［77］杨继平，王兴超，高玲. 道德推脱的概念、测量及相关变量［J］. 心理科学进展，2010，18 (4).
［78］杨丽珠，辛晓莲，胡金生. 促进幼儿责任心发展的教育现场实验研究［J］. 学前教育研究，2005 (5).
［79］叶浩生. "具身"涵义的理论辨析［J］. 心理学报，2014，46 (7).
［80］叶茂林，杨治良. 未成年人归因的内隐特征与攻击行为［J］. 心理科学，2004 (4).
［81］俞国良. 大中小幼心理健康教育一体化：道德认知视角［J］. 国家教育行政学院学报，2020 (12).
［82］袁晓琳. 道德心理学［M］. 北京：科学出版社，2019.
［83］岳晓东. 论偶像—榜样教育［J］. 中国教育学刊，2004 (9).
［84］张积家. 试论责任心的心理结构［J］. 教育研究与实验，1998 (4).
［85］张洁，吴鹏. 父母教养方式与初中生网络欺负行为的关系：观点采择、共情与道德推脱的中介［J］. 心理研究，2021，14 (6).
［86］张莉，申继亮. 农村留守儿童主观幸福感与公正世界信念的关系研究［J］. 中国特殊教育，2011 (6).
［87］张梦圆，明亮，寇彧. 论西方道德心理研究的新综合取向：道德基础理论［J］. 北京师范大学学报：社会科学版，2016 (1).

[88] 张晓贤，桑标．小学生内疚情绪理解能力的发展［J］．心理发展与教育，2012，28 (1).
[89]张忠，陈家麟．论道德健康与心理健康：兼议心理健康教育功能、价值、目标的拓展［J］．教育理论与实践，2007，27 (6).
[90] 章志光．试论品德的心理结构［J］．北京师范大学学报，1990 (1).
[91] 章志光．学生品德形成的动态研究与方法探索［J］．北京师范大学学报，1988 (1).
[92] 赵改，孔繁昌，刘诏君，等．父母情感温暖对青少年感恩的影响：责任心与公正世界信念的中介作用［J］．心理发展与教育，2018，34 (3).
[93] 赵欢欢，克燕南，张和云，等．家庭功能对青少年道德推脱的影响：责任心与道德认同的作用［J］．心理科学，2016，39 (4).
[94] 赵辉．幼儿责任心与家庭功能的相关研究［J］．教育实践与研究：理论版 (C)，2014 (11).
[95] 赵联．试论道德健康视角下的个体、社会与教育［J］．教育研究与实验，2010 (2).
[96] 赵志毅，赵艺，刘洁璇，等．品德结构研究三十五年［J］．中国教育科学，2015 (2).
[97] 赵志毅．论品德结构与人格系统的关系［J］．教育研究，2011，32 (1).
[98] 郑清，叶宝娟，姚媛梅，等．攻击行为规范信念对大学生网络欺负的影响：道德推脱与网络道德的中介作用［J］．中国临床心理学杂志，2017，25 (4).
[99] 郑信军，岑国桢．道德敏感性的研究现状与展望［J］．心理科学进展，2007，15 (1).
[100] 朱海龙，杨韶刚．回顾与展望：中国道德心理学发展四十年述评．西南民族大学学报（人文社科版），2016 (9).
[101] 朱宁波，袁媛．青少年道德榜样教育现状的调查研究［J］．教育科学，2013，29 (5).
[102] 朱小蔓．道德情感简论［J］．道德与文明，1991 (1).
[103] 朱晓伟，周宗奎，褚晓伟，等．从受欺负到网上欺负他人：有调节的中介模型［J］．中国临床心理学杂志，2019，27 (3).
[104] 宗培，白晋荣．宽恕干预研究述评［J］．心理科学进展 .2009,17(5).
[105] 左群英．同情的失落：一种教育现象学视角的儿童情感观察［J］．上海教育科研，2011 (11).

二、外文文献

[1] Berti A E, Garattoni C,Venturini B. The understanding of sadness, guilt, and shame in 5−, 7−, and 9−year−old children ［J］. Genetic, social, and general psychology monographs, 2000, 126(3).
[2] Blake M. Riek. Transgressions, Guilt, and Forgiveness: A Model of Seeking Forgiveness［J］. Journal of Psychology and Theology,2010,38(4).
[3] Buss, A. H., Perry, M. The aggression questionnaire. Journal of Personality and Social

Psychology, 1992, 63 (3).
[4] Enright R. D., Zell R.L. Problems encountered when we forgive one another [J] . Journal of Psychology & Christianity, 1989, 8.
[5] Greene J. D., Sommerville R. B., Nystrom L. E., et al. An fMRI Investigation of Emotional Engagement in Moral Judgment [J] . Science, 2001, 293.
[6] Haidt J. The emotional dog and its rational tail: a social intuitionist approach to moral judgment. [J] . Psychological Review, 2001, 108 (4).
[7] Jaffee S., Hyde J. S . Gender differences in moral orientation: a meta–analysis. [J] . Psychological Bulletin, 2000, 126 (5).
[8] Haidt J., "Dialogue between My Head and My Heart\" : Affective Influences on Moral Judgment [J] . Psycho–logical Inquiry, 2002, 13 (1).
[9] Killen, M., & Smetana, J. G. Handbook of Moral Development [M] . Psychology Press, Taylor & Francis Group, 2006.
[10] Malti T, Dys S P. A Developmental Perspective on Moral Emotions [J] . Topoi, 2015, 34(2).
[11] Nelissen, R, & Zeelenberg, M. When guilt evokes self–punishment: evidence for the existence of a Dobby Effect [J] . Emotion, 2009, 9(1).
[12] Nucci, L. P. Nice is not enough: facilitating moral development [J] .Journal of Moral Education, 2009, 38 (3).
[13] Smetana, J. G., Jambon, M., & Ball, C. (2014). The social domain approach to children's moral and social judgments. In M. Killen & J. G. Smetana (Eds.) [M] . Handbook of moral development (2nd ed.,pp. 23 45)New York, NY: Taylor & Francis.
[14] Shweder R. A., Sullivan M.A. Cultural Psychology: Who Needs It ? [J] . Annual Review of Psychology, 1993, 44 (1).
[15] Turiel E., Nucci L. P., Smetana J. G. A cross–cultural comparison about what ? A critique of Nisan's (1987) study of morality and convention [J]. Developmental Psychology, 1988, 24 (1).
[16] Yau J., Smetana J. G. Conceptions of moral, social–conventional and personal events among Chinese preschoolers in Hong Kong [J] . Child Development, 2003, 74 (1).